EEN DUIF IN DE ROTSKLOOF

INE TEN BROEKE-BRUINS

EEN DUIF IN DE ROTSKLOOF

UITGEVERSMAATSCHAPPIJ J. H. KOK – KAMPEN

Kom, mijn duif in de rotskloof,
uit de schuilhoek van de bergwand . . .

CIP-gegevens

Broeke-Bruins, Ine ten

Een duif in de rotskloof / Ine ten Broeke-Bruins.
– Kampen : Kok. – (VCL-serie)
ISBN 90-242-1912-4 geb.
UDC 82-3
Trefw.: romans ; oorspronkelijk.

Omslagontwerp Reint de Jonge
Omslagbelettering KMP, Zwolle

HOOFDSTUK 1

Het Lienderbos heeft niets verontrustends, niets geheimzinnigs ook op deze heldere novemberdag.

Nee?

Nee, integendeel! Het bos heeft iets zeldzaam bekoorlijks, door de unieke combinatie van te vroeg gevallen sneeuw en goudgetinte herfstbladeren, die niet de gelegenheid kregen een kurklaagje aan het uiteinde van hun steeltje te vormen, waardoor ze kunnen wegdansen op de wind . . .

De zon, speels, maar onverbiddelijk, drijft de schaduwen steeds verder terug, het bos in . . .

Zelfs het wit-geschilderde bord, even voorbij de bushalte, waar Rosalie Bedijn hardnekkig van wég probeert te kijken, maar dat tóch op een onnaspeurlijke wijze haar blik trekt, is precies zoals ze zich van vorige bezoeken herinnert.

Ach, natuurlijk, wat een dwaze gedachte ook: hoe zou een bord nu kunnen veranderen, al verwijst het dan regelrecht naar de tragische dood van een jonge vrouw!

„Kuurchalet le Pâturage, restaurant open" staat er met sierlijke krulletters op getekend, met een handwijzer naar de Bergweg en daaronder „1 km".

Rosalie zet een ogenblik haar koffer en weekendtas in de besneeuwde berm. Ze grabbelt in haar jaszak naar een zakdoek en snuit vastberaden haar neus. Als ze met een behuild gezicht bij Peter aankomt stuurt hij haar meteén terug naar Den Haag.

Ze neemt haar bagage weer op en kijkt links en rechts de rijweg af. Daarna steekt ze vlug over en slaat de bosweg, schuin tegenover de Bergweg in.

Al na enkele meters omsluit de stilte van het witte bos haar zó volkomen, dat ze, om het gevoel van onbehagen dat langs haar rug omhoogkruipt, nóg sneller over het besneeuwde pad voortstapt.

Brr, wat woont Peter hier toch vreselijk afgelegen. Zéker in de wintertijd.

Rosalie herademt als ze aan haar linkerhand het bordje „Eikenwal" ontdekt.

Gelukkig, nu is het nog maar een kwestie van enkele minuten.

En dan staat Rosalie Bedijn na haar vermoeiende tram-trein-busreis eindelijk vóór de „Waterlelie”, het knusse lage huis met het rieten dak en de vijver, midden in het gazon, waarop 's zomers de lelie deint in al haar fiere pracht.

Schuw kijkt Rosalie naar het grote raam met de vele groene planten in de diepe vensterbank.

Er zal geen donkerblond hoofd verschijnen om haar enthousiast te verwelkomen. Nóóit meer! En de onherroepelijkheid van dat „nooit” stuwt opnieuw een fel protest in Rosalie omhoog. Net als na vaders plotselinge dood. Net als na Linekes ongeluk.

Waarom moest vader opnieuw een hartaanval krijgen? Moeder en hij hadden elkaar ternauwernood teruggevonden, na een ernstige crisis in hun huwelijk. Alles leek zo mooi en fijn. Vooral toen vader weer toestemming kreeg achter zijn geliefde vleugel plaats te nemen om te spelen. Maar het eerste concert, waaraan hij na zijn ziekte medewerking verleende, werd hem al fataal. Onmiddellijk na zijn optreden zakte hij in elkaar. Ze zal het nooit vergeten. Ook niet haar eigen wanhoop. Zij had als enige van de zes kinderen altijd een hechte band met vader gehad.

Na een jaar hertrouwde moeder met meneer Feenstra, de schoonvader van haar oudste zuster Lon.

Moeder en hij hadden, ook toen vader nog leefde, al veel met elkaar op. Toen ze haar het nieuws van hun huwelijk hadden verteld, had zij schamper haar schouders opgehaald. „Daar kijk ik niets van op. Als vader meteen na zijn eerste hartaanval was doodgegaan, waren jullie tóen al in het bootje gestapt. Nou, mijn zegen hebben jullie. Reken alleen niet teveel meer op mij. Ik ben bang dat ik jullie getortel niet goed aan kan zien. *Ik* ben vader nog niet vergeten!” Dat had ze gezegd. Ze ziet nog moeders ontstelde gezicht. De pijn in haar ogen . . . Maar ze had niet anders gekund. Om haar eigen pijn binnenin haar niet. Ze was teruggegaan naar haar kamers en ze had woord gehouden. Sporadisch had ze nog haar ouderlijk huis aan de Laan van Meerdervoort opgezocht. Alleen met verjaardagen en toen dat ontstellende bericht doorkwam van Linekes ongeluk, slechts enkele weken na het huwelijk van moeder met meneer Feenstra . . .

Rosalie heeft haar volle aandacht nodig om een glijpartij te voorkomen en zó hoeft ze niet te kijken naar de eiken zijdeur, die nu hermetisch gesloten blijft, terwijl hij altijd wagenwijd openstond, als Lineke wist, dat er iemand van thuis in aantocht was . . .

Achter het huis blijft Rosalie stilstaan om eens heel diep adem te halen. Ze ziet niets van de pracht van besneeuwde struiken en heesters. Niets van de donkere denne- en sparrewacht op de achtergrond.

Verdriet krampt haar maag samen, zodat een misselijk gevoel omhoog golft. En in haar keel zit een tranenprop. Ze slikt, slikt ... Het mooie gezichtje, dat al zoveel afgunst heeft opgewekt, de twee en twintig jaren van haar leven, vertrekt in een grimas.

Ze gooit het halflange, zilverkleurige haar met wild gebaar naar achteren.

„Ik durf niet!" mompelt ze gesmoord. Niet dáár binnengaan. Ik ben hier na Linekes dood niet één keer meer geweest. Alleen met de begrafenis, maar dat was met de hele familie. Ik ... ik kan het niet bevatten dat zij daar niet meer is. Linepien, mijn liefste zusje immers?

Dan, zich vermannend, draait Rosalie zich om. Ze hult zich in haar pantser van onverschillige hooghartigheid, waarachter ze voor bijna iedereen haar rampzalige eenzaamheid verbergt én de schrijnende wonden die het leven haar heeft toegebracht, sedert ze drie jaar geleden het ouderlijk huis verliet.

Ze doet een stap dichter naar het huis en gluurt door het keukenraam. De aanblik van het volgestapelde aanrecht bepaalt haar weer bij de reden van haar komst. Toen moeder haar vorige week opzocht op haar kamers – dat is moeder Els trouw blijven doen, ondanks háár afkeer van moeders nieuwe huwelijk – had ze nogal alarmerende berichten over Peter en de kinderen.

„Die jongen verkommert daar in dat bos. Avond aan avond alleen met de zorg voor twee hummels ... weer zonder hulp ... de kinderen overdag onder de hoede van de huishoudster van Peters baas ..."

Toen moeder weg was, had ze ineens een besluit genomen. De eigenaar van de kapsalon Avenue had haar al een paar keer bezorgd aangeraden er een paar weken tussenuit te gaan. Het was nu rustig in de zaak en ze had immers nog geen vakantiedagen opgenomen? 't Was waar, gek moe voelde ze zich al een hele tijd! En daarom had ze vrij gevraagd. Ze had er alleen niet bij verteld, dat ze haar vakantie door ging brengen bij haar zwager die dringend om hulp verlegen zat. Het stille bos had haar een verademing geleken, na haar leven van uitgaan en pleziertjes.

Rosalie weet, dat ze alleen een streep onder haar huidige leven zetten kan, als ze definitief de stad achter zich laat en ergens waar niemand haar kent, opnieuw zou kunnen beginnen. „Ik ga mijn zwager Peter helpen en probeer vanuit Lienden een andere baan als kapster te krijgen. Ik heb al mijn diploma's en krijg een goed getuigschrift van een eerste klas zaak in het westen." Zonder iemand in haar plannen te kennen, is ze vertrokken. Alleen voor de tantes, waar ze altijd zoveel gastvrijheid heeft genoten, heeft ze een uitzondering gemaakt. Voor hen heeft ze een kattebelletje achtergelaten met de mededeling dat ze een poosje naar Lienden gaat.

Rosalie tast naar de klink van de deur. Gelukkig, die geeft mee.

Zodra ze in de keuken staat ontdekt ze, dat de Waterlelie niet zo verlaten is, als zij op dit uur van de dag verwachtte!

Op de grenehouten muurbank zit een meisje met rood-bruin, slordig geknipt haar. Ze heeft een smal onopvallend gezicht, waaruit een paar lichte ogen Rosalie nieuwsgierig opnemen. Haar stem is hoog en zangerig en – stelt Rosalie voorbarig vast – véél te lief naar haar smaak. Ze merkt, dat ze het helemaal niet prettig vindt hier een wildvreemde jonge vrouw in Peters keuken te ontdekken. Die nota bene doet alsof ze hier thuis is: ze heeft haar benen onder zich opgetrokken en haar laarzen nonchalant uitgeschopt, zodat Rosalie er bijna over struikelt.

„Een nieuwe hulp?" zingt het meisje met haar sopraan. „Nou, je kunt meteen aan de slag, zoals je ziet." Ze wijst naar het volgestapelde aanrecht. „Ik zat hier net moed te verzamelen maar nu jij er tóch bent . . ." Traag komt ze overeind. Zodra ze haar gezicht naar het buitenlicht wendt, stelt Rosalie vast dat „het meisje" veel ouder moet zijn, dan ze op het eerste moment heeft gedacht. Zéker voor in de dertig, schat ze onbarmhartig en nu natuurlijk in galop naar de Waterlelie, om Peter te strikken. Nou, als ik dat maar éven voorkomen kan . . . Peter, die nota bene een schat als Lineke heeft gehad . . . Line . . .

„Ik ben een schoonzusje van Peter!" zegt Rosalie haastig. „Wie bent u eigenlijk?"

Het meisje lacht wat nerveus. „O, neem me niet kwalijk. Ik dacht heus, dat er weer een nieuwe hulp was komen opdagen, zoals ze Peter beloofd hebben."

„Wie bent u?" houdt Rosalie star aan.

„Gina Lang, de secretaresse van de firma Pavard. Ik was op weg naar het postkantoor in het dorp. Toen ik langs de Waterlelie kwam, dacht ik: misschien kan ik nog even vlug iets voor die arme Peter doen!" Ja, door hier languit op de bank een sigaretje te roken. Daarmee help je hem nogal, denkt Rosalie schamper.

Met een vage groet verdwijnt ze naar de hal, waar ze haar koffer en weekendtas een voorlopig plaatsje naast de garderobekast geeft. Voor de langwerpige spiegel met de eiken omlijsting kamt ze haar blonde haar. Even – oplettend – brengt ze haar gezicht dichter naar het glas. Om te onderzoeken of er bij haar ook al de sporen zijn, die ze bij het oudere meisje in de keuken ontdekte ...

Driftig trekt ze nóg eens de kam door de vracht krullen. Twee en twintig ... ze lijkt wel mal! Het komt alleen door alles, wat er de laatste twee jaar is gebeurd, dat ze zich oud voelt. Omdat er zoveel is voorgevallen ... omdat ze het vertrouwen in God en de mensheid totaal kwijt is ...

En dat vlucht naar Peter toe. Om hem te helpen met de kleintjes. Om hem bij te staan in zijn grote verdriet ...

Opnieuw speelt een schamper lachje om Rosalies rode mond. Het is nog zeer de vraag, of hij mij, uitgerekend de enige van Linekes zusters, die hij niet mag, om zich heen kan verdragen. Het is gewoon mijn eigen schuld, omdat ik het indertijd natuurlijk niet laten kon met hem te flirten, toen Line met hem thuiskwam. Tenslotte is Peter een enige vent om te zien. Maar als ik geweten had, dat hij me naderhand zo ... ja, zo geringschattend zou behandelen ... dan had ik me wel honderd keer bedacht. Of niet ... Ik was nu eenmaal zo'n dom, ijdel wicht.

Wás?

Wrevelig haalt Rosalie haar schouders op. Ze gaat terug naar de keuken, om te ontdekken, dat de secretaresse van Peters baas is verdwenen. Een scherp sigaretteluchtje herinnert nog aan haar.

Opgelucht gooit Rosalie de keukendeur wijd open.

Zo en nu eerst aan de afwas! Ze betrapt zich erop, dat ze even de aanleiding van haar komst naar de Waterlelie – Lineke – is vergeten. En dan is ze daar die Gina Lang toch stilletjes dankbaar voor. Omdat die haar entree in het stille huis een stuk vergemakkelijkt heeft, zonder dat ze dat zelf weet.

Dan schaamt ze zich voor haar onvriendelijke gedachten over haar. Ze herinnert zich, dat moeder zich vorige week lovend over Gina heeft uitgelaten. Ongevraagd heeft ze nogal eens bijgesprongen in het moederloze gezin, de laatste maanden. Als ze maar niet ... Nee, dat bestaat immers niet? Peter is juist om díe reden enkele gezinshulpen na elkaar kwijtgeraakt. Hij duldt niemand anders op Lines plaats. Daarvoor is de wond nog veel te vers. Het is goed, dat zij, Rosalie is gekomen. Nu heeft hij iemand van Linekes thuis, iets vertrouwds. En ze heeft immers toch niets om handen? Ze wil Peter en de beide nichtjes graag helpen. Misschien kan ze zodoende de slechte indruk, die ze eens op haar zwager maakte, uitwissen. Het heeft haar altijd pijn gedaan, dat hij zo koel en op een afstand deed, terwijl hij voor de anderen zo'n gezellige broer kon zijn.

Om half één is het aanrecht leeg en blinkend schoon, de keuken aan kant en is er een stofdoek over de meubels in de zitkamer gehaald. Vliegensvlug dekt Rosalie de koffietafel, zoals ze dat toen ze nog thuis was, zo dikwijls heeft gedaan.

Ze trekt de kinderstoel bij de ronde eettafel en legt een slab klaar voor Reneetje, die ze bovenaan de trap tussen een stapel gestreken wasgoed heeft ontdekt.

Daarna snijdt ze brood, dat er gelukkig voldoende blijkt te zijn en bakt een paar eieren.

Nu nog de meegebrachte bloemen in een vaas en een paar kleine takjes in een glas midden op tafel. Meer kan ze voorlopig niet doen. Hoe laat zou Peter lunchpauze hebben? Of . . . zóu hij eigenlijk wel thuiskomen? Hij weet immers niet, dat zij er is?

Bedrukt giet ze de koffie over in een kan. Het lokt haar helemaal niet om hier de hele middag alleen in het stille huis te moeten doorbrengen. Niet voor niets hebben haar handen onafgebroken bezigheid gezocht!

Ineens zijn er stemmen opzij en achter het huis en meteen daarna stort zich al een klein meisje in een vuurrood jasje en dito maillot, waarover een piepklein geruit rokje, naar binnen. Het donkere haar is in een eigenwijs knoetje gevangen, bovenop haar hoofdje.

„Tante Lón?"

„Nee," zegt Rosalie, zich naar haar nichtje omkerend, „tante Lon is met oom Tjerk naar een heel ver land op vakantie, weet je wel? Ik ben tante Rosalie." Ze knielt bij de kleuter neer en zodoende ontgaat haar de teleurgestelde blik van haar zwager Peter, die achter zijn luidruchtige dochter is binnengekomen, op de voet gevolgd door een oudere vrouw, die Reneetje op de arm heeft.

„Ik wil jou niet. Ik wil tante Lón!" eist Elmie heel beslist. „Jij bent níet lief!"

Rosalie veert overeind. De bezeerdheid om de woorden van het kind veegt ze razendsnel achter een stralende lach.

„Dag Peter. Dag mevrouw. Ik hoop, dat ik toch blijven mag, al ben ik dan geen Lon?"

„Vanzelfsprekend!" Peter neemt zijn jongste dochter over van de vrouw. „Dit is mevrouw Lang, Rosalie, mijn schoonzusje . . ."

Rosalie drukt even de toegestoken hand. Ze mompelt een groet tegen het glimlachende gezicht van mevrouw Lang. Ook háár stem is vriendelijk en toch heeft Rosalie de indruk, dat de vrouw niet blij is met haar komst in de Waterlelie. Haar ógen zijn kil, denkt Rosalie. In een opwelling vraagt ze: „Bent u misschien familie van juffrouw Lang?" Omdat de vrouw associaties oproept met de rossige secretaresse van Peters baas . . .

„Ze is mijn stiefdochter," legt mevrouw Lang uit. „Gina vertelde dat er hulp was komen opdagen in de vorm van één van de schoonzusjes . . ." vult Peter aan.

„Maar wíe was nog een verrassing."

„Is het een erge teleurstelling, dat ík het ben?" vist Rosalie, met even dat tartende behaagzieke, dat Peter zo mateloos ergeren kon en waar Lineke, zijn vrouw, diep in haar hart bang voor was. Rosalie, het mooie zusje, had al zo dikwijls met succes de aandacht van de vrienden van haar zusjes naar zích getrokken . . .

Peter weet niet, dat er een grote dosis onzekerheid schuilgaat achter Rosalies vraag. Om Elmies woorden, om Peters gereserveerde houding, om de scherpe ogen van de magere vrouw . . .

Waarom ben ik híer in vredesnaam heengevlucht? Ik wist toch, dat ik niet met gejuich zou worden ingehaald, zoals Carry, het jongste zusje, of Marieke, die zoveel weg heeft van Peters overleden vrouw . . .

Ziet Peter haar ontreddering?

„Welnee, meid!" zegt hij op zijn hartelijke, kameraadschappelijke toon. „Ik had alleen in laatste instantie aan jou gedacht, omdat jij een drukke baan hebt."

„Ik had nog massa's vrije dagen te goed. Ik ben hier gekomen, omdat jij weer zonder hulp bent, Peter. Dat hoorde ik van moeder. Als je tenminste goed vindt, dat je een poosje met mij zit-opgescheept."

Peters ogen springen van het knappe blonde meisje naar de vrouw in de donkerblauwe mantel. Hij ziet haar oplettende ogen van achter de grote bril . . .

„Ook een vraag zeg! Natuurlijk zijn we reuzeblij dat je gekomen bent. Alleen bezwaart het mij, dat je je vakantiedagen voor ons op gebruikt." Hij probeert enthousiasme in zijn stem te leggen, dat hij niet voelt. Rosalie is hem nooit vertrouwd geworden in de jaren van zijn huwelijk met Lineke Hij heeft haar ongenaakbaar en dikwijls onuitstáánbaar gevonden . . .

„Ik moet terug. Smakelijk eten!" komt de stem van mevrouw Lang abrupt.

Vóór het goed en wel tot hen doordringt, is ze verdwenen.

Reneetje begint zielig te huilen. Peter zet haar voorzichtig in haar hoge stoel. Gespt het riempje vast van het tuigje, zodat ze er niet uit kan tuimelen.

„Renee is erg gesteld op mevrouw Lang. Zij heeft het laatste half jaar veel met haar opgetrokken. Je weet: Reneetje is nogal eens ziek . . ."

„Zal ik koffie inschenken? En ik heb melk gewarmd voor de kinderen."

„Fijn. Ik ruik ook iets." Peter snuift diep. „Heb je iets lekkers gemaakt?"

„Alleen een paar eieren gebakken. Ik ben hier nog niet zo láng."

„Lang genoeg om die ellendige vaat weg te wassen. Ik zie nu tenminste weer een aanrecht." Hij kijkt haar dankbaar aan. „En hier binnen heb je het ook al zo gezellig gemaakt, met die bloemen. Wij zijn niet veel meer gewend, sinds Lineke . . ." De pijn om haar heengaan staat weer naakt en onverbloemd in zijn ogen te lezen. „Hoewel . . ." vervolgt hij haastig, „ze zijn allemaal geweldig voor me geweest en nóg . . ."

Behalve ik, ik heb me hier niet één keer laten zien, na dat vreselijke ongeluk. Ik kan het nog niet begrijpen: Lineke die toch wist hoe gevaarlijk het is om over te steken op de Lienderweg. Het verkeer raast daar met hoge snelheid over, richting Arnhem . . .

Zonder uit te kijken kwam ze de Bergweg afgehold en stak pardoes over . . . Ze moet ergens van geschrókken zijn, dat veronderstelde de bestuurder van de wagen, die haar heeft aangereden ook . . . Niet dat het nog iets uitmaakt, Line krijgen we er niet door terug, maar ik zou toch willen wéten, als ik Peter was . . .

„Ik . . ." zegt Rosalie schor, „ik kon het niet eerder, Peter. Maar denk niet dat ik er niet mee bezig ben geweest, met jullie . . ."

„Dat weet ik. Van oom Anne. Hij heeft beter dan wie ook begrepen, hoe moeilijk jij het in het bijzonder hebt gehad sinds de dood van je vader."

Het is, alsof een kille hand het gezicht van Rosalie aanraakt.

„Je hoeft niet te proberen mij tot mildere gedachten te brengen wat het nieuwe huwelijk van moeder met meneer Feenstra betreft!" zegt ze koud. „Laten we daar dus niet over beginnen want dan hebben we in no time ruzie en dat wil ik niet. Ik ben gekomen om je te helpen, Peter!"

„All right." Peter Odink besluit deze kwestie, voorlopig al-

thans, te laten rusten. Hoewel hij weet, hoezeer schoonmoeder Els en oom Anne onder Rosalies afwijzende houding lijden . . .
„Laten we maar gauw een boterham eten. Dan kan ik de kinderen nog even in bed leggen voor hun middagslaapje."
„Mag ik dat doen? Dan kun jij op je gemak je krant lezen," smeekt Rosalie.
„Reuze!" prijst Peter.
Na het eten laat hij zich met een zucht van welbehagen neer in zijn oude leren stoel, een erfstuk van zijn vader, die hij ook al in zijn studiejaren overal mee heen sleepte . . .
Voor het eerst sedert Linekes dood voelt hij een zekere rust, omdat er nu gezorgd wordt, zonder de ónrust, die vreemde hulp met zich meebrengt . . .
Misschien omdat het Rosalie is. Rosalie, waar hij emotioneel geen enkele band mee heeft.

HOOFDSTUK 2

Als Peter Odink even voor half twee de Eikenwal oversteekt op weg naar zijn kantoor, houdt hij onwillekeurig zijn pas in, zodra hij de gemetselde poort nadert. Hoewel het hek als gewoonlijk wijd-open staat, kan hij vandaag niet besluiten meteen door te lopen.
Gebiologeerd staren zijn ogen naar het geëmailleerde bord, dat tegen de rechterzijpaal is opgehangen.
„Technisch bureau Roger Pavard en Co."
Het is net alsof mét Rosalie de herinneringen zijn meegekomen en nu onstuitbaar opstormen, als goed getrainde soldaten . . .
Peter herinnert zich haarscherp, hoe hij die allereerste keer met Ada, de dochter van Roger Pavard, voor dit zelfde hek heeft gestaan. Hoe het hem toen plotseling pijnlijk trof, dat zowel Ada als haar broer Will de naam van hun moeder prefereerden boven die van hun vader. Al sedert de scheiding van hun ouders noemden ze zich „Verheyde". Alleen op officiele stukken en als het niet anders kon, viel de naam „Pavard". Alsof er een smet aan die naam kleefde . . .
De verloving met de mooie Ada Verheyde had niet lang stand gehouden. In hetzelfde Amsterdamse pension waar hij met

Tjerk Feenstra een zolderetage had gehuurd tijdens hun studieverlof, woonde, behalve Ada nóg een verpleegstertje: Lineke Bedijn. Zij had al vanaf de eerste kennismaking iets met zijn hart uitgehaald. Pas na haar afwijzing, had Ada zijn aandacht getrokken. Echter niet voor lange tijd. Het feit dat zij de zuster was van Will Verheyde, zijn aartsvijand, was daar zeker niet vreemd aan. Will Verheyde had hij al tijdens zijn eerste vaarperiode leren kennen. Ze hadden bijna twee jaar op dezelfde schuit gevaren. Vanaf die tijd koestert Peter een grenzeloze afkeer van de man, vanwege zijn turbulente manier van leven en de manier waarop hij andere, bij voorkeur jonge, onervaren leerlingen, probeerde mee te slepen in zijn avonturen . . .

Toen Peter dan ook ontdekte, dat dit fraaie heerschap een relatie met Lineke had gehad, waar hij zonder scrupules een punt achter zette na een nieuwe verovering, had dit zijn besluit versneld. Hij was broer en zuster door dezelfde bril gaan bezien en opnieuw was zijn hart uitgegaan naar de eenzame man in het Lienderbos: Roger Pavard. Tussen Pavard en hem was een hechte vriendschap ontstaan, die uitmondde in een dringend voorstel van Pavard: „Of Peter er voor voelde om met hem samen te werken". Het begon Roger zwaar te vallen om het technisch bureau alleen te runnen en een opvolger wás er immers niet? De zoon van Roger Pavard bewoonde tijdens verlofperiodes te hooi en te gras de caravan, op de uiterste grens van Pavards bosperceel, maar verder liet hij zich weinig aan zijn vader gelegen liggen.

Sinds die fatale februaridag heeft hij zich hier in het Lienderbos zelfs helemaal niet meer laten zien.

Nu overspoelen Peter de beelden, die hij zorgvuldig heeft begraven. Om niet opnieuw die rampzalige ogenblikken te herbeleven. In allerijl gewaarschuwd, was hij naar de plek gehold, waar zijn vrouw was aangereden. Als een dolksteek had het hem getroffen, dat Will Verheyde daar al wás. Met een doodsbleek gezicht stond hij over de roerloze gestalte van zijn vrouw gebogen . . .

O, de haat die zich toen mengde met ontzetting en verscheurende pijn . . .

Haat, die naderhand achterdocht baarde . . .

Was het louter toeval, dat Will ter plaatse aanwezig was, toen Lineke verongelukte?

Nog ziet Peter het verwrongen gezicht van Pavards zoon. Zonder een woord was hij weggegaan. Sindsdien heeft hij hem niet weer ontmoet. Vanmorgen heeft Roger Pavard hem echter voorzichtig verteld, dat Will één dezer dagen zijn verlof in Lienden door komt brengen. Roger weet, dat zijn compagnon grote minachting voor zijn zoon koestert. En hoewel hij die in zijn hart kan billijken, ja, er zelfs begrip voor op kan brengen, Will blijft zijn zoon. De zoon, die hij zolang heeft moeten missen. Roger Pavard weet zich schuldig, omdat hij zelf tekort geschoten is, als vader. Hij heeft de kinderen zonder al te veel strijd overgelaten aan de vrouw die, dat wist hij, niet in staat was twee kinderen te begeleiden naar de volwassenheid . . . Peter kent de schuldgevoelens, waaronder zijn patroon gebukt gaat. Daarom ook heeft hij gezwegen, toen Pavard hem de komst van zijn zoon meldde.

Maar nu, bij het bord dat zijn compagnonschap vermeldt met de vader neemt Peter zich vóór ieder contact met de zóón te vermijden . . . Peter prest zich dóór te lopen. Het heeft geen zin hier voor de poort te blijven staan en zichzelf te kwellen met beelden uit het verleden.

De gebeurtenissen van het afgelopen jaar laten zich echter niet buiten sluiten.

Ze gaan met hem mee, als hij de deur van het kantoorgebouw opent. Als hij zijn jas ophangt in de garderobe en daarna plaatsneemt achter zijn bureau in het privékantoor van Roger Pavard . . .

Het kunnen niet meer dan luttele minuten zijn geweest, dat Peter daar voor het hek van het technisch bureau Roger Pavard heeft staan mijmeren.

Toch is hij opgemerkt. Vanuit het woonhuis van Pavard hebben twee paar ogen hem gadegeslagen.

Bertha Lang tuurt, de ogen toegeknepen, door de plooien van de lange vitrage naar de jongeman bij het hek.

Ze slaakt een kreet van schrik als opeens een spottende stem achter haar klinkt: „Zuster Bertha, zuster Bertha, ziet ge al iets komen?"

„Meneer Will! U maakt me aan het schrikken. Ik was juist bezig de vitrage beter te schikken . . ." Werktuiglijk verschuiven haar vingers de gordijnen voor het zijraam.

„Mijn vader heeft me geleerd om nooit te jokken. Apropos: Ik ben voor jou óf Will of meneer Verheyde, maar geen combinatie van die twee, bitte."

Bertha Lang produceert een toegeeflijk lachje. Het is zaak deze blonde adonis te vriend te houden, weet zij.

„Kan ik iets voor u doen, eh . . . Will?"

„U?"

„Kan ik iets voor *je* doen?"
„Keurig, lieve Bertha. Nou, als je koffie voor me hebt? Met een broodje. Dan ga ik daarna eens in mijn huisje kijken."
„Ik heb het gisteren schoongemaakt. Van vóór naar achteren. Het bed staat al opgemaakt. Je kunt er zó in."
„Fantastisch. Ik ben je zeer erkentelijk."
Zodra de huishoudster van zijn vader de kamer heeft verlaten, neemt Will Verheyde haar plaatsje bij het raam in.
Ook hij ziet de stille gestalte van zijn vroegere varensgezel in gedachten verzonken bij het hoge traliehek staan . . .
De maanden op zee vervagen . . . Hij doorleeft weer die laatste ontmoeting met de vrouw, die hem voorgoed zijn gemoedsrust ontnam . . .
De confrontatie met de man die lijdt onder het verlies van dezelfde dierbare dode, doet hem zijn handen ballen en de lippen bebijten, tot bloedens toe . . .
Hij keert zich abrupt af van het raam, grijpt zijn uniformjas en tas en gaat via de tuindeuren naar de caravan die hij van hieruit door de kale struiken ziet schemeren.
Wanneer Bertha Lang met een keurig blad koffie en broodjes terugkomt, vindt ze de kamer verlaten en de deuren naar het terras wagenwijd open.
„Wel nu nog mooier!" mompelt ze. Ze zet het blad op de eettafel en stapt naar het lager gelegen zitgedeelte. Beheerst sluit ze de glazen deuren. Daarna werpt ze een snelle blik door het zijraam. Ze ziet geen Peter Odink meer.
In gedachten trekt ze een vergelijking tussen de beide mannen: de viking, met zijn blonde haar en wild krullende baard en de donkere, sympathieke jongeman, die zo'n groot verdriet te verwerken kreeg.
Bertha Lang weet, dat die vergelijking in het voordeel uitvalt van de laatste.
„Gina zou haar handen dicht mogen knijpen met een man als Peter Odink. Die bovendien twee schatten van kinderen heeft. Gina is de jongste niet meer en bovendien is ze niet knap zoals . . .
Ze ziet opeens een razend aantrekkelijk gezichtje, omlijst door zilverblond haar: de zuster van Peters overleden vrouw.
Bertha Lang huivert, in plotseling onbehagen . . .

Met nerveuze gebaren steekt Will Verheyde een sigaret op, inhaleert diep en laat zich daarna neer op de smalle bank, die de vóór- en één zijkant van het woongedeelte van de caravan beslaat.

Rusteloos dwalen zijn ogen langs het rijtje pockets op de plank aan de wand. Niet één titel kan hem boeien. Misschien één van zijn oude boeken? Will weet, dat die, evenals de boekenplank, nog uit zijn jongenskamer afkomstig zijn.

Hoeveel jaar was hij, toen hij van al zijn vertrouwde dingen afscheid moest nemen, om met moeder en Ada mee te gaan naar het verre Frankrijk? Vreemd, dat hij nog bij vlagen dat paniekgevoel kent: net alsof alle veilige grond onder hem wegzonk, nadat hij vader een hand had gegeven.

„Dag vader, tot ziens!" Hij had hem nagenoeg niet teruggezien, die eerste jaren. Zijn moeder had zijn zusje en hem verteld, hoe slecht hij haar behandeld had en successievelijk was zich een heel ander beeld gaan vormen van de man, die bij hun vertrek uit het boshuis zo eenzaam was achtergebleven.

Eigenlijk heeft hij pas weer contact gezocht, toen hij met Ada terugkeerde naar Nederland om bij zijn grootouders in Haarlem te gaan wonen. Hij bezocht de zeevaartschool in Amsterdam en zijn zuster een school voor verpleegkundigen.

Opa en oma hadden hem een heel ander beeld geschetst van zijn vader, Roger Pavard.

Nadat hij hem een paar keer een bezoek had gebracht, had hij de daarop volgende keer tot zijn verrassing een caravan zien staan, achterin de bostuin van zijn vader.

„Die kon ik voor een prikje op de kop tikken!" had Roger verklaard. „Als jij behoefte voelt je verlof hier door te brengen, dan mag je er te allen tijde over beschikken. En Ada evenzo. Jullie hoeven dan niet bij iedere stap bang te zijn, om over mij te struikelen. En toch heb ik het idee, dat jullie dicht bij me zijn."

Hij had dit voorstel als een vanzelfsprekendheid geaccepteerd. Omdat hij – mede door de onderdanige houding van zijn vader – nog steeds het standpunt huldigde, dat de man heel wat aan moeder, Ada en hem had goed te maken . . .

Verblinde dwaas die hij was! Lineke Bedijn had de eerste aanzet gegeven om zijn oude visie te herzien.

Maar waarom had dat zo lang moeten duren? Moeder – of „maman" zoals ze haar in Frankrijk noemden – had toch duidelijk door haar wufte manier van leven verraden, hoe de breuk tussen Roger en haar tot stand was gekomen? Ze had altijd vrienden, die haar verwenden en haar de aandacht gaven, die haar ijdele hartje bij de nuchtere Roger tevergeefs had gezocht. En ze had nooit beseft, dat hij de enige was, die écht van haar had gehouden. Al had hij het misschien niet in zoveel mooie vleiende bewoordingen kunnen zeggen.

Vader kocht deze caravan in de hoop, dat Ada of hij er hun vrije tijd in door zouden brengen...

Wat moet de man ontstellend eenzaam geweest zijn, al die jaren! Is het een wonder, dat hij Odink vroeg zijn compagnon te worden, toen hij begreep, dat hij van zijn zoon slechts sporadisch bezoekjes te wachten had? Ada heeft zich hier al jaren niet meer laten zien... om Peter Odink...

Will tikt een nieuwe sigaret uit zijn koker. Ik weet dat hij een diepe afkeer van mij heeft. Al jaren. Dat heeft me nooit gehinderd. Ik verdien zijn minachting. Uit! Maar niet de achterdocht, die ik op zijn gezicht las die februaridag en bij Linekes begrafenis. Die kan ik niet verdragen. Ik heb zélf teveel verdriet om haar dood. Ik móet hier met Peter over praten. Daarom ben ik teruggekomen.

Hij wantrouwt mij. Waarom? Hij kan immers niet weten, dat ik Lineke vlak vóór haar dood nog heb ontmoet? Ik heb het niemand verteld. Niemand!

Will mikt zijn uniformjasje op het vrije gedeelte van de bank, rukt aan zijn zwarte stropdas, zodat die hem niet meer hindert en strekt zijn lange lichaam zo comfortabel mogelijk uit op de smalle kussens. Hij geeuwt. Het tekort aan slaap dat er altijd is na een vaarperiode, doet zich gelden.

Weldra is hij, alle narigheid ten spijt, in diepe rust...

Gina Lang zorgt 's middags voor de thee. Eerst voor het kantoorpersoneel en daarna brengt ze haar moeder altijd een kopje in het huis van meneer Pavard.

Ze vindt haar moeder in de serre waar ze de vele glas-in-loodraampjes lapt.

Als ze Gina ziet, laat ze de spons in de emmer vallen, die aan een haak van het keukentrapje is bevestigd.

„Zou jij de zoon van meneer Pavard ook thee willen brengen? En neem dan meteen zijn brood mee. Daar heeft hij om gevraagd, maar toen ik het hem wilde geven, was hij verdwenen..."

„Will? Is die dan al gearriveerd? Dat weet zijn vader niet eens. Ik zal hem eerst even waarschuwen."

„Doe dat straks maar. Als je meneer Will zijn brood hebt gebracht."

„Is hij in de caravan?"

Bertha Lang knikt. Dan, geïrriteerd, zegt ze: „Jij mag wel eens naar de kapper. Een lichte permanent of zo. Dat gladde haar staat jou niet. Daar is het veel te dun en te piekerig voor."

„Ik zal vanmiddag meteen een afspraak maken in het dorp," belooft Gina haastig. Ze ziet de ontstemming op het gezicht van haar moeder. Ze weet, dat ze haar nog altijd dankbaarheid verschuldigd is, omdat moeder Bertha voor haar is blijven zorgen: het lelijke, onaantrekkelijke kind uit vaders eerste huwelijk. Moeder neemt het haar kwalijk, dat ze nog steeds „haar bestemming" niet heeft gevonden. Die bestemming is een man, waar ze de zorg voor het stiefkind aan over kan laten. Tot zolang weet moeder zich gebonden aan de belofte aan haar overleden man, om voor Gina te zorgen zolang dat nodig is . . . Haar bestemming . . . Waar ligt die? Volgens moeder bij de jonge, sympathieke weduwnaar Peter Odink. Gina Lang, quasie vlot en modern, weet dat ze in feite helemaal onder de invloed van haar stiefmoeder denkt en handelt . . . Maar hoewel er in haar hart dikwijls opstandigheid en onvrede leeft, deze keer kan ze het plan van haar moeder van harte ondersteunen. Peter Odink is haar méér dan sympathiek. In de achterliggende maanden heeft haar aanvankelijke medelijden met het moederloze gezin zich meer en meer geconcentreerd op de jonge vader . . . De laatste weken heeft ze Peter al een paar keer horen zeggen, dat ze een onmisbare steun voor hem en de meisjes geworden was. En nu is daar vanmorgen die ander gekomen. Met haar beeldschone gezicht en dito figuurtje . . . Die bovendien een stuk jonger is dan zij . . . Gina weet dat de irritatie van moeder voortkomt uit dezelfde koker van onbehagen. Moeder Bertha voorziet dat haar mooie plannetje als een kaartenhuis ineen zal storten . . .

Voorzichtig loopt Gina met het theeblaadje over de besneeuwde bosgrond. Een echt pad naar de caravan is er niet en daarom moet ze terdege oppassen om niet over een boomwortel of andere ongerechtigheid te struikelen . . .

De treetjes naar het overdekte portaaltje vóór de deur van de caravan leveren de meeste problemen.

Ze zijn gladder dan Gina dacht en op de middelste glijdt haar hak dan ook van de trede. Met een gil van angst tuimelt ze terug naar de witte grond. Will Verheyde staat bijna gelijktijdig met een verwilderde haardos bovenaan het trapje.

„Vaders rechterhand . . . Wat doe jij daar in vrédesnaam op de grond, Gina?" Hij knielt al naast haar en helpt haar overeind krabbelen.

Ze huilt van schrik en pijn, maar bovenal van schaamte, omdat uitgesproken meneer Will getuige is van haar ongelukje. Ze koestert een heimelijke angst voor de blonde knappe man, die zo fijntjes spotten kan met haar minderwaardigheidscomplex en haar onderdanige houding ten opzichte van haar dominerende moeder.

„Ik . . . ik bracht thee en brood. Moeder vroeg of ik die even in de caravan wilde neerzetten . . ."

Will Verheyde lacht bulderend. Hij schopt met de punt van zijn schoen een broodje kaas omhoog. „Hup twee drie vier. Wie volgt . . ." een krentenbol belandt na een luchtsprong met een boog in de struiken . . .

„Kom, lieve Gina, niet getreurd. Een ongelukje zit in een klein hoekje. Heb je je bezeerd?"

„Ik geloof . . . mijn knie . . ."

„Laat maar eens zien." Zonder zich aan Gina's protest te storen, schuift hij haar plooirok omhoog. „Een gat in je kous en een geschaafde knie. Daar doen we even een keurige pleister op. Verder nog mankementen?"

Gina schudt verwoed haar hoofd. Haar rug heeft ze bezeerd, maar wijselijk houdt ze dat vóór zich. Toevallig weet ze welke losse gewoontes deze Will Verheyde er op na houdt. Sonja, haar voorgangster had haar dat tijdens haar inwerkperiode allemaal verteld, als hoorde dat bij het „inwerken" . . .

„We zullen maar geen risico's nemen!" Voor Gina Lang er op bedacht is, wordt ze door twee sterke armen opgetild en het trapje opgedragen. In de caravan zet Will haar op de bank en tovert een E.H.B.O.-doos uit zijn weekendtas.

Voorzichtig maakt hij de wond schoon, wat Gina opnieuw een kreet van pijn ontlokt. „Even de tanden op elkaar, meisje!" zegt hij. Dan, haar oplettend aanziend, vraagt hij: „Waarom takel jij je eigenlijk zo toe, Gina Lang?"

„Hoe, toetakelen?" Verward, omdat zijn knappe gezicht zo dichtbij is, nu hij geknield voor haar zit. „Ze kleurt nog óók!" Half spottend, half medelijdend kijkt hij naar het ouwelijke gezicht, het rechte rode haar . . .

„Jij zou er een stuk aardiger en vlotter uit kunnen zien, als je je niet langer liet ringeloren door die moeder van jou en eens iets verder rond ging kijken in de wereld. Dit bos is veel te eng!"

„Het enge bos!" giechelt Gina nerveus. Ze weet best dat Will gelijk heeft, maar hij kan niet begrijpen, waaróm ze bij haar stiefmoeder blijft. Wat haar verplichtingen zijn aan deze vrouw.

„Ik voel me er prima bij, meneer Verheyde. Ik wíl helemaal niet opgemerkt worden . . ."

„Dat lieg je!" zegt Will Verheyde fel.

Gina kleurt, dieper dan daarnet. „Bedankt voor de pleister. Ik moet hoognodig terug!" hakkelt ze en vlucht weg voor die verwarrende ogen en stem. Voor heel de rustverstorende mannelijkheid van Will Verheyde. Hoofdschuddend kijkt hij haar na, tot ze in het kantoor van zijn vader is verdwenen.

„Je liegt het!" mompelt hij nog eens . . .

Dan, denkend aan het gebouwtje, waar Gina zojuist is binnengegaan, steekt hij geïrriteerd een sigaret op. De zoveelste die dag. Stelletje lafbekken, daar met elkaar. Eén voor één ontvluchten ze de realiteit. Sluiten zich op in een stil bos. Om aan de buitenwereld te ontsnappen. Vader net zo goed. Hij had moeten véchten indertijd. Hij had maman op haar huid moeten zitten, toen hij merkte van haar avontuurtjes. Dat heeft zo'n vaatje buskruit als maman nodig. Maar in plaats daarvan liet hij haar gaan. Met ons erbij. Zonder slag of stoot. En daarna borg hij zich met zijn verdriet en eenzaamheid op in het Lienderbos. Om zich heen verzamelde hij figuren, die op de één of andere manier correspondcren met zijn eigen leed . . .

Ik doorzie dat sinds kort. Ik heb met de man te doen, maar tegelijkertijd irriteert me zijn slachtofferige houding mateloos. Net als de hele mik-mak hier. Neem nu die Gina. Een dociel schaap dat precies blaat, zoals het Bertha behaagt. Ik mag een boon zijn als ze er niet op uit is, zowel die arme papa als Peter Odink in haar netten te vangen . . .

Maar wacht maar, wijfie, onderschat Will Pavard, alias Verheyde niet. Die heeft toevallig heel wat verder gekeken dan dit besneeuwde stukje bos!

Licht hinkend komt Gina het kantoortje binnen. „Wat is er met jou aan de hand?" vraagt Peter direct.

„Uitgegleden."

„Waar?"

„Op het trapje van de caravan. Ik bracht de zoon van meneer Pavard zijn thee. Tenminste: dat wilde ik . . . oh!" Gina slaat de hand voor haar mond van schrik. „Nu heeft hij nog niets gehad. Als moeder dat hoort . . ."

„Dus Will Verheyde is weer in het land?" zegt Peter zonder op Gina's verdere uitroep te letten. „Mooi, dat weten we dan maar weer."

„Ik zal het meneer Pavard even zeggen. Die weet niet dat zijn zoon er al is."

„Meneer Pavard is in bespreking. Ik zeg het hem straks wel. Zeg, Gina, ik heb hier een paar brieven waar haast mee is. Kun je die eerst even typen?"

„Natuurlijk. Geef maar hier."

Gina begint te typen of haar leven er van af hangt. Het is er haar alles aan gelegen Peter Odink tevreden te stemmen. Aan de woorden van Will Verheyde denkt ze maar liever niet terug. Laat staan aan de verwarrende gevoelens, die hij bij haar ontketende en waar ze zelf van is geschrokken.

HOOFDSTUK 3

„Kom toch eens zítten!" smeekt Peter die avond, als Rosalie rusteloos door het benedenhuis blijft dwalen.

„Ik ben nog steeds aan het opruimen. Tjonge, Peter, wat hebben jullie er een troep van gemaakt. Ik snap best, dat het er niet pico bello uit kan zien. Maar je kunt toch wel proberen zoveel mogelijk alles op zijn plaats te leggen?"

Peter kijkt schuldbewust.

„Het is hier altijd rommelig. Lineke en ik . . . we zijn . . . waren . . . allebei niet van de netsten, dat weet je best."

„Ach ja!" zegt Rosalie, tegenover haar zwager plaatsnemend op de poef. „Lineke was net als moeder. Slordig, maar vreselijk lief."

„Ja. Hmmm." Peter kucht nerveus. „Ze . . . Rosalie, ik mis haar zo verschrikkelijk. Als ik bedenk dat ik haar nooit terug zal zien hier . . . dan bespringt me ineens een gevoel van paniek. Ik hield zo veel van haar. Misschien kun je dat niet begrijpen . . ."

„O, jawel. Nee, niet uit eigen ervaring. Dat van mij was allemaal surrogaat, dat weet ik al zolang. In mijn hart ben ik altijd stikjaloers geweest op Lineke en ook op Lon. Omdat ik voelde, dat het tussen jullie écht was . . . denk je dat ik voor niets zo afgedraaid ben, dat ze me in de kapsalon voor niets de raad gaven, om er eens even tussenuit te gaan?"

Hartstochtelijk klinkt Rosalies stem.

Peter kijkt naar haar. Hij ziet de schittering in haar diepblauwe ogen, die haar gezichtje nóg aantrekkelijker maken . . . Hij schrikt, omdat hij voor het eerst na Linekes dood weer bewust naar een vrouw kijkt. Al is dat dan zijn eigen schoonzusje, iets vertrouwds, dat bij Lineke hoort . . .

„Je ziet er slecht uit, Rosalie. Dat viel me vanmiddag al op."

„Mijn eigen schuld. Ik heb me gestort in uitgaan en vriendjes zus en zo . . . enfin, dat zul je wel gehoord hebben. Van de tantes of van opa van Helden . . . misschien heeft moeder Els wel geklikt. Allemaal hebben ze op hun manier gepoogd het zwarte schaap terug te brengen op de goede weg . . . maar ik ben nu eenmaal geen Lon, of Marieke, of Carry . . . ik ben Rosalié!"

„Ja!" zegt Peter gesmoord. Het ontbreken van die ene naam: Lineke, in het rijtje Bedijn-zusters treft hem als een zweepslag . . . Lineke, Lieke, mijn liefste . . . hoe kan ik verder zonder jou?

Rosalie zwijgt verschrikt als ze ziet hoe wanhopig Peters gezicht plotseling weer staat . . .

„Peter!" vraagt ze dringend, „hoe kan ik je helpen? Zeg het . . . Moet ik praten over Line? Of juist niet? Toe . . ."

„Ik snak er naar om over haar te praten . . . al die lieve en ook moeilijke dingen weer eens op te sommen . . . maar tegelijkertijd vreet dan het weten, het 'nooit meer' aan me . . . begrijp je een beetje wat ik bedoel?"

Rosalie knikt. „Toch kunnen we beter praten, lijkt me. Vertel me Peter, van haar ziekte, ja, dat ook. Ik weet dat ik me hier veel te weinig heb laten zien. Zeker vanaf vaders dood. Ik weet hoe die Lineke ook weer een stuk achterop heeft gebracht. Maar Peter, toen ze werd ontslagen uit het ziekenhuis, vorig jaar, toen was ze toch helemaal beter?"

„Ja. Ze kreeg nog wel medicijnen, maar die postnatale depressies was ze echt te boven. Alleen kon ze nog weinig hebben. Toen we dat bericht kregen, van die tweede hartaanval van je vader, was ze de wanhoop nabij. Ze riep maar steeds: ik heb het gevoeld. Al vanaf die keer, toen hij afscheid kwam nemen. Dat was de dag dat ze voor de bevalling van Reneetje naar het ziekenhuis moest. Ze heeft haar vader inderdaad niet levend teruggezien . . ."

„Vreemd, ja. Maar Lineke wás zo sensitief. Dat herinner ik me nog van vroeger. Zij had altijd voorgevoelens en meestal kwamen die uit ook. Veel herinner ik me echter niet van Lon en haar. Ze waren al zo vroeg de deur uit . . . Ik denk dat het voor Lon ook een geweldige klap is, dat ze Lineke niet meer heeft. Die twee waren altijd samen."

„Ze is niet voor niets die lange reis naar Vancouver gaan maken met Tjerk. Dat was in de eerste plaats om afstand te nemen van alles hier . . ."

„Lon is een schat. Je zult haar best missen."

„Dat doe ik zeker. Maar ik ben erg blij, dat jij gekomen bent," zegt Peter warm. En hij meent het. Het is de eerste keer dat hij Rosalie alleen meemaakt en nu al heeft hij de gewaarwording, dat de onverschillige houding van dit schoonzusje maar een masker is, waarachter zij zich verschuilt.

„Lust je nog een kop koffie?" vraagt Rosalie. „Morgen krijg je er iets lekkers bij. Dan ga ik wat bakken, goed?"

„Fijn. Laat Elmie je maar wat helpen. Dat mocht ze bij haar mammie ook altijd."

„Natuurlijk. Ik zal haar koekjes laten bakken. Hé daar wordt gebeld. Zal ik . . .? Ik moet toch naar de keuken . . ."

Rosalie knipt de buitenlamp aan en opent de zware deur aan de zijkant van het huis.

Op de stoep staat een nog jonge man met licht blond haar. Hij maakt een verraste beweging als hij Rosalie ziet.

„Will Verheyde!" stelt hij zich vlot voor. „En wie mag u wel zijn?"

„Rosalie Bedijn!" Haar stem klinkt kort en niet al te toeschietelijk. Zeként het type Will Verheyde. „U wenst?"

„Dáár zal ik me maar niet over uitlaten. Kan ik meneer Odink een ogenblik spreken?"

„Ik zal even vragen . . ."

Rosalie is al spoedig terug. „Meneer *is* niet te spreken. Goedenavond!"

Resoluut sluit ze de deur. Ze ziet nog net de uitdrukking in zijn helle ogen veranderen.

Net goed, mispunt, denkt ze wraakgierig. Wel eens goed, om nul op je rekest te krijgen . . .

Terug in de kamer, vraagt ze: „Will Verheyde . . . die naam komt me bekend voor. Wie is dat precies?"

„De zoon van mijn baas. Ik raad je ten sterkste aan, die man te ontlopen, Rosalie. Die man heeft geen enkele consideratie waar het gevoelens van vrouwen betreft . . . hij heeft Lieke indertijd ook veel verdriet gedaan . . ."

„De zoon van je baas? Maar waarom noemt hij zich dan Verheyde?"

„Dat is de meisjesnaam van zijn moeder. Officieel heet hij natuurlijk óók Pavard. Aan boord heb ik wel post gezien met 'Pavard' erop."

„Hij vaart dus, net als jij hebt gedaan. Ken je hem vanuit die tijd?"

„Nou en hoe! Nee, Rosalie. Ik wens geen enkel contact met die man, het spijt me."

Rosalie beziet haar zwager peinzend van boven haar dampende koffiekop. Deze kant kent ze niet van de sympathieke, hartelijke Peter . . . Deze . . . onverzoenlijke, harde kant . . .

„Dacht Line ook zo over hem?” vraagt ze impulsief.
„Lieke? Die zou zelfs in staat zijn haar móórdenaar nog te vergeven!” zegt Peter cru. Hij staat op en loopt met lange passen de kamer uit.
Rosalie hoort hem de trap opgaan. Die avond krijgt ze hem niet meer te zien . . .

Rosalie ligt maar te woelen, die eerste nacht in de Waterlelie. Ze heeft het blauwe bedlampje aangeknipt en probeert wat te lezen in een roman, die ze beneden uit de boekenkast heeft gezocht. Maar de slaap wil niet komen.
Zoveel herinneringen overspoelen haar. Herinneringen aan haar verongelukte zusje . . . Lineke . . . alles ademt háár geest. Ook deze logeerkamer. Ze weet nog hoe die speciaal de aandacht heeft gehad, indertijd. „Jullie moeten je hier allemaal thuisvoelen, als je komt logeren!” had Lineke verdedigd, toen ze haar thuis, in Den Haag plaagden, omdat ze hen om advies vroeg bij het inrichten. Tenslotte had zij, Rosalie zich ermee bemoeid. Samen met Lineke was ze de stad in geweest en daar hadden ze toen de accessoires gekocht voor deze kamer. Onder andere het schattige lampje voor op het witte kastje naast het bed. Het blauw geborduurde rokje was hetzelfde als van de grotere lamp bóven het bed. En het blauw correspondeerde weer met de poef en het tabouretje voor de kaptafel.
Lineke was na afloop van hun speurtocht door Den Haag laaiend enthousiast geweest. Ze was haar zusje thuis spontaan om de hals gevlogen. „Het is jouw werk, Rosalie! Jij hebt smáák. Alleen was ik nooit zo goed geslaagd. Met Peter ook niet. Die is al zoveel jaar dat rommelige leven op zee en op studentenkamers gewend, die weet niet eens meer wat modern is en tóch gezellig.”
Misschien dat ze zich dit voorvalletje nog zo goed herinnert, omdat Line haar zo echt gemeend had omhelsd. Eigenlijk was Line de enige van de zusjes, die haar zonder reserve, zonder onderscheid met de anderen, had behandeld. Misschien kwam het, omdat Lineke ook tegen vader altijd lief en geduldig was. Zij had nooit partij getrokken, de jaren toen hun gezin als kamp verdeeld tegenover elkaar had gestaan. Zij was altijd weer de vredestichtster geweest. Ze had begrip zowel voor vader als voor moeder gevraagd van de vier Bedijnkinderen, die nog in het nest waren: Job, de enige zoon en in volgorde – Rosalie, Marieke en Carry.
Nee, Lineke had niet zo gereageerd op het tweede huwelijk van moeder als zij. Ze was alleen maar blij geweest voor die twee.

„Moeder en meneer Feenstra hebben beiden hun huwelijkspartner verloren. Ze kennen hetzelfde verlies, ze zullen elkaar zo goed begrijpen en kunnen helpen," had Lineke verdedigend gezegd door de telefoon, toen zij bij dit zusje haar hart uitstortte. „Probeer het ook zo te zien, Rosalie!"

Ze had het niet gekund. Ook niet na Lines dringende woorden. En nu had Linekes eigen man een zelfde verdriet te torsen en Line zélf wist dat niet meer. Of wel? O, de vragen en twijfels die haar na Linekes dood bestormden! Meestal als ze in haar bed lag en snakte naar wat slaap, die vergetelheid bracht, voor korte tijd . . . Lineke, die zo'n moeilijke periode achter zich had. Die haar inzinking na veel moeite en strijd te boven was, niet in de laatste plaats door Peters inzet en die, nauwelijks een paar maanden terug bij haar gezin, verongelukte, bijna onder de ogen van die haar liefhadden . . .

Het is zo te begrijpen, de reactie van haar zwager: zíjn opstandigheid en smart om het gebeurde culmineren rond de persoon van Will Verheyde. Die hij op de één of andere manier aansprakelijk stelt voor het onheil dat er over zijn gezin gekomen is . . .

Maar, tobt Rosalie, híj weet, dat zoiets geen pas geeft. Als je er zo frank en vrij voor uitkomt, dat je in God gelooft, dat je probeert, altijd rekening te houden met Hem, zoals Peter dat altijd deed, zonder overdreven of wat ook over te komen . . . dan kun je die, ja die haat ten opzichte van die Verheyde daar toch niet in plaatsen? Enfin, dat is Peters verantwoordelijkheid. Overigens hoeft hij míj niet te waarschuwen voor die man. Ik ben geen naïeve Lineke! Ik sta al drie jaar op eigen benen en ik heb in het Haagje zo al het een en ander meegemaakt. Ik ben best in staat op mezelf te passen, Peter Odink!

Rosalie knipt het nachtlampje uit.

Maar als ze dan eindelijk wegdommelt, schrikt ze ineens weer klaarwakker.

Een klaaglijk huilgeluidje komt uit de babykamer, naast de hare. Reneetje!

Zo vlug ze kan ijlt ze naar haar toe. Maar Peter is haar tóch nog voor. Hij moet wel heel licht slapen, als hij zo snel op zijn post is. Of . . . heeft hij net als zij maar liggen woelen in het grote bed?

„Rosalie! Hè, heeft Reneetje jou ook wakker gemaakt? Ga maar vlug naar je bed, je zult nog koud worden."

„Toe Peter, laat mij maar . . . jij moet straks weer aan het werk."

Peter schudt zijn donkere hoofd. Beslist.

„Ze moet eerst wat aan jou wennen. Over een paar daagjes.

Hoor, daar begint ze alweer."

Inderdaad trekt het kind weer een lipje als ze Rosalie achter haar vader ontdekt.

Rosalie voelt zich een prul. Een kind, dat weer naar haar bed gestuurd wordt. Maar ze zegt niets. Ze neemt zich voor zo gauw mogelijk te proberen het vertrouwen van de twee hummels te winnen, zodat zij deze weken Peter 's nachts vervangen kan. Het is toch geen doen voor hem, om iedere keer zijn bed uit te moeten en dan toch 's morgens weer op tijd present om naar zijn werk te gaan?

Ach Line, denkt Rosalie, intens verdrietig, als je eens wist, hoe jouw Peter rondtobt met jullie kindertjes . . . dat kan zo toch niet blijven? Hij zal toch mettertijd weer een moeder voor die krummels moeten zoeken.

Als het maar niet dat ouwelijke meisje is, dat zo krampachtig probeert modern te doen . . . Ik moet me al heel sterk vergissen, als Gina niet helemaal onder de invloed staat van die stiefmoeder van haar: mevrouw Lang, die zo in alle toonaarden door Peter en moeder geprezen wordt.

Maar ík moet haar niet!

Huiverend kruipt Rosalie opnieuw onder het blauw-wit gebloemde dekbed.

Nog lang luistert ze, tot ze Peters gedempte voetstappen over de gang hoort en daarna zacht de deur van zijn eigen slaapkamer dichtgaat . . .

Elma Odink is vernoemd naar de beide oma's: oma Els, de moeder van haar mama en oma Mar, de moeder van papa. Ze hebben een combinatie van die twee roepnamen gemaakt en daar „Elma" van gemaakt. Elma zelf noemt zich vanaf de tijd dat ze haar naam kon brabbelen „Elmie". En dus heeft de hele familie dit voorbeeld gevolgd.

„Elmie", vraagt Rosalie de volgende morgen nadat ze gedrieën vader Peter hebben uitgezwaaid. „Zullen wij straks na het afwassen samen boodschappen gaan doen in het dorp?"

Elmie kijkt haar tante aan met haar bruine schitterogen.

„Met de bus?"

„Goed. Dan nemen we het vouwwagentje van René mee. Dat kan prima in de bus."

„En Reneetje!"

„Ja, vanzelf puk. Dacht je dat we haar hier achterlieten?"

„Ze kan bij oma Lang."

„Mevrouw Lang is jouw oma niet."

„Welles. En ze is lief!”

Rosalie zucht onhoorbaar. Elmie's willetje zal nog weleens botsen met de hare, vreest ze. Ze is zowel innerlijk als uiterlijk het evenbeeld van haar vader. Rosalie vindt in dit nichtje niets van haar zusje terug. Het engelachtige Reneetje met de schapewollige haartjes daarentegen doet sterk aan moeder Lineke denken . . .

Rosalie laat het onderwerp „mevrouw Lang” wijselijk rusten en begint de beide kinderen in hun warme jasjes te hullen. „Zo, nu je muts en handschoentjes nog, René. En waar is jouw muts, Elmie?”

„Hoef niet!” verklaart het meisje gedecideerd. „René is nog klein. Ik ben al groot. Grote kinderen hoeven geen muts. En ook geen wanten.”

„Hup, geen gezeur. Jij doet je muts op en pak aan: ook je handschoenen.”

„Jij bent . . .” zeurt Elmie alweer.

„Ja, niet lief. Dat weet ik nu wel. Maar jij luistert, begrepen?”

Rosalie hoort zelf hoe boos haar stem klinkt, maar ze kan er niets aan doen: ze vindt Elmie schromelijk verwend en ze is niet van plan daar aan mee te doen.

Elmie knijpt de rode lipjes stijf op elkaar. Haar gezichtje drukt één en al afkeuring uit. Met haar witte angoramutsje en dito sjaal boven het vuurrode jasje is ze om te gappen, maar Rosalie verhardt haar hart.

„Kom, dan gaan we!”

Het valt echter niet mee op de drassige bospaden te lopen met het wandelwagentje. De grond sopt onder hun voeten. De sneeuw is gaan smelten en alleen dieper het bos in bedekt ze nog de aarde. Het is ook nog veel te vroeg voor sneeuw om lang te blijven liggen, peinst Rosalie. Maar verder . . . wat is het een verademing om hier te lopen. Wat een rust en een gezonde lucht na die lawaaiige, óngezonde stad waar zij al twee en twintig jaar woont. En toch . . . Ik zou hem voor geen goud willen missen. Wat dat betreft ben ik net als moeder: even verknocht aan ons eigen Haagje!

Elmie loopt braaf naast haar tante. Haar rechterhandje om de stang van het wagentje geklemd. Maar net voorbij het woonhuis van meneer Pavard, laat ze ineens met een jubelkreet los en schiet als een haasje het bos in.

„Oom Will, oom Will!”

Rosalie ziet een lange gestalte, gekleed in een witte trui en donkere broek en hoe hij neerhurkt en het meisje in zijn uitgespreide armen vangt. Hoog tilt hij het kind boven zijn hoofd. Elmie slaakt verrukte gilletjes. „Nog eens oom Will. Nóg eens!" Maar hij zet haar met een zwaai weer terug op de grond en slentert dichterbij. Hij heeft Rosalie met het wandelwagentje ontdekt op de Eikenwal.

„Tja . . . ik kan er niets aan doen. Deze jongedame blijkt nogal op mij gesteld. Dat heb ik bij mijn vorige verlof ook al gemerkt. Ze zag mij en toen . . ." Will Verheyde spreidt zijn handen uit, in een quasie berustend gebaar. „Zij kent het onderscheid nog niet tussen goed en kwaad . . ."

„Dat zal niet lang meer duren!" snibt Rosalie, „daar zal haar vader wel voor zorgen. Kóm Elmie!"

Ze loopt zachtjes door, maar het kind doet alsof ze haar niet heeft gehoord.

Ze grijpt de hand van haar grote vriend en ziet aanbiddend naar hem op.

Hij schuift haar muts opzij. „Kom, Elmie. Luister naar jouw tante!" maant Will en fluistert iets in haar oor. Elmie laat hem los en komt gehoorzaam weer naast Rosalie lopen.

„Wat zei die meneer?"

„Is geen meneer. Dat is oom Will."

„Wat zei oom Will?"

„Hij heeft een cadeautje voor mij meegebracht. Ik mag het vanmiddag komen halen. In de kè . . . kè . . . in z'n huisje . . ."

„O!" zegt Rosalie verbluft. En ze bedenkt, dat deze dikke vriendschap van zijn dochter, Peter weleens heel zwaar op zijn maag zou kunnen liggen!

Inderdaad! Nog voor Peter goed en wel binnen is die middag, ratelt Elmie's stemmetje: „Ik heb oom Will gezien. Ik krijg een cadeautje van hem straks."

Peters ogen zoeken die van Rosalie. Ze legt hem in een paar zinnen uit, wat er die morgen is voorgevallen. Peter tilt zijn dochter op de arm.

„Elmie. Wil jij een heel lief Elfje van mij zijn?" vleit hij bij haar oor.

Elmie knikt heftig. Ze is dol op haar vader en als hij dan ook nog zo lief praat . . .

„Dan moet je papa beloven, dat je nooit naar die oom toegaat. Misschien komt hij weleens hier, in ons huis . . . (nu praat je tegen beter weten in Peter, spot Rosalie in stilte) en dan geeft hij jou dat cadeautje wel. Beloof je het papa, kleine schat?"

„Ja-áá," zegt Elmie weifelend, „maar als ik hem nou weer tegenkom?"

Peter kijkt opnieuw in Rosalies richting. Hij ziet de spotlichtjes in haar blauwe ogen.

Peter zucht hartgrondig. „Jij mag nooit alleen buiten, dat weet je best!" En tegen Rosalie: „Ik zal proberen Elmie voor een paar weken op de kleuterschool geplaatst te krijgen. Zolang jij er bent, wil je haar misschien wel brengen en halen?"

„Natuurlijk. Ik verbaasde me er al over, dat ze niet naar school gaat. Ze is toch al lang vier geweest? En dan zo'n bijdehandje!"

„Ik durfde het de hulp niet te vragen en mevrouw Lang nog minder. Er gaat veel tijd in zitten, om steeds naar het dorp te gaan. Je mag mijn wagen wel nemen, Rosalie."

„Fijn. Maar als het goed weer is, kan ik ook met de fiets."

„Vanzelf. Er staat er één in de garage. Van Lieke."

Zodra haar naam valt, lijkt ook Peters gezicht weer een gesloten vizier...

„Ik heb een lekker schoteltje gemaakt!" zegt Rosalie monter. Ze weet op het ogenblik niets beters als troost.

Elmie blijft recalcitrant. Zodra haar vader weer naar de overkant is gegaan, begint ze weer over het cadeautje van oom Will.

Rosalie wenst Will Verheyde met caravan en al naar de maan.

„Je hebt gehoord, wat papa gezegd heeft: je mag niet alleen naar hem toe."

„Ga jij mee, tante Rosie?"

Rosalie moet zich geweld aandoen; het donkere kopje zou ze het liefst tegen zich aandrukken en de zachte geurende haren strelen. Het kind moet haar moeder gruwelijk missen, immers? En wat klonk dat „Rosie" lief. Voor het eerst dat Elmie haar bij haar naam noemt, al verbastert ze die dan, maar het is ook zo'n mond vol voor een klein ding.

„Tante Rosalie kan toch niet weg? Reneetje ligt boven in haar bedje."

„Die slááp!" zegt Elmie onverschillig.

„Ja, jij moet eigenlijk ook, van papa."

„Ik wil niet slapen. Ik ben al groot."

Daar is Rosalie het roerend mee eens. Het kind is blijkbaar voor het gemak nog altijd in haar bed gestopt door mevrouw Lang. Maar de peuterleeftijd is Elmie beslist te boven en van slapen komt dan ook niets meer. Ze bedenkt de ene ondeugende streek na de andere tijdens haar gedwongen rustuurtje, heeft Rosalie gisteren al ondervonden.

„Weet je wat: dan gaan wij zo meteen samen koekjes bakken.

Misschien komt er wel visite en dan heb jij iets lekkers bij de thee. Voor de visite."

Voor dit plannetje is Elmie wel te vinden. Ze krijgt van Rosalie een schortje voor en zelf neemt ze een half schortje van een keukenhaakje en strikt dat om haar eigen taille.

Met een schuin hoofdje bekijkt Elmie haar.

„Is van mammie!" knikt ze dan, met een vingertje naar het schortje wijzend. „Mammie is in de hemel. Ze had een pleistertje. Hier." Elmie wijst onder haar krullen.

Rosalie slikt. Ze ziet ineens Line weer, zo vredig, of ze sliep. Alleen een pleister duidde op het ongeluk, dat haar het leven kostte. Een pleister, precies op haar slaap. Daar waar de auto haar had geraakt.

„Doe je nu, tante Rosie?"

„Niks, o, Elmie, Elmie!" Ze drukt het kind hartstochtelijk tegen zich aan. „Jouw mammie was zo lief . . . ik . . ."

„Jij ook!" troost het kind met even een vochtig handje tegen Rosalies gezicht.

Rosalie lacht door haar tranen heen. Een mooie hulp is zij! Moet door het moederloze kind zélf getroost worden.

„Elmie, hoe komen jouw handjes zo nat?"

„Heb ik gewassen. Dat moet. Doet oma Mar ook als ze koekjes met me bakt."

„Oma Mar! Misschien komt ze nog wel vanmiddag!" zegt Rosalie hoopvol. De ouders van Peter heeft ze weliswaar nog niet vaak ontmoet, maar de keren dát ze hen gezien heeft, waren genoeg om haar een prettige indruk te geven van de Odinks.

„Oma Mar is ziek. Ze doet zó: „Auw . . . auw . . . auw . . ."

Elmie bootst een krom-gebogen vrouwtje na, met één hand pijnlijk tegen de rug gedrukt.

„O!" zegt Rosalie niet al te pienter. Door haar gereserveerde houding heeft ze zich min of meer buiten het familieleven geplaatst en van veel nieuwtjes is ze dan ook onkundig.

Dat blijkt haar even later nog eens en wel op een veel pijnlijker manier.

Ze zijn net een mooie bal deeg aan het kneden, ieder in een kom, als de ding-dang bel gaat.

In een flits denkt Rosalie: Will Verheyde! Die komt hier heel gemoedereerd aanbellen met het presentje voor Elmie.

Ze stroopt zo goed mogelijk het kleffe deeg van haar handen, houdt ze onder een hete straal water en rept zich naar de deur.

Op de stoep staat een nog altijd slanke man, met een donker omrande bril en grijs-blond haar.

Ze kijken elkaar één moment beduusd aan.
„Rosalie! Jou had ik hier helemaal niet verwacht!"
„Meneer Feenstra, wilt u binnenkomen?" vraagt Rosalie en ze hoort zelf, hoe afwerend haar stem klinkt.
„Dat was wel de bedoeling, meisje. Ik ben niet gewend om hier aan te bellen, in de Waterlelie, maar nu, met steeds weer een andere hulp . . . ik heb de kinderen toch niet wakker gemaakt?"
„Reneetje misschien. Die slaapt zo licht. Maar Elmie is in de keuken. We wilden net koekjes bakken."
„Laat je dan door mij niet ophouden. Ik kijk wel even toe, als het mag."
„Het is míjn huis niet!" mompelt Rosalie. Haar hart rikketikt als een razende om deze onverwachte confrontatie met haar stiefvader en de emoties, die het zien van hem bij haar losmaken . . .
Anne Feenstra ontdoet zich in de hal van zijn jas en komt, voor het oog volkomen beheerst, de keuken in, waar het lekker warm is en geurt naar pas gebraden vlees.
Zodra Elmie hem ziet, komt ze jubelend op hem toe. Evenals bij Will Verheyde, stort ze zich nu in zijn armen.
„Opa Anne!"
„Dag schat. O, kijk eens wat je doet, viespeukje! Mijn hele overhemd zit onder het meel!"
Het kind trekt zich niets aan van zijn protest. Met een deegvingertje wrijft ze langs Anne's mond. „Proeven, opa!"
Hij hapt gehoorzaam de zoete brij van haar vinger. „Lekker hoor!"
Rosalie klauwt zwijgend in de klont deeg. Was ik nog maar een kind. Zo onbevangen en onwetend als Elmie. Was er maar niet de herinnering aan die moeilijke periode, vlak voor vaders ziekte, toen het definitief fout dreigde te gaan tussen vader en moeder. Wist ik maar niet hoe goed meneer Feenstra moeder toen door die nare tijd heeft heen geholpen en hoeveel pijn dat vader deed, toen hij dat merkte . . . En daarom . . . hij moet „meneer Feenstra" voor mij blijven. Dat schept afstand. „Oom Anne" zoals de anderen hem al voor zijn huwelijk met moeder noemden, zal nooit over mijn lippen komen. En hij mag nog zo sympathiek zijn, míj pakt hij niet in met zijn vriendelijkheid en begrip. Ik heb altijd mijn eigen boontjes gedopt en zal dat blijven doen. Daar heb ik niemand bij nodig. Ik heb me al lang met het idee verzoend, dat ik alleen zal blijven. En misschien is dat maar goed ook. Ik ben geen opofferend wezen, zoals Lineke dat was en zoals Lon en Marieke nog zijn. Om van moeder zelf maar te

zwijgen. Dat is altijd het prototype van een huissloofje geweest . . .

„Lukt het kind?" vraagt Anne Feenstra dwars door Rosalies broeiende gedachten heen. „Wat zal je moeder opkijken, als ze straks komt. Wij wisten niet, dat je hier was. Had je een paar vrije dagen?"

„Ik had nog vakantie tegoed!" vertelt Rosalie onwillig. „Die heb ik nú opgenomen. Ik had toch niets beters te doen. Vandaar."

„Opa van Helden is ook in 'Prélude'. Je weet, Lon en Tjerk wilden het huis niet graag zes weken onbewoond laten staan. Ze vroegen of wij er af en toe een paar dagen wilden bivakkeren. Toen opa van Helden hoorde, dat we weer een paar dagen naar Lienden gingen, vroeg hij of hij mee kon. Hij wilde voor de afwisseling eens een paar bosimpressies schilderen. Sneeuw op een herfsttak is uniek en de moeite waard om vereeuwigd te worden."

„Hm!"

Anne Feenstra praat maar door. Over koetjes en kalfjes. Intussen ziet hij hoe Rosalie en Elmie samen figuurtjes uitsteken en op de bakplaat leggen. Zijn hart is één schreeuw om hulp. Dat hij de juiste toon mag vinden tegenover deze dochter van Els, zijn tweede vrouw. De enige van haar zestal die haar huwelijk met hem afwees. En was dat niet begrijpelijk, na de hechte band die ze altijd met vader Arno had gehad? Zijn eigen dochter Annemiek had immers ook te kennen gegeven, niet mee te willen naar Den Haag? Ze was au-pair gaan werken in Frankrijk, voor de taal, zoals ze het noemde. Maar hij weet, dat er ook bij haar een zekere tegenstand te overwinnen was. Annemiek was na de dood van haar moeder altijd zijn trouwe kameraad geweest.

Nu moest ze dat heel speciale plaatsje bij hem delen met Els, met haar kinderen . . .

Er is zorg in Annes hart, om Annemiek, zijn enige dochter, om Rosalie, het zorgenkind van Els.

„Zo!" zegt Rosalie voldaan, de bakplaat in de oven schuivend. „Straks maken we nóg een serie, Elmie. Deze zijn voor bij de thee en de rest mag de visite meenemen."

Handig omzeilt ze zijn naam, Anne hoort het wel.

„Gaan jullie maar vast naar de kamer. Ik zet theewater op en kijk even of Reneetje wakker is!"

Anne Feenstra neemt Elmie bij de hand. Bij de deur draait hij zich naar Rosalie om. „Ik moet nog even kwijt, dat ik er bewondering voor heb, dat je je vakantiedagen besteedt aan Peter en de kinderen. Ik . . ." Anne kucht even, „ik weet, hóe zwaar je dit moet vallen."

Ja? zou Rosalie willen vragen. Begrijp jij dat echt? Jij die nu weer gelukkig bent met moeder, alle rouw en pijn ten spijt? Weet jij hoe opstandig ik ben en hoe krampachtig ik geprobeerd heb om te vergéten en op welke manier ik dat deed, ginds in Den Haag? Rosalie zegt niets. Alleen het nerveuze gewimper verraadt, hoe dicht zijn woorden haar vergrendelde hart zijn genaderd. Hoe rákelings ze eraan voorbij zijn gegaan . . .

Rosalie haalt opgelucht adem, als ze tegen drieën haar moeder en opa van Helden het tegelpad op ziet komen. Stevig gearmd!

Opa van Helden, iets meer gebogen – de recente verliezen van zijn schoonzoon en kleindochter hebben ook bij hem zichtbare sporen achtergelaten – maar toch nog altijd met die heldere, opmerkzame blik van hem. „Die is niet tijdgebonden!" pleegt hij te zeggen. „Ik zie nog alles omdat ik alles wíl zien."

Elmie holt naar de deur om het tweetal open te doen. En zó staat dan ook moeder Els ineens, onvoorbereid voor haar dochter Rosalie, die nooit helemaal uit haar gedachten is, ondanks haar zware rouw.

„Rosalie!" stamelt ze. „Ben jij hier, kind?"

Rosalie moet krampachtig slikken. O, haar hoofd nu tegen moeders borst te verbergen en samen te huilen, om hun geleden verlies . . . Maar achter moeder, beschermend, staat Anne Feenstra. Gereed om haar bij te staan, als dat nodig is.

Rosalie weet haar emoties ook nu te verstoppen achter een luchtig schouderophalen. „Dag mam. Dag opa. Och, ik had nogal wat vakantiedagen staan. Ik ben deze zomer niet uit geweest. 'k Had teveel geld uitgegeven, dan krijg je dat. En daarom dacht ik: ik ga hier maar eens kijken. Misschien kan ik het nuttige met het aangename verenigen. Het is hier zo mooi in de omgeving."

„Dat is het, kindje. Ik heb al een paar puike schetsen gemaakt. Kom je die nog bekijken, vóór we teruggaan naar Den Haag?"

„Wanneer is dat?"

Jacob van Helden kijkt naar zijn dochter Els. „Overmorgen, niet?"

„Ja. Beslist niet later. We hebben er nog steeds drie thuis, vader."

„Natuurlijk, natuurlijk. Ik verlang zelf ook weer naar mijn huisje. En voor Riekje is het ook ongezellig, zo alleen."

„Marieke logeert toch bij Riekje? Nee, vader over je jongste dochter hoef je niet in te zitten hoor!"

Rosalie schenkt thee en de visite prijst de koekjes die Elmie presenteert.

Oma Els heeft kleine Reneetje op schoot en wiegt het blonde kindje zacht in haar armen. Tevreden ligt ze, het duimpje in haar mond, op te zien naar het lieve gezicht, dicht boven haar. Herinnert de stem van oma Els aan die van haar eigen mama?

Anne Feenstra beziet het tafereeltje met diepe ontroering. Zijn liefde voor Els gloeit aan, als hij haar moed ziet en de bijna bovenmenselijke wijze, waarop ze de kinderen knuffelt in het huis van haar overleden dochter...

Hij weet van haar smart, haar wanhopig nachtelijk schreien... Intens is zijn dankbaarheid, dat hij haar van zo dichtbij heeft mogen troosten en terzijde staan. Hun liefde is erdoor in een stroomversnelling geraakt. Uitgediept, uitgeslepen fonkelt ze nu met een glans, waar anders járen voor nodig zijn...

Moeder Els bezint zich intussen koortsachtig op een onderwerp van gesprek. Over het hoofdje van René heen ziet ze het gebogen zilverblonde hoofd van Rosalie. Ze bladert, zonder veel interesse zo te zien, in een tijdschrift.

„We kregen gisteren een brief van Lon en Tjerk uit Vancouver. Het bevalt hen prima, daarginds. Ze zijn alweer op de helft. Nog drie weken..." vertelt Els lukraak.

Rosalie kijkt op. Ze hoort het verlangen naar Lon doorklinken in moeders stem. Lon, haar oudste, die Lineke altijd weer zo dicht bij haar terugbrengt. Die uiterlijk althans, zoveel op het verongelukte zusje lijkt...

„Ik heb er vorige week ook één gehad!" vertelt Rosalie. Maar over haar vermoedens laat ze niets los. Eerst Peter eens polsen, of ze goed geraden heeft, dat het enthousiasme van Tjerk en Lon weleens zo groot zou kunnen zijn, dat ze zich daarginds voorgoed willen vestigen. Een relatie van de geëmigreerde familie, waar ze te gast zijn heeft Tjerk een prachtbaan aangeboden. Hier is immers weinig toekomst voor Tjerk met zijn vele diploma's? Maar o, wat zou dit een nieuwe klap betekenen voor moeder. Als zij, Rosalie het nu nog was! Haar zouden moeder en meneer Feenstra het beste kunnen missen. Zij, de probleemschopper!

Nadat Anne Feenstra het sein heeft gegeven van weer eens op te zullen stappen, vraagt moeder Els dringend: „Loop je nog een eindje met ons mee, Rosalie? Het zonnetje schijnt zo lekker. Voor de kinderen meteen goed om een frisse neus te halen en ook voor jezelf. Je ziet er uit alsof je een hap buitenlucht best kunt gebruiken."

„U hoeft u over mij geen zorgen te maken, moeder. Ik heb u al zo vaak gezegd, dat ik best voor mezelf kan zorgen."

Els heeft alweer tranen in haar ogen bij dit onhartelijke antwoord. Ze bukt zich om een paar speeltjes van de grond te rapen. Haar man werpt Rosalie een niet al te vriendelijke blik toe.

„Je moet proberen anderen niet te laten lijden onder jóúw onvrede, beste meid!" zegt hij ingehouden, zodat alleen zij het hoort.

Rosalie geeft hem geen antwoord. Haar koude blik is echter welsprekender dan woorden.

„Bemoei je niet met me, meneer Feenstra!" zegt die.

HOOFDSTUK 4

Will Verheyde stelt de zware zeekijker beter af en tuurt opnieuw door de lens.

Bij het uitpakken van zijn bagage stuitte hij op de verrekijker – een verjaardagscadeau van zijn vader – en uit verveling zoekt hij nu het bos rondom de caravan af naar vogels en andere bosdieren. Van schrik laat hij opeens de kijker bijna uit zijn handen glippen.

Vlak vóór zich ziet hij ineens het knappe zusje van Lineke Bedijn. Ze komt in gezelschap van een kleine, gezette vrouw – haar moeder? – en twee heren het tuinpad van de Waterlelie aflopen.

Ze loopt daar wat verloren. De beide kinderen hebben alleen oog voor de vrouw met het grijze, kroezende haar. Dat móet de moeder van Lineke wel zijn. Will ziet als hij de kijker op haar gezicht richt, duidelijk overeenkomsten met „zijn begijntje" zoals hij haar dikwijls spottend noemde. Hij klemt zijn handen vaster om de zwarte kijker. Ach, begijntje, kon ik je nog maar één keer zeggen, hoeveel ik van je gehouden heb. Hoeveel pijn het me gedaan heeft en nóg doet, dat ik zo achteloos met jouw liefde heb gespeeld. Je lag daar zo bleek en stil aan mijn voeten. Je gaf geen antwoord op mijn schrééuw om begrip. Je zult het nooit meer doen. Ik zal altijd alleen zijn. Zonder liefde. Net als dat mooie blonde kind. In haar ogen heb ik een zelfde hunkering gezien. En haar houding: één en al afweer en „raak me niet aan", komt voort uit een zelfde ontgoocheling. Of ik moet me al heel sterk vergissen.

Het kleine gezelschap verdwijnt uit Wills gezichtsveld. Hij wil juist de kijker wegbergen, omdat het eigenlijk niet betamelijk is dat hij er mensen mee bespiedt, als hij opnieuw een kreet van verrassing slaakt.

Hij ziet de secretaresse van zijn vader de Eikenwal oversteken en even later via de voordeur in het huis van Peter Odink verdwijnen. Ze heeft kennelijk een sleutel, maar waarom heeft ze gewacht tot iedereen uit was gegaan? Heeft Gina Lang het gezelschap ook weg zien gaan?

Omdat Will Verheyde toch niets om handen heeft, grijpt hij zijn lichtbruine suède jack en beschrijft een grote boog in het bos om achter de Waterlelie uit te komen. Evenals dat bij het terrein van zijn vader het geval is, zijn ook hier de bospercelen gescheiden door een simpel prikkeldraad. Will stapt daar met zijn lange benen zonder problemen overheen en sluipt omzichtig naar het huis. De keuken aan de achterkant heeft een zijraam en een boerendeur, met matglazen raampjes in de bovenste helft.

Will gluurt door die raampjes naar binnen. Hij ziet Gina Lang voor het fornuis staan, maar wat ze uitspookt, kan hij níet zien. Hij durft trouwens ook niet langer te blijven staan. Hij weet niet hoelang het zusje van Lineke wegblijft met de kinderen. En niets is hem minder welkom, dan een nieuwe ontmoeting onder deze verdachte omstandigheden. Maar wel neemt hij zich voor, zodra hij haar langs ziet komen, opnieuw naar de Waterlelie te stappen en keurig opzij aan te bellen. Hij moet er proberen achter te komen, wat Gina daar heeft uitgevoerd in dat huis, terwijl de bewoners afwezig zijn!

Will wacht zólang verscholen achter een rijtje dennen, tot hij er zeker van is dat Gina Lang weer in het kantoor van zijn vader terug is. Even overweegt hij dezelfde omweg te maken. Maar vanaf de overkant is de Waterlelie niet te zien, omdat de voortuin van Roger Pavard totaal is dichtgegroeid. Verwilderd ziet die er uit. Ieder verlof neemt Will zich voor, daar zijn tanden eens in te zetten, maar steeds weer ontbreekt hem de moed. Hij heeft net zo min als zijn vader verstand van tuinieren. Hij zou niet weten, wáár te beginnen.

Will loopt dus gewoon het tuinpad af, maar dat betreurt hij al na enkele meters. Peter Odink komt met grote stappen op hem toe. In gedachten als hij kennelijk is, merkt hij Will pas op, als hij bijna tegen hem op botst. Maar dan wordt Peters donkere gezicht ook een donderwolk.

„Er is niemand thuis, meneer Verheyde!" zegt Peter ingehouden. „En al was dat wél het geval, dan zijn we voor u nog ‘niet thuis!’ Ik heb mijn instructies gegeven!”

Peter verdwijnt in huis. Will hoort de deur achter zich in het slot vallen.

Door de drabbige sneeuw gaat hij terug naar zijn tijdelijke onderkomen. Eenmaal in de caravan, draait hij eerst de gaskachel hoger. Hij voelt zich koud tot in zijn botten. Niet alleen het temperatuurverschil met Afrika, waar hij maanden langs de kust heeft gezworven, is daar debet aan. Peters koude blik en woorden hebben hetzelfde effect als de vroeg ingevallen Hollandse winter . . .

Vroeger zou ik hem lik op stuk gegeven hebben, weet Will. Maar sinds Linekes dood zijn er die schuldgevoelens binnen in mij. Ik gruw van mij zelf en mijn egoïstisch leventje van de laatste tien à vijftien jaren . . .

Vier en dertig ben ik en zo eenzaam als een mens maar zijn kan. Ik had een lieve vrouw kunnen hebben, een paar kinderen . . . Als ik toen, met Lineke . . . maar dan was ik net als Peter Odink nu weduwnaar. O, wat kan ik het goed begrijpen, hoe wanhopig hij zich voelen moet, nu hij haar voorgoed moet missen . . . Ze was zo lief . . . Ik verdien zijn minachting, alleen: het doet zo’n pijn en ik kan het hem niet zeggen, al zou hij me de gelegenheid geven. Hij zou het immers niet willen geloven dat de grote avonturier Will Verheyde spijt heeft en wroeging vanwege zijn vroegere wandaden?

Will hurkt neer voor het koelkastje, dat in opdracht van zijn vader weer goed gevuld is door mevrouw Lang. Vader, die ook al gebukt gaat onder zijn verleden . . .

Will herinnert zich hoe Lineke hem sprak van een God, waar jij bij aan kon kloppen met je schuld en je wanhoop . . . Maar hij had haar de mond gesnoerd met zijn kussen als ze over Hem begon. „Kom, geen gekwezel, dat is goed voor begijntjes als jij. Ik ken Hem niet en ik heb er ook geen enkele behoefte aan. Iets onzichtbaars, ongrijpbaars, nee, spaar je de moeite, kind!”

Nu betreurt hij het – soms – dat hij haar niet liet praten. Maar ach, hij was alleen maar geïnteresseerd in sex, hoewel hem het woord „liefde” voor in de mond lag en „ik hou van je” kwam ook maar al te gemakkelijk over zijn lippen . . .

Liefde . . . ik weet pas wat dat is, nu het te laat is. De smart, toen ik besefte Lineke voorgoed te hebben verloren aan Peter Odink, aan de dood . . .

Het gevoel dat dieper, oneindig dieper gaat dan het lichaam. Dat inbrandt in je hart – „je ziel” zou Lineke zeggen . . .

Hij weet dat díe liefde zijn vader langzaam verteert, al begrijpt hij sinds enkele jaren niet hoe vader zo intens houden kan van een egocentrisch wezen als maman is. Dat hij zelfs nú nog een stille hoop koestert, dat ze bij hem terugkomen zal. Maar liefde is immers niet te beredeneren met je koele verstand?

Will schenkt zich een borrel in. IJskoud en daarna verwarmt die zijn lichaam en verdrijft er de kilte uit. Helemáál, wanneer hij zijn glas nog eens vult en wéér.

Met nietsziende blik staart hij voor zich uit. Steeds weer draaien zijn gedachten om zijn trieste jongensjaren. Vooral die, toen hij losgerukt werd uit zijn vertrouwde omgeving. Wat had hij stilletjes liggen grienen in zijn bed, die eerste maanden in Frankrijk! Zijn vader kwijt, zijn vriendjes, de school, zijn eigen vertrouwde kamer, de beide katten, zijn kaviaar, zijn vissen . . . noem maar op . . . Maman had gezegd, dat het de schuld was van zijn vader, dat zíj zich zo ellendig voelden. Hij had het grif geloofd. Hij was ook nog maar een kind van tien!

Will schrikt op uit zijn gepeins, als het deurtje van de caravan met een ruk openschiet.

Het schoonzusje van Peter Odink staat hijgend in de opening.

„Doe de deur even dicht. 't Begon hier net behaaglijk te worden!" verzoekt hij haar.

Rosalie hoort hem niet eens. „Is Elmie hier?" Verwilderd kijkt ze rond.

„Kijk gerust verder!" animeert hij. „Je gelooft me toch niet als ik zeg dat ik haar niet gezien heb."

Rosalie vraagt iets rustiger: „Ze ontsnapte me. We waren net weer thuis. Ik trok Reneetje haar jasje uit en toen ik me omkeerde was de dame verdwenen. Ik dacht meteen: die is naar de caravan. Ze heeft het maar steeds over dat cadeautje."

Will komt overeind. „Ik zal het je meegeven. Haar vader heeft ieder contact verboden en ik wil daar niet aan tornen, aan dat besluit. Ik zou maar eens kijken, of ze soms naar mevrouw Lang is gegaan of naar het kantoor, dat doet ze ook wel eens."

Rosalie is al weer weg. Will ziet haar naar het huis van zijn vader rennen.

„Een heel ander type dan Lineke!" mompeldt hij. „Ze is beslist een schoonheid, maar ik denk dat de binnenkant het niet kan halen bij Lineke.

Opnieuw verschanst hij zich in het verleden.

„Heeft u Elmie gezien, mevrouw Lang?"

Bertha Lang schudt haar hoofd. „Nee. Hoezo?"

„Ze is me ontsnapt. Onder mijn ogen bijna." Vertwijfeld klinkt Rosalies stem.
„Je wilt toch niet beweren . . .? O, lieve help. De vijver . . . wat zal meneer Peter zeggen als hij het hoort? Wacht, ik ga mee, misschien is ze naar hem gegaan . . ." In het voorbijgaan grijpt mevrouw Lang haar zwarte mantel en schiet die aan.
„Ik ga zelf wel naar Peter!" hijgt Rosalie.
Maar mevrouw Lang denkt er niet aan achter te blijven. Juist als Rosalie de deur van het kantoor wil opendoen, komt Peter naar buiten met een huilende Elmie aan zijn hand. Zijn gezicht staat op tien dagen storm.
„Als je niet op haar letten kunt, breng haar dan naar mevrouw Lang!" bitst hij tegen Rosalie. „Ik wil onder geen beding, dat de kinderen alleen buiten komen. Me dunkt, dat je dat wel begrijpen kunt. En wees ook wat voorzichtiger met gas. De hele keuken stonk toen ik een kwartier geleden binnenkwam."
„Ben jíj thuis geweest? Ik dacht al . . . maar ik snap het niet. Ik heb de oven uitgedaan, dat weet ik zeker."
„Blijkbaar niet. De vlammetjes waren wel uit, maar de knop stond op drie. Je hebt hem blijkbaar de verkeerde kant opgedraaid."
Rosalie neemt het tegenstribbelende kind van Peter over. Tranen dringen naar haar ogen. Ze knippert verwoed. Ze wil niet dat haar zwager het ziet. Maar Peter heeft zich alweer omgekeerd en zonder groet verdwijnt hij in het kantoor.
„Ik weet dat hij verdriet heeft. Maar hij hoeft toch niet zo . . . zo . . ."
Ze voelt een warm handje in de hare. „Ben je boos, tante Rosie?"
„Een beetje wel. Je mag toch niet weglopen, Elmie? Nu is papa boos op mij, omdat jij weggelopen bent."
„Ik wilde alleen even naar papa. Zeggen dat oma er is en opa."
„Die zijn toch alweer weg?"
„Ze komen terug. Heeft oma zelf gezegd. Morgen."
„O! Kijk eens wat ik hier heb, Elmie? Het kadeautje van oom Will. Nu moet je daar niet meer over zeuren en ook niet dat je naar hem toe wilt. Papa wil het niet."
Het meisje neemt het pakje van haar aan en wil het meteen openmaken.
„Zo meteen. Als we thuis zijn. Anders valt het nog in de sneeuw."
„Gaan we nog sneeuwballen gooien?"
„Misschien morgen."

„Maar de sneeuw smelt.”
Rosalie kijkt om zich heen. Het is waar: de sneeuw is hard bezig te verdwijnen.
„Nou, heel eventjes dan. Als Reneetje in de box is.”
Eenmaal binnen slaakt Elmie een verrukt gilletje. „Een pop. Met heel mooie kleren. Kijk eens tante Rosie.”
Het is inderdaad een poppetje in fleurige klederdracht. Een lange rode rok met geel-blauwe biezen en een dito schortje. Daarboven een piepklein wit bloesje met lange pofmouwtjes.
„Wat staat daar?” vraagt Elmie. „De naam van mijn nieuwe popje?”
„Er staat ‘Frankrijk’. Oom Will heeft deze pop in Frankrijk gekocht.’
„O!” zegt Elmie teleurgesteld. „Nu weet ik nog niet hoe hij heet.”
„Het is een ‘zij’. Nou, dan noem je haar Francientje. Dat lijkt een beetje op het land waar ze vandaan komt.”
„Já, Francientje! Ik breng haar meteen naar boven, tante Rosie!”
Zingend trekt ze naar boven. Rosalie zet Reneetje in de box. Het kind laat zich meteen achterovervallen en blijft – de duim in haar mond – zo liggen. Blijkbaar is ze alweer moe van het korte buitenzijn. „Je krijgt zo dadelijk je vruchtenprakje, Reneetje,” belooft Rosalie.
Dan stapt ze naar de keuken. Ze ziet, dat het keukenraam een eindje openstaat. Dat moet Peter gedaan hebben. Ze snuift. „Ik begrijp het niet. Ik weet toch bijna zeker dat ik de oven heb uitgedaan . . .” mompelt ze. Enfin, het is gebeurd, helaas. Tja en dan Elmie ook nog zoek! Ik heb wel een paar slechte beurten gemaakt bij Peter. Enfin, zo’n hoge dunk heeft hij toch al niet van mij.
Ze voert Reneetje haar hapje en voor Elmie en zichzelf maakt ze een kop chocolademelk. Gelukkig is het kind het sneeuwballen gooien vergeten. In-gelukkig zit ze tegenover haar tante op de bank, haar poppekinderen stijf tegen haar aan. Eigenlijk zijn het geen spéél- maar sierpoppen, denkt Rosalie. Maar ze heeft het hart niet dat tegen haar nichtje te zeggen. Will Verheyde heeft hier blijkbaar niet bij stilgestaan. Het zal hem ook wel moeilijk vallen zich in een vijfjarige te verplaatsen. Toch leuk, dat hij aan haar gedacht heeft.
„Heb je die andere pop ook van oom Will gekregen?” informeert Rosalie, op een Spaanse schone wijzend.
Elmie knikt ijverig. „Toen mammie nog niet in de hemel was.

Toen heb ik 'm van oom Will gekregen."
„Schat!" Rosalie moet haar even tegen zich aandrukken. Wekt dat nog meer herinnering? Onstuimig slaat Elmie haar armpjes om Rosalies hals. „Mammie!" snikt ze, „ik wil naar mammie!" Rosalie kust haar en veegt met haar eigen zakdoek de dikke tranen uit Elmie's donkere kijkers. „Dat kan niet, lieverd. Mammie is in de hemel, dat heb je zelf gezegd. Ze is bij de Here Jezus en ze heeft nu nooit meer pijn."
„Hier ook niet. Ze had alleen maar een pleister en ze sliep."
Nu is het Rosalie zelf die Elmie herinnert aan het sneeuwballengevecht.
Even later ervaart ze, hoe flexibel een kind gelukkig is.
Terwijl ze zelf nog met haar gedachten bij Elmies mamma is en bij de man en de beide kinderen, die achterbleven, klinken de enthousiaste kreten van het kind door het stille Lienderbos. Ze dringen zelfs door tot het privé-kantoor van Roger Pavard en diens compagnon.
„Hoor je dochter eens, Peter!" bast Roger met zijn altijd schorre stem. „Die vermaakt zich blijkbaar prima in de sneeuw!"
Peter staat al. „Even kijken!"
Maar Roger gebaart hem met zijn hand weer te gaan zitten. „Jouw schoonzuster is bij haar. Kom jongen, probeer die angst van jou niet te voeden. Daar maak je je kinderen onnodig nerveus mee."
„Maar vanmiddag . . .!" begint Peter.
„Ja, dat weet ik. Maar er is toch niets gebeurd? Dat overkwam Lineke ook geregeld. Wees eerlijk. Elmie is een bijdehandje. Dat kind ziet altijd wel een gaatje om te ontsnappen. Ze moet naar school, Peter."
„Ja, ik weet het. Ik weet het. Het is alleen mijn angst. Ik zou Elmie en Reneetje het liefst de hele dag hier vlak naast mijn bureau neerzetten. Zodat ze niet kunnen verongelukken. Ze zijn alles wat ik overheb . . ."
Roger Pavard denkt aan zijn eigen verliezen. Zijn vrouw en beide kinderen. Niet aan de dood, maar aan het leven verloor hij hen. Wat is erger? Als hij de cynische man gadeslaat, die er gegroeid is uit de jongen, die hem eens met een wanhopige vraag in zijn kinderogen vaarwel zei, dan bloedt zijn vaderhart. Hoe diep en intens kinderen kunnen lijden onder de gedwongen scheiding van één van de ouders, heeft Roger aan den lijve ondervonden.
„Weet je wat jouw fout is? Jij wilt alle touwtjes zelf in handen houden, Peter. Jij wilt je kinderen zélf beschermen voor narigheid

en ongelukken. Maar een mens is maar een mens. Je zult wat uit handen móéten geven. Iets van je verantwoording aan anderen over moeten laten. Daarom wilde ik je ook zo graag naar Salernes hebben. Je weet, dat De Bruin er tegenop ziet om ons in het buitenland te vertegenwoordigen. De man wordt gewoon te oud. Maar ik heb het hart niet hem dat te zeggen. Hij wil nog zo graag en moet ik hem dan, omdat hij ouder wordt, ontslaan? Ik kan dat niet. Zelf word ik ook een dagje ouder. Ik had altijd gehoopt . . ." Roger Pavard kucht nerveus. „Enfin, ik had het erover dat jij daar mooi een kijkje nemen kunt, in Frankrijk, nu je schoonzuster er is. De kinderen zijn dan verzorgd en jij kunt er op je gemak een weekje tussenuit. Je hebt ook geen vakantie gehad, jongen!"

Peters gezicht drukt één en al afweer uit. Vakantie . . . zonder Lieke . . . hij zal het nóóit kunnen . . . en alleen naar Frankrijk . . . de kinderen hier, onder de hoede van Rosalie?

„Ik peins er niet over. Vanmiddag stond nota bene de gasknop van de oven wijd open, zonder dat hij brandde. De hele keuken stonk naar gas en Rosalie was met de kinderen gaan wandelen. Nee, Pavard, ik heb even met de gedachte gespeeld. Eerlijk gezegd ging ik daarom ook naar de overkant om er met Rosalie over te praten. Maar nu . . . nee."

Roger zwijgt. Hij ziet aan Peters vastbesloten gezicht, dat er niet aan zijn besluit valt te tornen. In zijn hart heeft hij respect voor de standvastigheid van zijn jonge compagnon. Zelf is hij maar al te gauw geneigd toe te geven, dat weet hij. Hij is ook geen goede zakenman. Hij laat zich gemakkelijk bepraten. Als hij zo'n karakter als Peter had, was dat met zijn vrouw Monique indertijd misschien ook niet gebeurd. Zij wilde nu eenmaal een man waar ze tegenop kon zien. Waar ze op kon leunen, zoals Lineke dat tijdens haar korte huwelijk op Peter heeft gedaan.

Wat zou ik je van harte weer een lieve, flinke vrouw toewensen, in de toekomst! denkt Roger genegen. Je verdient het zo, al maak je het je zelf door je krampachtige bezorgdheid voor de kinderen niet gemakkelijk. Van de gezinshulpen verwacht je ook een bijna bovenmenselijke toewijding waar het de beide kleintjes betreft. En nu met je schoonzusje lijkt het dezelfde kant op te gaan. Je kunt kinderen niet in een glazen hokje zetten!

„Het kan nog wel een paar weken wachten. Maar er moet wel iemand naar toe. De hele toestand moet daar eens grondig worden bekeken."

„Dat doen we dan over een week of wat wel! Misschien is mijn moeder dan weer wat flinker. Zolang ze zo tobt met haar rug kan ik haar niet met de zorg van mijn kinderen opzadelen. Ze heeft mijn zusje ook nog!"

„Hoe gaat het met Margo?"

„Ze gaat lichamelijk toch wel achteruit. Moeder moet haar dragen. Van de rolstoel naar de bank of naar een ruststoel. Tenminste . . . als vader niet in de buurt is. Op deze manier heeft ze ook die rugklachten gekregen. Margo is veel te zwaar voor haar."

Roger Pavard reikt Peter enkele brieven aan. „Die kwamen met de post. Gina gaf ze me net. Een paar pracht orders. De zaak trekt weer aan. En dat is mede door jouw inzet, jongen!"

Peter kijkt zijn baas even aan. Beschaamd. Roger Pavard, zo schromelijk tekort geschoten in zijn privéleven, is tot het uiterste begaan met zijn personeel. Het kleine ploegje bestaat stuk voor stuk uit kneusjes. En daar reken ik mezelf sinds Liekes dood ook toe. Ik ben geen half mens meer. Maar ik vergeet, dat Roger zijn portie narigheid ook wel gekregen heeft. De man gaat er steeds slechter uitzien. Tot de komst van mevrouw Lang heeft hij altijd alleen rondgeploeterd. Een geluk dat mevrouw Lang met haar dochter toen in het Lienderbos kwam wonen en Bertha Lang bereid bleek overdag het huishouden van Roger Pavard voor haar rekening te nemen. Gina die in Lienden haar baan als bankbediende was kwijtgeraakt, was door Roger als telefoniste-secretaresse aangesteld. Roger en hij hebben al veel aan moeder en dochter gehad, de laatste jaren. Zowel in de tijd, dat Lineke buitenshuis verpleegd moest worden als na haar overlijden . . . Altijd weer kon hij een beroep op hen doen.

Als resumé van zijn gedachten zegt Peter: „We kunnen mevrouw Lang wel eens polsen. Zij kan misschien samen met Gina een week voor de kinderen zorgen. Mevrouw Lang overdag en Gina 's avonds bij voorbeeld. Ik heb in hen het grootste vertrouwen en zij kennen de kinderen door en door."

Roger knikt opgelucht. Er is hem veel aangelegen dat Peter er eens even tussenuit gaat. „Ik weet zeker dat ze het graag zullen doen. Ze zijn erg op jou gesteld, jongen. En op je dochters niet minder. Zodra jouw schoonzuster weer weg is, geef je maar een seintje. Dan maak ik het wel voor elkaar met de dames Lang."

HOOFDSTUK 5

's Avonds, als de kinderen in bed liggen en Rosalie de koffie voor hem neerzet onder handbereik, zegt Peter, berouwvol: „Sorry Rosalie, ik was vanmiddag bar onhebbelijk tegen jou. En dat nog wel terwijl jij je vakantie voor ons opoffert. Ik ben hard op weg een egoïst te worden, heb ik tot mijn schrik gemerkt."

Rosalies bedrukte gezichtje klaart op. „Laten we er maar niet meer over praten, Peter. Ik begrijp heus wel dat het door bezorgdheid kwam, dat je dat zei. Jij hebt alles nog niet verwerkt en je bent bang, dat er ook iets met Elmie of Reneetje gebeurt. Waar of niet?"

„Ja. Meneer Pavard zei iets dergelijks ook. Ik zal mijn best doen, meisje." Hij staat op en loopt op Rosalie toe. „Hier, om mijn spijt te bezegelen." Hij wil haar een broederlijke kus op haar wang geven, maar die poging mislukt. De kus verdwaalt en ineens ligt ze in zijn armen. Als twee drenkelingen klampen ze zich aan elkaar vast. Rosalie is de eerste die zich losmaakt.

„Peter," zegt ze een beetje ademloos. „Dit . . . dit was niet de bedoeling. Ik . . ."

Hulpeloos begint ze te huilen. De gedachte aan Lineke verscheurt haar hart. Ze hield zoveel van haar Peter en ik heb hem gekust. Het is mijn schuld. Ik heb hem bewust mijn mond geboden. Peter, een man die al zolang en intens zijn vrouw mist . . . Bah, wat ben ik toch voor een mormel? Kan ik het dan nooit laten?

Peter Odink harkt met een paar vingers door zijn donkere haar. Beschaamd ziet hij haar aan. „Het zal niet weer gebeuren, Rosalie. Ik wilde dit evenmin als jij. Ik ga nog even naar oom Anne. Of vind je het vervelend om hier alleen te blijven? Ik ben met een uurtje terug."

„Welnee. Ga maar. Jij hebt hen vanmiddag niet gezien," stemt Rosalie opgelucht in. Ze is liever alleen, dan dat ze maar tegen Peters gekwelde gezicht zit aan te kijken!

„Ik doe de achterdeur op slot!"

„Je mag gerust wat langer wegblijven. Ik heb een mooi boek gevonden en anders zet ik de T.V. wel aan."

„Ik zie wel."

Peter werpt nog een onzekere blik op het gebogen hoofd van het meisje. Haar blonde haar glanst in het licht van de staande schemerlamp. Ze is zo mooi, zoals ze daar zit in haar gele jumpertje met col en zwarte pantalon . . . Mooi en . . . verleidelijk.

Peter vlúcht voor die verleiding. Diep ongelukkig belt hij vijf minuten later aan bij het landhuis van Tjerk en Lon. Na zijn huwelijk is Tjerks vader voorgoed naar Den Haag gegaan. Moeder Els was niet te bewegen haar huis aan de Laan van Meerdervoort, waar ze al als kind in woonde, te verruilen voor „Prélude" het schitterende huis van de Feenstra's aan de drukke Lienderweg. Anne Feenstra had de mogelijkheid om vervroegd pensioen aan te vragen en zodoende werd het huis toen definitief voor Tjerk, de enige zoon en Lon, de oudste dochter van moeder Els. Annemiek die nog thuis bij vader Anne woonde, nam een baan in Frankrijk . . . Momenteel is Anne Feenstra dus terug in het huis, waar hij bijna dertig jaar met zijn eerste vrouw Tera heeft gewoond.

Terwijl Peter wacht tot er wordt opengedaan, dringt de vraag zich aan hem op: hoe zou schoonmoeder Els het vinden om te logeren in het huis waar haar man met zijn eerste vrouw heeft gewoond?

„Peter, jongen, daar doe je goed aan!" zegt Anne Feenstra warm, na de deur te hebben geopend. Moeder en ik hadden er al een beetje op gerekend, dat je komen zou."

„Oom Anne," vraagt Peter dringend, „is het mogelijk, dat ik u even onder vier ogen spreek? Het hoeft niet lang te duren . . ."

„Natuurlijk. Ik zal het binnen even zeggen. Dan gaan we naar mijn oude studeerkamer. Wacht, jij weet de weg: ga maar vast."

Peter neemt met enkele sprongen de zo welbekende trap. Hij komt hier immers al vanaf zijn prilste jongenstijd? Oom Anne en vader Piet werkten beiden in het Lichtdal, de psychiatrische inrichting, even buiten Lienden.

Hierdoor raakten de beide families met elkaar in contact. Tjerk en hij werden zelfs vrienden voor het leven, zoals gebleken is.

Voor de deur van oom Annes studeerkamer, die Tjerk, ook nadat zijn vader naar Den Haag verhuisde, onveranderd liet, moet Peter iets overwinnen. Binnengaan, daar waar hij zijn Lineke zoveel pijn heeft gedaan? Waar hij haar met zijn woorden en zijn kussen die niets met liefde maar alles met hartstocht te maken hadden, verwondde? Hij kreunt het uit van ellende en spijt.

Maar beneden hoort hij al een deur slaan. Hij móét, hij heeft oom Anne zelf om een gesprek van man tot man gevraagd.

Peter posteert zich op dezelfde plaats naast het nu keurig opgeruimde bureau. Hij tast in zijn zak naar de pijptabak en stopt met trillende vingers zijn kromme pijp.

Anne Feenstra bestormen soortgelijke herinneringen. O, dit vertrek, waar hij die eerste moeilijke jaren na Tera's dood zo dikwijls zijn toevlucht zocht! Ten koste van zijn beide kinderen sloot hij zich hier op met zijn verdriet.

En nu staat daar de zoon van zijn beste vriend en collega Piet Odink. Een jonge man, even dertig en met hetzelfde verdriet, nee, groter nog, omdat hij zijn grote liefde verloor aan de dood en hijzelf iemand, op wie hij dertig jaar lang zijn liefde projecteerde, wat toch niet het ware was, naar hem pas sinds kort is gebleken...

„Jongen, Peter," zegt Anne bewogen, „ga toch zitten. En praat op, wat je kwijt wilt. Ik doe niets liever, dan proberen jou te helpen."

Peter ploft in één van de twee bruine leren stoelen, die bij het gashaardje staan.

„Heb je het koud? Zal ik het even aansteken?" vraagt Anne met een bezorgde stem, kijkend naar Peters bleke gezicht.

Peter schudt ontkennend zijn hoofd. „Ik heb het niet koud."

Zijn ogen zwerven langs de dichtgetrokken velours gordijnen...

„Oom Anne!" zegt hij na een stilte zijn keel schrapend, „ik ben me een half uurtje terug rót geschrokken. Van mezelf. Ik wálg van ene Peter Odink, wilt u dat geloven?"

Anne Feenstra neemt de donkeromrande bril van zijn neus en poetst die een betere zaak waardig. Het bewijs, dat hij zéér bewogen is.

„Ga door!" beduidt hij met zijn bril in Peters richting wijzend.

„Ik heb Rosalie vanmiddag niet al te aardige dingen naar het hoofd geslingerd. Waar ik later prompt spijt van kreeg. Dat heb ik haar ook gezegd. Ik gaf haar een broederlijke kus en toen..."

Anne Feenstra glimlacht fijntjes. „Toen schrok je je een aap!"

„Rót!" verbetert Peter. „Ik heb haar gekust, zoals ik dat Lineke deed. Nog geen jaar nadat ik haar verloor. Is een mensenhart dan zó onbetrouwbaar, zo snel tot vergeten bereid? Ik, die dacht dat ik zo intens liefhad. Dat onze liefde op een hoger plan stond. Dat het voor eeuwig was. Nou ja eeuwig... dat het nooit zou eindigen. En dat doet het ook niet. Maar waarom ontdekte ik dan..." hij kijkt Anne ineens vol aan, „we spreken nu van hart tot hart immers?" Anne Feenstra knikt haastig. „Waarom merkte ik dan dat ik haar in mijn armen wilde nemen en kussen? Dat ik haar... begeerde?"

Anne tipt de as in een kristallen asbak. „Rosalie is een heel aantrekkelijke jonge vrouw, Peter. Dat weet ze zelf deksels goed en het is dan ook een tweede natuur van haar geworden, om te zien hoever ze gaan kan. Wat ze bereiken kan met dat gevaarlijke mooie gezichtje en lichaam van haar. Maar ik vrees, jongen, dat ze tot nu toe niet meer bereikt heeft, dan dat ze zich minstens zo ellendig voelt als jij. Nee, ellendiger nog. Want Rosalie weet niet wat echte liefde is. Jij wél. Kwel jezelf dus niet, waar het háár betreft. Rosalie heeft wel zoveel ervaring met het sterke geslacht, dat ze weet, hoe moeilijk het is voor jou, om na zo'n gelukkige tijd, plotseling in een soort niemandsland terecht te komen . . ."

„Ik wil Lieke niet vergeten. Ik voel me nog met hart en ziel aan haar verbonden . . ." mompelt Peter gesmoord.

„Ja, maar dat zal langzamerhand toch veranderen. Niet je liefde voor Lineke, maar de herinnering zal minder pijn gaan doen. De tijd zal de scherpste kanten van je verdriet wegslijpen. Ik weet dat toch Peter, uit eigen ervaring?"

„Daarom wilde ik er ook met u over praten. Mijn eigen vader kent – gelukkig – dit gemis niet. Bovendien is vader Piet zo anders. Een opgeruimde, altijd vrolijke kerel, dat wel. Maar of hij zóiets zou aanvoelen?"

„Peter!" zegt Anne gedecideerd. „Jij was tot voor kort precies zó. Als er één een opgeruimde vent was, die altijd vol grappen en streken zat, was jij dat wel. Ben je vergeten hoe vaak je die serieuze zoon van mij uit de put gepraat hebt? En Annemiek evenzo."

Peter ziet hem aan. Zijn knappe gezicht vertrokken door pijn. „Ik weet het maar al te goed. Ik voel mij een prul van een vader als ik aan de mijne denk. Hoe hij altijd met ons dolde en op pad ging. Maar ik kan het nog niet, oom Anne. Er is zoveel verdriet in mijn hart. Zég me wat ik doen moet om weer de Peter van vroeger te worden!"

„Leg God voor, wat je mij nu zei. En probeer je intussen op je kinderen te concentreren. Zij hebben jou dubbel hard nodig, nu ze de moederliefde moeten missen. En nog iets: wroet niet zo in het verleden. Probeer niet steeds die gebeurtenis om en om te keren. Ik weet dat je jezelf nog steeds kwelt met de vraag: hoe kon dat nu gebeuren? Waaróm stak Lineke zo maar die drukke Lienderstraat over, terwijl zij als geen ander wist, hoe gevaarlijk dat was."

Peter kijkt verrast op. „Ja, daar ben ik inderdaad veel mee bezig."

„Zelfs al zou je antwoord krijgen, dan nog komt Lineke er niet mee terug."

„Nee!" geeft Peter peinzend toe. „Maar als ik alleen maar wist . . . weet u dat Will Verheyde, de zoon van Pavard, weer thuis is? Nou ja, in die caravan bedoel ik?"

Het is nu Anne Feenstra's beurt om verwonderd te kijken. „Nee. Ik ben nog niet bij Pavard geweest. Ik was van plan de man nog even op te zoeken, voor moeder en ik teruggaan . . ."

„Ik heb Elmie verboden naar hem toe te gaan. En Rosalie ook!" vertelt Peter kort. „Hij beloofde die kleine uk een cadeautje en nu is ze niet te houden. Misselijk om een kind daarmee te paaien."

Anne ziet dat het gezicht van Peter nu grimmig staat en verbeten. Hij ként Peters antipathie voor de blonde adonis. „Ik geloof, dat je dochter werkelijk op hem gesteld is!" merkt hij voorzichtig op. „Je mag jouw antipathie niet voeden met wantrouwen of nog erger, Peter. En wat Rosalie betreft: ik zou haar maar niet proberen iets te verbieden. Ze is volwassen en bovendien bereik je juist het tegenovergestelde."

Peter denkt aan Lineke. Hoe zij het ook steeds weer voor Will Verheyde had opgenomen en hij zucht hartgrondig. „Vrouwen!" zegt hij dan. „Ik leer hun zieleroersels nóóit doorgronden. Ik zeg het toch voor haar eigen bestwil? En waarom moet ze dan juist . . . met Lineke ging het net zo. En hij had haar nog wel zoveel verdriet gebracht."

„Omdat ze zich niet de wet willen laten voorschrijven. Ze zijn geëmancipeerd, mán!"

Peters gezicht vertoont een glimp van de lach, die Anne zo graag weer terug zou zien. Hij is zo jong nog en hem zo vertrouwd als een eigen zoon.

„Jong, probeer deze paar weken iets van je zorg over te hevelen op Linekes zuster. Zij is uit eigen vrije wil naar je toe gekomen, om je te helpen. Misschien bewijs jij haar intussen een even grote dienst. Rosalie was hard bezig af te knappen op dat weinig gepolijste clubje waar ze mee omging de laatste jaren . . . je schoonmoeder heeft om haar erg veel zorg momenteel."

„Het is jammer, dat ze jullie huwelijk nog steeds niet accepteren wil."

„Tja . . ."

„Oom Anne, nog één vraag, die me al een hele tijd op de lippen brandt. U hóeft er natuurlijk geen antwoord op te geven . . ."

„Zeg het maar."

„Ondanks alle verdriet geven moeder Els en u de indruk erg gelukkig te zijn met elkaar."

„Dat zijn we zeer zeker, jongen."

„En jullie hadden toch beiden een lang huwelijk achter de rug. Zélf heb ik met Lineke nog geen zes jaar samengeleefd. Ik begrijp niet . . . als je toch zó lang en dan weer met heel iemand anders . . ." Peter komt er niet uit.

„Je zei net zelf al dat je schrok van je eigen gevoelens . . . verlangens. Nu al, na zo'n korte tijd. Heus, Peter, jij moet niets forceren. Ook niets veroordelen. Daar komt bij, dat ieder geval, ieder huwelijk ook, een eigen verhaal vertelt. Er is er niet één hetzelfde. Al hebben die van Els en mij dit gemeen, dat wij beiden in onze verloren partner dát misten, wat wij wel bij elkaar vinden. Dat kan namelijk óók gebeuren. En dat wil helemaal niet zeggen, dat Els niet gehouden heeft van Arno en ik Tera niet heb liefgehad. Onze karakters pasten niet zo bij elkaar, als dat van Els en mij. Wij . . . hm . . . ja, wij zijn erg gelukkig samen. Daar dank ik God nog dagelijks voor."

„En u bedankt voor uw vertrouwen, oom Anne. Ik had echt behoefte aan een onderonsje. Het was allemaal zo'n warboel van binnen."

Anne drukt Peter de hand. „Ik bid ook voor jou en de kinderen, Peter. Moeder en ik . . . we hopen allebei, dat voor jou ook de zon weer mag gaan schijnen, al lijkt het nu, of die voorgoed is ondergegaan."

„Dat líjkt niet alleen, dat ís zo!" zegt Peter heftig. „Met Lineke verdween voorgoed de zon uit mijn leven."

Anne Feenstra heeft alleen een kleine, wijze glimlach.

„En nu gaan we naar moeder Els. Ze zit vol ongeduld op jou te wachten, jongen!"

Elke keer als Els Feenstra – tot voor een jaar Els Bedijn – haar schoonzoon Peter ziet, worden de emoties haar teveel. Snikkend slaat ze haar armen om zijn hals. „Peet, jóngen!" Zo staan ze een tijdlang dicht bij elkaar met hun immense verdriet. Anne Feenstra heeft letterlijk en figuurlijk een stapje terug gedaan. Déze smart is van hen beiden: de moeder en de echtgenoot van de verongelukte . . .

Na een poosje bedaart Els wat. Ze zoekt in de zak van haar rok naar haar zakdoek, maar met een oneindig teder gebaar veegt Peter haar tranen weg. „Moedertje . . ." zegt hij moeilijk.

Els ogen zoeken die van Anne. Hij staat daar wat verloren in de sfeervolle kamer, die zolang de zijne is geweest. Daar bij de tuindeuren heeft maandenlang het bed van zijn ongeneeslijk zieke vrouw gestaan. Ze snelt op hem toe en verbergt haar hoofd aan zijn borst. Anne reageert onmiddellijk en sluit de kleine vrouw met het nu zilverwitte haar in zijn armen.

Peter slikt krampachtig als hij die twee ziet.

Hoe is het mogelijk? Het ís mogelijk, denkt hij verward. Maar ik...

„Koffie!" zegt Anne met zijn fijne gevoelsantenne haar van zich duwend. „Ik geloof dat wij daar allemaal behoefte aan hebben.

De gekwelde blik, waarmee Peter hen bezag, het gesprek met hem éven daarvoor, bewijzen, dat Peter nog volop in het rouwverwerkingsproces zit...

„Hoe gaat het met Annemiek, oom Anne?" informeert Peter, bewust het gesprek een andere wending gevend. „Het is alweer even geleden, dat ik een brief van haar gekregen heb."

„Wij een paar dagen geleden. Ze schrijft opgewekt, niet Els? Ze heeft het daarginds in het zonnige zuiden wel naar de zin. Ze schrijft enthousiaste verhalen over de Middellandse Zee, zo blauw, zo blauw. En de rotswandelingen, die ze daar maakt."

„Hm." Peter zwijgt over de brief dat hij uit Vancouver kreeg. Tjerk, de broer van Annemiek, moet die meteen na aankomst in Canada hebben geschreven. Samen met Lon heeft Tjerk eerst een bezoek gebracht aan het Zuidfranse plaatsje, dichtbij de Italiaanse grens waar zijn zusje Annemiek au-pair werkt in het gezin van een plastisch chirurg. Van daaruit hebben ze hun reis naar de andere kant van de oceaan voortgezet.

Tjerks indruk was, dat Annemiek helemaal niet zo happy is, daar. „Ik kreeg de indruk dat er van studeren maar weinig terecht komt. Toen Vader er met Annemiek geweest is van het voorjaar, leek alles even mooi. Annemiek zou alleen 's morgens voor de kinderen zorgen en wat licht huishoudelijk werk doen. 's Middags zou ze vrij zijn en drie avonden in de week. Maar in de praktijk schijnt daar maar weinig van terecht te komen. Ik ben bang, Peter, dat onze Annemiek daarginds wordt uitgebuit. Ze zag er bar slecht uit, ondanks het feit dat ze zo bruin is als een koffieboontje. Misschien heeft ze ook wel heimwee. Mocht jij eens in Salernes komen, zoek haar dan op. Lon en ik zijn echt een beetje ongerust over haar."

„Misschien ga ik daar binnenkort weleens een kijkje nemen. Pavard heeft het er vandaag nog met mij over gehad. Jullie weten dat Pavard veel zaken doet met die tegelfabriek in Salernes. Er moet daar hoognodig weer iemand naar toe. Hij vroeg of ik dat wilde doen. Ik ben daar al meer geweest. Ook met Lineke wel. Ik zou dan meteen bij Annemiek een bezoekje kunnen afsteken."

Els legt een hand op Peters arm. „Doe dat, Peter. Voor oom Anne zou dat ook fijn zijn en jij bent er eens even helemaal uit. Als je met de kleintjes zit: je weet, ze zijn van harte welkom."

„Ja, dat weet ik. Ik moet er nog even over denken, hoe ik dat het beste inkleedt. Om jullie de waarheid te zeggen, heb ik even met de gedachte gespeeld om nu te gaan. Nu Rosalie er is. Maar ik ben daar toch op teruggekomen." Beknopt vertelt hij wat er die middag is voorgevallen.

Als hij is uitgesproken blijft er een stilte hangen.

Tot Els het woord neemt. „Als het Marieke nu eens geweest was en niet Rosalie?" vraagt ze gespannen. „Had je het dan wél gedaan?"

„Ja!" zegt Peter zonder bedenken. „Marieke is zo heel anders. Dat is precies Lineke. Die zou ik zonder voorbehoud de zorg voor m'n kinderen toevertrouwen."

„Dat dacht ik wel," knikt Els. In gedachten tuurt ze naar de franjes aan het tafelkleedje.

„Is er geen mogelijkheid dat zíj een poosje komt, als Rosalie weer weg is?" vraagt Peter quasie achteloos.

Els' moederhart maakt een vreemd sprongetje. Maar dat merkt Peter natuurlijk niet.

„Nee! Ik hoop, dat je dat begrijpen kunt, Peter. Marieke heeft al zoveel narigheid gehad, door die geschiedenis met die overspannen leraar. Door vader Arno's ziekte . . ."

„Dat haar nieuwe narigheden bespaard moeten worden," vult Peter niet zonder bitterheid aan. „Ziet u mij soms als een nieuw obstakel op haar weg, moeder Els?"

„Welnee, jongen!" haast Els zich uit te leggen. „Maar ze is erg op jou gesteld, altijd al geweest, dat weet je best. En ze heeft een medelijdend hartje . . . toe, Peter, begrijp je niet, dat zij in de laatste plaats daar nu moet zijn, om jou te helpen? Het zou niet goed zijn. Niet voor jou, niet voor haar . . ."

„Voor haar . . . dat begrijp ik na uw woorden. Maar voor mij . . .?"

„Omdat jij haar als een verlengstuk zou zien van Lineke. En dat is ze niet en mag ze ook nooit worden!" gooit Els er geëmotioneerd uit.

Anne schudt haar zacht bij haar schouder. „Kalm nu, Els. Peter heeft er niets mee bedoeld. Hij zit alleen verlegen om vertrouwde hulp."

„Die heeft hij nu!" zegt Els fel. „Rosalie is niet minder dan Marieke."

„Nee? En waarom waagt u haar er wél aan en uw dierbare Marieke niet?" tart Peter.

„Omdat Rosalie heel goed in staat is op zichzelf te passen. Die zou medelijden en liefde nooit met elkaar verwarren. En nu . . ."

Els schreit ineens weer. „Laten we er over ophouden. Dit gesprek stuit me tegen de borst."

„Toch kunnen we de dingen beter uitspreken en zuiver stellen!" meent Anne. „Ik heb zojuist met Peter ook fijn gepraat. Dat werkt dikwijls verhelderend, al doet het nog zo'n pijn. Het is zo vrouwke: Marieke ligt jou dichter aan het hart dan Rosalie. Daar hoef je niet je oude schuldgevoelens voor van stal te halen. Het is gewoon een feit. Jullie karakters lopen te veel uitéén. Maar ik ben het in zoverre met jou eens, dat Peter in de toestand waarin hij nu verkeert, heel gemakkelijk Lineke kan trachten terug te vinden in de persoon van Marieke. Die twee hebben – innerlijk althans – veel van elkaar weg. En dat mag nooit, Peter, maar dat begrijp je zelf denk ik ook wel."

„Ik vraag Rosalie of ze het wil proberen. Wij doen haar met elkaar geloof ik veel onrecht, als we haar niet hetzelfde vertrouwen geven als één van haar zusters. Alleen omdat ze een ander leefpatroon heeft dan de rest."

Anne knikt Peter Odink tevreden toe. „Dat zijn geen woorden, maar daden. Bovendien komen tante Charlotte en tante Em een weekje logeren in Prélude. Ik weet zeker dat die van harte mee willen moederen over jouw kroost. En Rosalie kan altijd best met de tantes opschieten, dat is bekend."

„Dat is goed nieuws. Tante Em kan zo leuk met kinderen overweg. Je merkt nog goed, dat ze haar hele leven onderwijzeres is geweest."

„Tante Charlotte houdt niet minder van hen!" verdedigt Els. Ze is pas na het ongeluk van Lineke gaan begrijpen, hoe zwaar Charlotte indertijd geleden moet hebben onder het verlies van haar ongelukkig dochtertje en man . . . Een man verliezen is verschrikkelijk. Maar een kind? Nooit zal díe wond helemaal helen, weet Els . . .

„Dan ga ik nu!" zegt Peter opspringend. Bedankt jullie, voor alles. Morgen komen jullie nog even naar de Waterlelie hè? Dan horen jullie meteen of de plannen doorgaan!"

Voor het eerst is er weer iets van Peters oude energie in zijn houding te bespeuren.

Samen kijken ze de auto na, tot de rode achterlichten niet meer zijn te zien.

„Kom mee, je wordt nog koud!" zegt Anne bezorgd. Hij slaat

zijn arm om Els schouder. Als Els naar hem opziet, leest ze in zijn ogen dezelfde dankbaarheid, die ze zelf voelt. Om de jongeman waar ze beiden zoveel van houden en zoveel zorg om hebben.

„Hij begint bij te komen uit zijn verdoving!" zegt Anne „en daar moeten we dankbaar voor zijn. Maar de pijn zal hij nu erger voelen, dan ooit. Daarom moeten we allemaal om hem heen staan, Elske! Jij als Linekes moeder in de eerste plaats."

HOOFDSTUK 6

Nog die zelfde week vertrekt Peter naar het kleine dorp in Zuid-Frankrijk.

Rosalie wuift hem met de beide kinderen na, tot hij om de bocht van de Bergweg is verdwenen.

Reneetje, haar onafscheidelijke duimpje in de mond, legt zoet haar hoofdje terug tegen haar schouder. Maar Elmie zegt boos: „Papa mág niet weggaan. Hij moet bij Elmie blijven."

„Papa komt over een paar daagjes terug en dan brengt hij iets heel moois mee, heeft hij gezegd."

„O ja!" Getroost danst Elmie vóór haar uit het huis weer in. „Wat ga je doen?" vraagt Rosalie.

„Spelen boven!" roept Elmie al halverwege de trap. Rosalie weet niet dat ze zélf een herinnering heeft opgeroepen bij het kleine ding. Het cadeau van oom Will staat ineens weer helemaal in Elmies belangstelling. „Straks!" denkt ze, als tante Rosie Reneetje in bad doet, ga ik met Francientje naar oom Will. Hij weet nog niet eens dat het popje zo heet!"

Zodra Reneetje na haar bad zoet in de box zit te spelen, loopt Rosalie naar boven, naar Elmie's kamertje. Maar van Elmie geen spoor! Gejaagd opent ze de andere deuren. Nergens Elmie! Ook een haastige speurtocht beneden levert niets op. Rosalie schiet in haar korte jasje en na een laatste blik op het spelende peutertje, gaat ze door de voordeur naar buiten.

Ze ijst al als ze aan het temerige vrouw-mens denkt: mevrouw Lang, wanneer die hoort dat Elmie, amper nadat Peter weg is, al de benen heeft genomen. Ook het kantoor van Pavard lokt niet, omdat daar Gina Lang is, de dochter met de te lieve stem. Nee, rechtstreeks holt Rosalie door de weke bosgrond naar de caravan, omdat ze vermoedt, dat de dame daarheen is gegaan.

Het eerste dat ze ziet, als ze het deurtje na een korte tik met haar knokkels opent, is inderdaad haar nichtje op schoot bij de blonde reus. Het is er om te stikken in de caravan, maar dat kan ook aan haarzelf liggen, natuurlijk.

Will Verheyde doet geen poging op te staan.

„Tante Rosie!" spot hij, „wel-wel, mag jij hier zo maar komen, in het hol van de leeuw?"

„Ik kom Elmie halen. Ze is er weer vandoor, de schavuit!"

„Ze kwam vertellen hoe haar nieuwste aanwinst heet, of niet, kabouter?"

Elmie knikt en net als haar zusje vleit ze haar donkere kopje tegen Wills brede borst. Met zijn grote hand drukt hij het één moment vaster tegen zich aan. Het is dit gebaar, dat Rosalie even verwart. Omdat het tegelijk iets teders en vaderlijk beschermends heeft. Ze realiseert zich, dat de man eenzaam moet zijn. Hij hééft geen kinderen, waar hij blijkbaar toch dol op is.

„Kom, Elmie!" zegt ze ongewoon zacht. „We moeten terug. Reneetje is alleen. Straks spookt die weer wat uit en papa is er immers niet?"

Will Verheyde kijkt op.

„Ik hoorde van vader dat hij er een weekje tussenuit is. Gedeeltelijk voor de zaak, gedeeltelijk om wat op verhaal te komen."

Rosalie knikt.

„Als er iets is. Ik bedoel . . . je weet maar nooit . . . je weet waar ik te bereiken ben. Ik zit hier voorlopig nog wel. En jij?"

„Nog twee weken. Dan ben ik weer vertrokken."

's Zaterdagsmiddags hobbelt, onder luid getoeter een oude Fiat het tegelpad van de Waterlelie op.

Enkele centimeters vóór de garagedeuren komt het vehikel tot stilstand.

Rosalie staat al met Elmie in de deuropening opzij van het huis.

„Job!" jubelt ze. „Wat enig! En wie heb je allemaal meegebracht?"

Job Bedijn, de enige zoon uit het gezin van de overleden pianist Arno Bedijn, schudt vaderlijk zijn hoofd. „Adagio, adagio!" De tantes zullen nog hoofdpijn krijgen van zoveel drukte en kabaal als jij maakt. Help hen liever uitstappen!"

Dan pas ziet Rosalie de beide oude dames achterin, die met een enigszins benauwd gezicht proberen de auto uit te komen.

„Dag tante Charlotte, dag tante Em, wacht, zal ik u helpen?"

dit tegen tante Emma, de jongste van de beide zusters van Rosalies overleden vader. „Als jij tante Charlotte dan helpt, Job."

Als ze stijf en stram van de lange rit naast elkaar staan, twee keurige Haagse dametjes, met hun verzorgde kapsel en onberispelijke mantelpak, valt het Rosalie toch meteen op: hoe ook zíj oud zijn geworden na het sterven van hun broer Arno en het verlies van hun nichtje . . .

Ze wil de dames al naar binnen loodsen, als ze merkt, dat er nog een vierde inzittende is: een klein volslank meisje, met een ronde toet en een verlegen blik in haar blauwe ogen.

„Hanneke! Kind, ik had jou helemaal niet gezien!" Rosalie omhelst het meisje van haar broer hartelijk. Job en zij hebben menig avondje haar eenzame kamerbestaan opgefleurd, sinds ze uit huis is.

„Kom gauw mee naar binnen. Ik heb de thee net klaar. Als ik geweten had, dat jullie kwamen, had ik iets lekkers in huis gehaald. Maar we hebben nog eigengebakken koekjes, hè Elmie?"

Elmie heeft zich al op tante Ems schoot genesteld. Charlotte, met toch éven haar oude jaloezie, snibt: „Je moet dat kind nu niet meteen gaan verwennen, Em. Ik heb van Els begrepen, dat ze een beetje over het paard getild is. Dat is heel begrijpelijk: iedereen moedert over de arme wurmen, maar verstándig is het niet."

Ems zachte gezicht betrekt een moment. Ze heeft vanuit de verte zo intens met Peter en de twee kleintjes meegeleefd. De dood van Lineke heeft ook haar diep geschokt. En net als bij de anderen, komt het verlies van dit lieve nichtje in alle hevigheid boven, zodra ze de drempel van de Waterlelie over is, waar alles nog de sfeer ademt van Linekes hartelijke persoolijkheid.

„Ik mag haar toch wel even knuffelen? Hè schat? Tante Em heeft jou al zolang niet gezien!"

„Drie weken geleden zijn we nog met Els en Anne hier geweest!" knort Charlotte.

Rosalie knipoogt naar Job en Hanneke. Een knipoog van verstandhouding. Charlotte en Em wonen al jaren samen en dat het goed gaat tussen die twee komt alleen, omdat Em de bazigheid van haar oudere zuster gelaten over zich heen laat gaan. Emma weet hoe onder al Charlottes snibbigheid toch een warm hart klopt!

„Zo meisje!" zegt Charlotte als de kopjes leeg zijn, „en nu

moet jij tante Emma en mij eens vertellen, hoe je hier zo opeens terecht bent gekomen. Maandagmorgen, toen we opstonden, vonden we dat kattebelletje van jou in de brievenbus, niet Em?"

Emma knikt.

„Ik had nogal wat vakantiedagen te goed. Die moet ik voor het eind van het jaar opmaken!" verklaart Rosalie luchtig. „Nog een koekje, tante?"

„Nee!" De oude dame tuurt door haar brilleglazen naar het nichtje met het mooie, gesloten gezichtje. Veel heeft ze zich juist aan dit kind van haar broer gelegen laten liggen. Rosalie heeft altijd een sterke vaderband gehad en na zijn dood heeft ze geprobeerd het meisje extra aandacht te geven. Maar dat viel niet mee, omdat Rosalie op kamers woont en dikwijls niet thuis was, of niet thuis gaf. Charlotte weet, dat het kind vluchtte in uitgaan en pleziertjes. Dat ze zo spoorslags naar dit afgelegen bos afreisde, geeft te denken, vindt Charlotte.

Ze monstert het slanke figuurtje in de grijze pantalon. Altijd en eeuwig die lange broek.

Alsof er geen aardige japonnetjes bestaan of nette rokjes. Goedkeurend beziet ze de blozende Hanneke en meteen zegt ze het ook al: „Jij ziet er heel aardig uit, meisje. Een heel wat beter gezicht dan altijd zo'n lange broek!"

Hannekes appelwangen worden nóg roder. „O, maar Rosalie ziet er altijd erg mooi in uit. Ik ben te dik voor zo'n broek."

Job geeft haar ten overstaan van de hele familie een ferme pakkerd. „Ik houd niet van die wandelstokken, dat weet je best. Au, Rosalie!"

Tante Charlotte lacht toegeeflijk. Job kan niet gauw kwaad doen bij haar. Over die openlijke liefdesbetuigingen, zal ze hem onder vier ogen nog wel eens aanspreken.

Het wordt een gezellig uurtje. Tante Charlotte, die al zoveel heeft meegemaakt in haar zeventig jaren, heeft geleerd om verder te gaan, dóór te gaan en niet bij de pakken neer te zitten, maar te doén, wat je handen vinden om te doen. Daarom ook zegt ze na een lange blik door de ruime kamer: „Volgende week komen tante Em en ik een hele dag, Rosalie. Dan gaan we het hele huis door. Jij zult daar met die kinderen niet aan toe komen. Als Peter dan thuiskomt, is alles hier weer om door een ringetje te halen. Heeft hij helemáál geen hulp? Ik bedoel een werkster of zo?"

Rosalie schudt haar hoofd. „Mevrouw Lang, de huishoudster van Peters baas heeft hier bijgesprongen, als Peter zonder gezinshulp zat."

„Dan moeten we vragen, of die vrouw nu ook een paar morgens of een middag komen kan. Jij kunt dat niet allemaal alleen, kind. Ik vind dat jij er helemaal niet goed uitziet. Moe en te mager!"

„O, tante, houd op. Uw stokpaardje. Wij zijn in uw ogen altíjd te dun!"

Emma zet Elmie van haar schoot. „Zou Reneetje nog niet wakker zijn? Zal ik even kijken, Rosalie?"

„Ik ga met u mee. Ik was haar eerlijk gezegd een ogenblik vergeten. En dat kind meldt zich niet. Die is altijd zoet en tevreden. Bijna abnormaal!"

„Hoe gaat het met haar gezondheid?"

„Ze is een kasplantje. Ze heeft zó een kou te pakken of een buikgriepje of een oorontsteking. Als ik dat zo hoor van Peter, hebben Lineke en hij al veel met haar rondgetobd. En toch is ze altijd lief en tevreden. Het is een schat!"

Vertederd staat Emma Bedijn even later met het kindje in haar armen. Haar gedachten gaan terug naar die dag vol zware spanning toen Arno, haar broer, zwaar ziek in het ziekenhuis was opgenomen en het bericht uit Lienden doorkwam, dat Reneetje geboren was.

„Een zorgenkindje!" zo formuleerden de dokters het heel voorzichtig. Moeder Lineke had de voorbarige conclusie getrokken, dat het kleintje ook geestelijk niet volwaardig was, net zoals Peters zusje Margo. Toen al had zich de kiem gelegd voor haar zware depressies, waarvoor ze maandenlang verpleegd moest worden. Of nee, toen ze Reneetje verwachtte, was ze al dikwijls depressief en vol bange voorgevoelens geweest.

Emma zegt plotseling: „Hoe is het met Peter, Rosalie? Kan hij het al iets beter verdragen, de gedachte, dat Lineke voorgoed is heengegaan?"

Emma's zachte stem en woorden drijven Rosalie de tranen naar de ogen. „Hij is nog zo van de kaart. Ik begrijp nu pas, hoe intens iemand lief kan hebben, tante Em. Ik ben me gaan schamen en niet zo'n heel klein beetje, deze week. Omdat ik zoveel en zolang met de liefde gespeeld heb. Alsof het een spel was, waar je zo maar mee op kunt houden, als je geen zin meer hebt. En het gekke is: je voelt je steeds rotter, steeds eenzamer ook, omdat er niet van echte liefde, échte gevoelens sprake is. Je zoekt alleen jezelf en de ander laat je in wezen steenkoud. Ik ben bang, tante Em, dat mijn hart voorgoed een ijsklomp geworden is. Dat ik nooit meer van iemand zal kunnen houden."

Emma verlegt het kind, zodat ze één arm vrij heeft. Die slaat ze om Rosalies smalle schouder. „Dat je inziet, dat je op de verkeerde weg was, is al heel wat, meiske. En verder moet je niet op de dingen vooruit lopen. Misschien heeft God wel iets heel anders voor jou in petto, dan je nu denkt."

Rosalie duwt de arm van haar af. Haar stem is boordevol spot als ze zegt: „Nu denkt u stiekem aan Peter en dat het een pracht oplossing zou zijn, mettertijd. Tante Charlotte heeft ook al zo'n hoopvolle blik van: wat zou dat mooi zijn, het afvallige schaap op haar pootjes terecht in het moederloze gezin van haar zuster. Nou, tante Em, laat ik je uit de droom helpen: zwager Peter moet mij niet. Als hij ooit een ander op Linekes plaats duldt, dan zal dat de lieve brave Marieke zijn, die zoveel weg heeft van zijn aanbeden vrouw. En nu wil ik er nooit meer één woord over horen!"

Driftig slaat Rosalie het bedje dicht van Reneetje. „Ik zal haar even verschonen. Gaat u maar vast!" zegt ze strak.

Emma Bedijn gaat de trap af, diep in gedachten.

Rosalie! denkt ze bekommerd. Kind, wat was je héftig!

In gedachten verzonken staat Rosalie voor de nog open deur. Ze heeft haar familie samen met Elmie nagezwaaid tot het stokoude wagentje van Job niet meer te zien, maar nog wel geruime tijd te horen was.

Die wordt nog eens van de weg gehaald, denkt ze vaag.

„Ik word koud!"

„Ach, natuurlijk, schat. Tante Rosie stond te dromen. Wij gaan vlug weer naar Reneetje. Tante Rosie maakt voor ons tweetjes een lekkere beker chocola. Jij mag roeren. En dan nemen we er nog zo'n grote bonbon bij, die de tantes hebben meegebracht."

„Jáá! Kom eens, tante Rosie . . . jij bent lie-ief . . ." Rosalie bukt zich en dan krijgt ze een regen van kusjes op haar wangen en haar neus. „Hè, jij pikt helemaal. Ik zal eerst jouw toet eens schoonpoetsen!"

In de woonkamer schakelt Rosalie alle schemerlampjes in die er zijn en ook de grote staande lamp.

„Ook een vuurtje? Dat knettert zo leuk!" bedelt Elmie. „Nee, daar wachten we mee tot papa weer terug is. Daar waag ik me niet aan!" zegt Rosalie.

Ze neemt Reneetje uit de box en zet haar op schoot. Elmie drukt zich onmiddellijk tegen haar aan.

Zo, met de beide kinderen dicht bij haar, voelt Rosalie zich bijna gelukkig.

Tot ze zich opnieuw realiseert, hoe het komt dat ze hier zo met die twee zit.
Ik kan net doen alsof Lineke met Peter mee is naar Frankrijk en dat ik hier ben om op te passen . . .
Maar de gebeurtenissen van het laatste jaar laten zich niet uitwissen. Ze kan zichzelf niet wijsmaken dat alles nog bij het oude is, hier in de Waterlelie.
Het is als voelt ze ineens weer die verdwaalde kus van Peter.
Ik wíl er niet meer aan denken! neemt ze zich voor.
Vastberaden grijpt ze een voorleesboek van het lage tafeltje uit Elmies speelhoekje.
„Kom, tante Rosie gaat voorlezen en jij mag kiezen wát!"
„Van Doornroosje!" eist Elmie prompt. „Die heet net als jij, tante Rosie . . ."
„Pff, héél anders!"
„Nietes. Als ik jou Dóórnrosie noem, is het net zo. En dan komt er een prins en die maakt jou wakker."
„Laten we maar een ander sprookje nemen!" zegt Rosalie nuchter. „Ik heb er niet de minste behoefte aan om wakker gekust te worden."

HOOFDSTUK 7

In „De Wuit" snort de allesbrander gezellig. Bertha Lang heeft er een ketel water op gezet, die nu begint te zingen om aan te geven dat het te heet wordt om op de plaat te staan.
„Zet jij even thee, Gina?"
Gina is bezig met een ingewikkeld telpatroon. Ze knikt vluchtig en al prevelend breit ze eerst de pen uit.
„Hoe wordt het, moeder?"
„Heel aardig!" prijst Bertha dunnetjes. „Moet dat ding vanavond nog af soms?"
„Nee, maar wel zo vlug mogelijk. Ik zou het leuk vinden, als ze hun vestjes aan hadden, als Peter thuiskomt."
„Dat zou inderdaad mooi zijn. Weet je wat: ik help je. Wij breien ongeveer hetzelfde. Ja, dat doe ik. Dan krijg jij die dingen gemakkelijk af. Het zal de meisjes beslist staan, dit kleurtje blauw."
„Vooral Reneetje. Die is zo blond!" Gina's alledaagse ge-

zichtje krijgt iets heel aantrekkelijks door de zachte glans, die erop verschijnt als ze over de kinderen praat, waar ze zo graag over moedert. Bertha ziet het. Opnieuw weet ze met stelligheid: dit is Gina's weg: dit moederloze gezinnetje met die jonge, eenzame vader . . . Het had er alle schijn van, dat het voor elkaar zou komen, over enige tijd. Maar toen kwam dat schoonzusje een spaak in het wiel steken. Ik heb met eigen ogen gezien hoe ze elkaar kusten, op een avond . . . Maar als het éven in mijn macht ligt, zal dat niet gebeuren.

Haar dunne lippen stijf opéén geklemd, staat Bertha op. „Ga jij maar door. Ik zet zelf wel thee. En dan kijk ik nog even bij meneer Pavard. Je weet: die zit zo'n hele avond op een droogje, als ik er niet op let."

Bedrijvig zet Bertha de theekopjes op een blad, zodra ze ze hebben leeggedronken. In het knusse keukentje wast ze ze meteen maar om. Bertha houdt niet van rommel. Als ze nog denkt aan de onbeschrijflijke wanorde die er heerste toen ze dit uitgewoonde huisje – krot zou je beter kunnen zeggen – kochten! Voor een prik weliswaar. Maar er moest dan ook voor een niet onaanzienlijk bedrag worden opgeknapt en verbouwd. Het oude vrouwtje, dat ervóór had gewoond, leefde al jaren als een kluizenaar. Ze had een bloeddorstige hond, die iedere eventuele bezoeker op veilige afstand hield. Dezelfde hond, waar Peter en zijn vrouw Lineke zich over ontfermden. Bel, heette de herdershond. Ze stierf, nog geen week nadat haar bazinnetje verongelukte . . .

Enfin . . . zij, Bertha, vindt het een uitkomst dat het dier dood is. Het beest had het niet op haar en omgekeerd ook niet. Nu kan ze met een gerust hart naar de Waterlelie stappen, zonder van verre al met luid geblaf te worden begroet.

Maar voor Lineke was het altijd een prima waakhond geweest. Peter was in die tijd nogal eens voor de zaak op stap en dan was de gedachte, dat Bel iedere voetstap signaleerde een hele geruststelling. Lineke was nu eenmaal gauw angstig. Dat wíst Peter. En als ze dan 's nachts alleen was met de beide kleintjes in dat stille bos . . .

Zou haar zuster ook zo gauw bang zijn?

Bertha knoopt haar schort los en hangt die aan een haakje, naast de theedoeken.

Maar haar jas al aan, zegt ze tegen haar stiefdochter: „Ik loop dus nog even naar de Eikenwal. Ik ben zó terug!"

„Ja moeder!" Gina gunt zich niet eens de tijd om op te zien. De zachte blauwe wol vliegt door haar vingers. De pennen tikkelen razendsnel en even snel razen haar gedachten. En komen steeds weer uit op hetzelfde station. Haar eindbestemming?

Het magere gezicht van Roger Pavard met de vele lijnen en vouwen, staat schuldbewust.

„Dat u er wéér doorkomt, alleen voor mij, mevrouw Lang!"

„U heeft niets gedronken, ik zie het aan uw gezicht. En ik had alles nog wel klaar gezet. De koffie had ik al in de filter gedaan. U hoefde alleen maar op het knopje te drukken."

„Ik weet het, ik weet het. Maar ik heb er niet aan gedacht. Ik ben veel te lang alleen geweest. Ik bedoel . . . al die jaren heeft er niemand gevraagd of ik wel koffie gezet had of een glas melk gedronken voor het slapen."

„Het werd de hoogste tijd, dat zich iemand om u ging bekommeren, meneer Pavard. Ik ben nog altijd blij, dat ik mijn leven weer wat meer inhoud mocht geven, door hier het huishouden te verzorgen."

„Ik voel me met de dag bezwaarder. Het was de bedoeling om het huis wat in orde te houden. Een paar ochtenden in de week. En nu bent u er bijna iedere dag en ook 's avonds soms. Daar wordt u niet voor betaald, mevrouw Lang. Een full-time huishoudster zou voor mij te kostbaar worden. Daarover hebben we indertijd eerlijk met elkaar gesproken. Ik heb maar een kleine zaak, waar tegenwoordig twee gezinnen van moeten bestaan en bovendien kost mijn gewezen vrouw mij maandelijks nog een aanzienlijk bedrag."

„Ik doe dit uit eigen vrije wil. Praat u dus alstublieft nooit meer over geld. Ik vind het heerlijk om voor u te zorgen. U moet rekenen: mijn man is al zolang dood, en Gina is volwassen en bovendien de hele dag van huis."

„Ik heb een prima kracht aan haar. Ze is accuraat en bescheiden. Daarbij is ze al net zo'n bezorgd type als u: ze besteedt veel vrije tijd aan het gezin van mijn compagnon. Dat waardeert hij erg, Peter Odink."

„Nou, kijk eens aan, dan zijn wij hier allebei tot nut in het Lienderbos: Gina mag moederen over die arme Peter en ik over u, meneer Pavard!"

Bertha Lang snijdt een paar dikke plakken koek en legt ze op een schoteltje. „Misschien komt uw zoon nog langs. Er is genoeg koffie in de kan. Nu ga ik weer gauw terug. Wij zijn druk aan het breien met een paar vestjes voor de meisjes van Peter."

Roger kijkt Bertha Lang vol genegenheid aan. „U bent veel te goed!" zegt hij nog eens.

Niet lang nadat de vrouw is vertrokken, slentert inderdaad Will Verheyde binnen.

Roger, vanuit een lichte dommel, schrikt als hij daar ineens in zijn volle lengte voor hem staat.

„Schrik maar niet, ouwetje. Je mag gerust een uiltje knappen na een drukke werkdag. Is er nog koffie?"

Roger wijst naar de koffiekan. „Genoeg. Mevrouw Lang heeft ze net gezet."

„Onbetaalbaar mensje, die Bertha Lang."

„Inderdaad. Dat heb ik haar zojuist nog gezegd, ik betaal haar bij lange na niet wat ze verdient. Zoals zij en haar dochter zich voor mij inzetten. En niet alleen voor mij, ook voor het gezin van Peter Odink."

„Ze zullen er hun redenen voor hebben," meent Will nuchter.

Zijn vader kijkt hem pijnlijk getroffen aan.

„Jij kunt zo cynisch zijn, jongen. En zo wantrouwend."

„Dat heeft het leven me wel gemaakt. Maar jij bent veel te goed van vertrouwen, vader. Jij kijkt niet verder dan dit stukje bos. Wat daarbuiten leeft, gaat helemaal aan je voorbij. Neem nu maar van je bereisde zoon aan, dat geen mens zich belangeloos uitslooft voor een medemens. Uitgezonderd jij dan. Ik begrijp niet, dat jij je niet bij een kerk aansluit. Dat humane zieltje van jou zou daar geen gek figuur slaan."

„Je weet best, dat ik daar niet voor voel. Ik geloof niet in een God, dus waarom zou ik me dan bij een kerk aansluiten? Maar al geloof ik niet, dan wil dat nog niet zeggen, dat ik niet goed wil zijn voor een medemens in nood . . ."

„Hm!" Will Verheyde kijkt zijn vader peinzend aan. „Je zult het niet van mij willen geloven, ouwetje, maar ik denk daar tegenwoordig veel over na: over God. Ik ken Hem óók niet, maar ik zou Hem wel willen leren kennen. Tenminste . . . ja, ik geloof het wel, dat ik dat wil, soms. Vooral als ik weer thuis ben. Het komt door Lineke. Zij heeft door haar woorden, maar meer nog door haar houding, mijn nieuwsgierigheid gewekt. Zij wist wat echte, zuivere liefde is, vader. Ik heb haar intens laag behandeld en weet je wat ze zei? 'Ik ben niet boos, jij kunt er eigenlijk niets aan doen. Jij weet niet wat liefde is, omdat je die in je jeugd nooit bent tegengekomen. Omdat je veel liefde tekort bent gekomen' . . ."

Roger zegt, diep treurig: „Het is waar, m'n jongen. Ik ben daar schuldig aan. Ik had je nooit mogen laten gaan. Jou niet en je zuster Ada niet. Want ik wist, dat je moeder geen moederfiguur wás. Maar het was . . . het kwam . . . ik had nog steeds hoop, dat ze terug zou komen. Mét jullie . . ."

„Dat hoop je nóg, wees eens eerlijk, vader?"

„Liefde is een gek ding, Will. Ik van mijn kant heb met mijn hele hart van haar gehouden, ondanks haar grote karakterfouten. Het is waar, als ze nu nog terug zou komen, zou ik haar niet wegsturen."

„Nou, laat ik je die illusie dan voorgoed ontnemen, Monique komt niet terug. Die heeft het in het zonnige zuiden prima naar haar zin. Misschien denkt ze af en toe nog even aan je, als je postwissel komt, maar dat is dan ook alles!" De bitterheid in Wills stem treft Roger nóg pijnlijker dan zijn woorden.

„Ik weet het wel, híer weet ik dat je gelijk hebt," zegt hij, op zijn hoofd wijzend, „maar hier" hij legt een magere hand op zijn borst, „hier zal een sprankje hoop blijven zolang ik leef."

„Je ziet er niet best uit, vader!" zegt Will, nog eens voor zijn vader koffie inschenkend. „Ik zal deze weken eens goed op je letten."

Rogers ogen lopen vol. „Je bent zo veranderd, de laatste tijd, jongen. Daarnet ook. Je had het over: 'als ik thuis ben'. Dat heeft me zo blij gemaakt. Dat je je hier weer thuis begint te voelen. Ik hoop nog altijd . . . je weet, dat je oude jongenskamer nog altijd op je wacht. Evenals het kinderkamertje op Ada."

„Vader!" Wills stem klinkt schor, „het is beter zó. De caravan is een uitkomst! Echt! Ik ben té lang zelfstandig geweest om nu weer bij je in te komen wonen. Later misschien . . ."

„Je zult toch wel eens aan een eigen gezin gaan denken? Je hebt ruimschoots de leeftijd, dunkt me."

„Door Lineke heb ik – te laat – begrepen wat liefde is. Ik verloor haar aan Peter Odink. Aan de dood. Ik kan die aanblik maar niet kwijtraken, vader, hoe ze daar lag, roerloos, terwijl het bloed langzaam uit een wond aan haar slaap sijpelde . . . en toen . . . toen kwam Peter. Hij knielde als een radeloze bij haar neer. En daarna keek hij mij aan. Met een blik, die ik óók nooit weer vergeten kan. Hij haat mij, vader! Hij acht mij schuldig aan haar dood en dat ben ik misschien ook, indirect. Die wetenschap beheerst mijn leven, sindsdien. Die verlámt mij, die maakt me langzaam kapót. Het is mede door mijn schuld! Alleen . . . Peter gelooft in dezelfde God als Lineke. Zíj gaf mij zonder voorbehoud haar vergeving. 'Want' zo formuleerde zij dat, 'ik heb zelf ook steeds vergeving nodig, van God. Zou ik dan een medemens niet vergeven? Ik zou de grootste huichelaar zijn, als ik dat naliet.' Dat zei ze, vader. Snap je, dat ik barstens vol vragen zit? Maar met wie zou ik hierover kunnen praten? Jij hebt me net verzekerd, dat je niet in het bestaan van God gelooft. Dus bij

mijn eigen vader kan ik met dit soort problemen niet terecht."
Rogers hand trilt hulpeloos, als hij hem over die van zijn zoon schuift. „Hoe graag ik ook zou willen, ik *kán* je hier niet bij helpen. Maar praat eens met meneer Feenstra. Je weet wel: de schoonvader van Linekes zusje. Die heeft meermalen met mij over deze zaken gesproken. Ik weet, dat hij momenteel in zijn vroegere huis aan de Lienderweg logeert."
Wills gezicht licht op. „Daar ben ik eens geweest, herinner ik me. Lineke verpleegde toen zijn vrouw. Naderhand is ze overleden, meen ik."
„Hij is vorig jaar hertrouwd met Linekes moeder. Hij woont nu in Den Haag."
„Daar wist ik niets van!" zegt Will verrast. „Lineke heeft het mij niet verteld, die laatste middag."
„Welke middag bedoel je? Toch niet toen ze verongelukte?"
Will knikt, niet erg op zijn gemak.
„Maar . . . maar heb jij haar dan nog gesproken, vóór . . .? Daar wist ik niets van. Niemand weet daar van. Waarom heb je dat nooit verteld?"
„Peter Odink wantrouwt mij nú al. Denk je eens in vader, hoe zijn reactie zal zijn, als hij hoort, dat ik éven voordat Lineke tegen die auto liep, nog met haar gesproken heb. Dat ik haar in mijn armen genomen heb zelfs . . . denk je dat eens in!" Het is een uitroep zó wanhopig, dat Roger een brok in zijn keel voelt.
„Jongen!" zegt hij geschokt en toch vol mededogen, „zou je me maar niet alles vertellen?"
Dat doet Will dan. Voor het eerst sedert hun scheiding, is er weer sprake van de oude, bijna vergeten band.
Dwars door zijn moeizame biecht heen, doorzindert Will de blijdschap: ik heb mijn váder teruggevonden!

Bertha Lang kan de verleiding niet weerstaan om even te blijven stilstaan op de Eikenwal, als ze voorbij de Waterlelie komt. De gordijnen zijn niet gesloten en licht stroomt onbekommerd naar het avondstille bos, rondom het lage met wingerd begroeide huis.
Vanaf de bosweg tuurt Bertha, de bijziende ogen bijna dicht geknepen naar de grote verlichte ogen van het huis.
Daarbinnen is de zuster van Peters overleden vrouw. Zij zit daar in de kamer waar haar stiefdochter zoveel avonden gezeten heeft, de afgelopen jaren.
Eerst, toen de jonge mevrouw zolang achtereen elders moest worden verpleegd en steeds hardnekkiger het gerucht ging dat zij

wel nooit meer terug zou keren bij haar man en kinderen. Toen al had Gina veel bijgesprongen in Peters huishouden. En het afgelopen jaar, nadat zijn vrouw verongelukte, had ze ook heel wat avonden opgepast als de gezinshulp was vertrokken en er altijd nog zoveel te doen viel in een gezin met twee jonge kinderen. Ze moesten eten, er moest worden afgewassen en daarna moesten de kleintjes naar bed worden gebracht. Als Peter een vergadering had, of een zakelijke bespreking, had Gina het alleen gedaan en daarna, als de kinderen sliepen, had zij haar vaak gezelschap gehouden en samen hadden ze zich door het naai- en verstelwerk heen geworsteld. Al meer en meer leek Peter zich op Gina te verlaten. Bertha had het met grote voldoening geconstateerd. De bestemming van haar stiefdochter was een steeds groter wordend probleem voor haar geworden. Gina was geen meisje dat de aandacht trok. Als nu Peter Odink eens . . . het zou een prachtoplossing zijn. Helemáál, als Roger Pavard zich uitsprak. Iets dat Bertha Lang iedere dag dichterbij voelde komen. Zoals hij haar vanavond ook weer had aangezien: met zoveel warmte en afhankelijkheid, dat het haar verkilde hart verwarmd had tot in de verste uithoeken. Al zolang moest zij genegenheid en warmte missen. En had ieder mens daar geen behoefte aan op zijn tijd? Roger Pavard, Peter Odink . . . en zij: Bertha Lang, evenzo. Waarom zouden mensen alleen blijven modderen, met zo'n schitterende oplossing vlak bij de deur? Het kón niet mooier . . .

En nu zit zij daar: dat opvallend knappe blondje. Ze verscheen als een donderslag bij heldere hemel. Met hetzelfde effect als een bliksemschicht. Een schrikreactie heeft zij haar bezorgd en Gina ook, weet Bertha feilloos zeker. Maar dat domme kind zal lijdzaam toezien, hoe een ander Peter inpalmt, met geraffineerde maniertjes, een gezicht als een plaatje en een uitdagend lijf.

„Nooit!" prevelt Bertha. „Dat zal niet gebeuren. Zo'n kans krijgt Gina nooit weer."

Vastbesloten loopt ze langs het donkere zijpad, naar de achterkant van de Waterlelie. Ze tast onder haar jas, in de zak van haar rok, naar de sleutel van de achterdeur, die Peter hen eens leende en nooit terugvroeg.

„Ik weet, wat me te doen staat. Ik ken Peter Odink zo langzamerhand van haver tot gort. Er zijn enkele dingen, die hem mateloos ergeren. Zelfs als het zijn mooie schoonzuster zou zijn, die ze veroorzaakte . . .

Ze vergewist zich ervan, dat het meisje in de kamer nog steeds geïnteresseerd naar de televisie kijkt, gezeten op de leren poef . . . Dan, als een slang zo onhoorbaar en lenig werkt Bertha haar magere lichaam door de verlaten keuken en de hal, waar een klein nachtlampje brandt. Daarna zoekt ze met zekere bewegingen haar verdere weg. De trap op naar boven. Twee treden vermijdend, die – weet ze – kraken. Zonder angst voor ontdeking – zij heeft een sleutel en ze kent de geheime plaatsjes van dit huis op haar duimpje – opent ze geruisloos de deur van de echtelijke slaapkamer, aan de achterzijde van de Waterlelie . . .

„In oorlog en liefde is alles geoorloofd," prevelt Bertha, de glanzende deur van de grote garderobekast ontsluitend . . .

HOOFDSTUK 8

Het wordt een vreemde week voor Rosalie.

De zondag brengt ze op verzoek van de beide tantes, grotendeels door in Prélude. Vanzelfsprekend samen met Elmie en Reneetje. Tante Charlotte heeft heerlijk gekookt en Rosalie geniet dan ook met volle teugen. Ook al omdat haar even de verantwoording van de schouders wordt genomen. De verzorging van de meisjes wordt door tante Charlotte en tante Emma heel consciëntieus ter hand genomen. Rosalie komt daar niet aan te pas. Met een toegeeflijk lachje laat Rosalie hen begaan. Het is ontroerend om te zien, hoe de beide oude dames dingen naar de gunsten van het pittige donkere meiske en de blonde baby, die eigenlijk geen baby meer ís!

's Middags, nadat de familie, met uitzondering van Rosalie, heeft gerust, maken ze met elkaar een wandeling door het kleurige najaarsbos, achter Prélude.

Terwijl ze daar lopen, hoort Rosalie weer de jubelkreten van Lineke wanneer ze thuis, in Den Haag, verrukt vertelde over de schitterende natuur rondom het dorp Lienden, waar Lon en zij waren neergestreken.

„Ik zou er voor geen goud willen wonen, in zo'n duf dorp!" had zij, stadskind die ze is, opgemerkt.

Nu kan ze iets begrijpen van Linekes enthousiasme.

Na de thee bedisselt tante Charlotte met haar gewone bazigheid: „Jij moest maar wat nachtgoed halen uit de Waterlelie. Dan kun je hier met de kinderen een paar dagen blijven. Het zint

Emma en mij niets, dat jij daar 's nachts alleen in dat stille huis zit. Foei, ik moet er niet aan denken, wat er allemaal kan gebeuren."

Rosalie schiet in de lach.

„En Lineke dan? Die was ook wel eens alleen hoor! Peter is nogal eens op stap, voor zijn baas. De vertegenwoordiger die het buitenland doet, wordt te oud. Die reist alleen nog in Nederland. En dat is al een paar jaar zo, vertelde Peter."

„Lineke was met Peter getrouwd," zegt Charlotte onlogisch. „Jij bent er als gast."

„Lineke was een hazehart. Ik ben niet bang uitgevallen. Nee, tante Charlot, lief aangeboden, maar Peter heeft me deze week de zorg voor zijn kinderen toevertrouwd. *In* de Waterlelie. Eerst twijfelde hij even aan mijn capaciteiten als huisvrouw, maar bij nader inzien, durfde hij het toch met mij aan. En ik wil bewijzen, dat zijn vertrouwen terecht was. Ik ga nu meteen terug, voor het donker wordt."

Tante Charlotte kijkt haar nichtje vol genegenheid aan. „Ik had geen ander antwoord van jou verwacht, meisje. Jij lijkt veel op mij. Wij zijn strijders en wij gaan de moeilijkheden niet licht uit de weg."

„Nóu . . ." zegt Rosalie bedenkelijk. Ze denkt aan haar weggaan uit Den Haag, vorige week, dat veel had van een vlucht. Omdat ze daar het clubje wilde ontlopen, waarin ze verzeild was geraakt en waar ze zich met geen mogelijkheid uit los kon scheuren. Te lang had ze vertoefd binnen dat decadente kringetje van zes meisjes en zes jongens. Nou, jongens, mannen waren het en een paar ervan waren al niet eens meer zó jong . . .

Ben ik zo strijdbaar als tante Charlotte mij toeschrijft? Zal ik straks in staat zijn, definitief met hen te breken?

Als de muren van mijn kamers weer op mij áán stormen en ik me dood-eenzaam voel en zij me weer komen halen? Zal ik dan toch de moed hebben om „nee" te zeggen?

„Loop jij nog een eindje met Rosalie mee, Em? Ik heb al te veel van mijn onderdanen gevergd, vanmiddag. Ik voel de reumapijn weer flink in mijn enkels en knieën."

„Goed. Even mijn jas aan." Emma Bedijn helpt eerst de kleintjes aankleden. Ze doet dat vlug en handig. Een routine, die ze zich in haar lange loopbaan als onderwijzeres eigen maakte en die ze nog zo graag oefent, wanneer de kans daar is.

„Dat gaat u nog altijd goed af, tante Em!" prijst Rosalie. „U bent er geknipt voor, om met dat grut om te gaan."

Emma Bedijn glimlacht. Haar zachte gezicht stráált. „Ze zijn

zo lief," zegt ze, Elmie tegen haar borst drukkend.
„Ik zou maar niet zo lang gehurkt gaan zitten. Straks kun je niet overeind komen van de spit. Dat is je al meer overkomen!" bitst haar oudere zuster.
Emma geeft wijselijk geen antwoord. Ze weet dat deze woorden door jaloezie zijn ingegeven. Charlotte houdt minstens zoveel van kinderen, alleen is ze niet bij machte haar gevoelens zo spontaan te uiten als haar zuster Emma. En daarom komt er dikwijls een zure opmerking, terwijl haar hart hunkert naar ook wat genegenheid, die de kinderen Emma altijd zonder reserve geven. Omdat ze voelen dat Emma van hen houdt...
„Niet te ver hoor. Het schemert al. En dan een vrouw alleen..." roept ze Emma na, vanuit de open deur.
„Ze zou een mogelijke belager niet eens weerstaan..." mompelt Charlotte, teruggaand naar de warme kamer.
Van achter het raam tuurt ze hen na, het ranke blonde meisje met de parmantige kleuter aan de hand en haar zuster Emma achter het wandelwagentje...
Alleen achtergebleven in de met veel zorg en smaak ingerichte salon van Prélude, overvalt de statige dame plotseling een gevoel van zwakte.
Ze ziet haar dierbaren, die haar ontvielen, plotseling zo helder voor zich: haar man Willem, met zijn opgewekte, goedige lach. Hun ongelukkige Wilmaatje, die ze maar zo kort mocht bezitten, haar enige veel jongere broer Arno, de gevierde pianist, die zoveel jaren onder de hoede van Emma en haar in hun huis verbleef. Die bij hen zijn pianostudie voltooide... en tenslotte zijn dochter Lineke, de moeder van de twee kleintjes, die nu op weg zijn naar het stille huis in het villabos...
Maar dan grijpt ze energiek haar bril van de neus. Poetst de glazen en snuit haar neus. De wetenschap dat God, de Schepper, háár, met al haar fouten en tekortkomingen staande heeft gehouden, door al die droeve dagen heen geeft haar moed. Hij zal haar ook op haar levensavond vergezellen, tot zij bij Hem mag zijn, net als die haar voorgingen.
Charlotte ziet op haar horloge, dat ze nog meer dan een uur heeft, vóór de tafel voor de avondboterham gedekt moet worden. Als Emma dit karweitje voor haar rekening neemt, kan zij in de keuken de buffetkast nog best een schoonmaakbeurtje geven. Punctuele Lon moet straks in een onberispelijk huis terugkomen, na haar lange, welverdiende reis met haar man Tjerk.
Ondanks de vele maanden die ze zonder Tjerk heeft doorgebracht tijdens haar zesjarig huwelijk en het feit, dat dit tot nu toe

kinderloos bleef, is ze de zonnige Lon van altijd gebleven. Met een open oog en oor voor anderen. Dat zij, na haar moeder en Peter de grootste klap heeft gekregen van Linekes dood, staat voor Charlotte vast. Op haar eigen, praktische manier, probeert ze zo iets te doen voor haar oudste nichtje.

Een schoon, opgeruimd Prélude voor Lon.

Volgende week krijgt de Waterlelie een goede beurt, voor Peter.

Ieder moet maar werken met het talent dat hij kreeg. Al is het nog zo klein en onaanzienlijk. Zoals dat van haarzelf!

's Maandagsmorgens staat Rosalie tussen vele moeders Elmie na te zwaaien, tot ze verdwenen is in „de Rattenvanger", het kleuterschooltje aan het einde van de Lienderstraat, recht tegenover het postkantoor.

Eén van hen, een jonge vrouw met een rond, blozend gezicht, informeert: „Nieuw? Ik heb u hier geloof ik nog niet eerder gezien."

„Toch wel. Vorige week heb ik ook al verschillende keren het ritje naar de Rattenvanger gemaakt." Rosalie grinnikt ondeugend. „Om mijn ratje weg te brengen."

De moeder lacht nu ook. „Ja, ik vond het eerst ook een vreemde naam voor een kleuterschool. Maar ze zijn er nóg gekker hoor."

Ze gaat er eens extra voor staan, voor een gezellige babbel, maar Rosalie smoort hem in de kiem, door op haar fiets te stappen. Ze wil Reneetje niet zo lang alleen laten en bovendien is er nog veel te doen in huis. Morgen komen de tantes en ze wil dat ze niet teveel karweitjes vinden. Ze worden ook een dagje ouder, die twee lieverds!

De vrouw kijkt haar teleurgesteld na. Dan haast ze zich naar een ander groepje dames. Misschien dat één van hen weet, wie het knappe moedertje is, dat zojuist dat donkere meisje bracht. In een klein dorp als Lienden kun je alle nieuwtjes nog goed bijhouden. Maar je moet er soms wel wat moeite voor doen.

Uit school die middag, bedelt Elmie om nog even buiten te mogen spelen.

„Eerst je thee drinken!" beslist haar tante. „En dan hiervóór blijven, zodat ik je kan zien. En niet bij de vijver, dat weet je."

Al zit er maar een paar decimeter water in de vijver, ze herinnert zich maar al te goed, hoe bang haar zusje altijd was, dat Elmie te dicht bij de waterkant zou komen. Peter heeft de vijver dan ook zóver geleegd, dat er nog wat planten groeien konden en hij toch geen gevaar voor de kinderen meer opleverde. Hij had hem ook helemaal willen dempen, hij wilde wel alles doen, om zijn overgevoelige, overbezórgde vrouw, gerust te stellen. Maar Lineke had hier niet van willen horen. „Als ze niet in de buurt van deze ongevaarlijke vijver kómen, zullen ze dat ook niet bij andere vijvers doen. Er zijn er meer hier in de buurt!" had ze bij die gelegenheid gezegd.

Met Reneetje op schoot, kijkt Rosalie naar het spelende kind. Elmie vermaakt zich met het gooien van eikels naar – vermeende – voorbijgangers. Tot er ineens wél iemand nadert over de Eikenwal. Rosalie ziet een ondeugende lach op het kindergezichtje met de donkere sprekende ogen. Péters ogen.

IJverig bukt ze zich een paar maal en loopt dan met een vaartje dichter naar het hek.

Een handvol eikels treft een lange gedaante, die prompt stil blijft staan. Rosalie hoort van hieruit Elmies uitbundige lach.

„Oom Will. Ik heb je gemikt! Ik heb je goed gemikt hè?"

De lange armen van Will Verheyde plukken het meisje van achter het hek vandaan en zwaaien haar hoog boven zijn hoofd. Dan, met een snelle blik naar het grote raam, zet hij haar weer haastig tussen de met blad bedekte heideplantjes.

„Oom Will!" smeekt Elmie en Will ziet tot zijn schrik twee dikke tranen in de bruine schitterogen van zijn kleine vriendinnetje.

„Oom Will, je mag niet weggaan. Pappie is ook al weg. En mammie nog véél langer."

„Kom dan maar, turf, dan breng ik je tot de deur."

Niet erg op zijn gemak wandelt hij met het kind over het tegelpad.

„Zo, nu mag jij zelf aanbellen. Kijk, ik til je op. Druk maar op het knopje. Dan doet jouw tante de deur open."

Hij loopt weer terug naar de bosweg. Hij wil geen misbruik maken van de wetenschap, dat Peter Odink op reis is. Als hij zich bij het hek nog eens omdraait, ziet hij het kind nog steeds op de stoep staan. Zij kijkt met een boos gezichtje naar hem.

„De deur gaat níet open!" roept ze verongelijkt.

Will Verheyde loopt een eindje door en keert dan op zijn schreden terug, om zich ervan te vergewissen, dat het kind naar binnen is gegaan. Maar ze komt juist het pad weer afgehuppeld, om te zien, of „oom Will" wel echt is doorgelopen, de schavuit.

„Kom hier, jongedame, dan zal ik je hoogstpersoonlijk bij de Waterlelie afleveren."

Stevig houdt hij het weerstrevende handje omvat.
Opnieuw bellen levert ook nu geen resultaat op en daarom loopt Will achterom. „Kijk jij eens of je tante soms naar boven is gegaan!" beveelt hij, zelf op de stoep staan blijvend.
Elmie is meteen weer terug met een alarmerend bericht: „Tante Rosie huilt. En Reneetje huilt ook!"
Will Verheyde bedenkt zich geen moment langer. Hij beent de keuken door en de hal en daarna ziet hij al vanaf de kamerdeur, die wijd open staat, het doodongelukkige gezichtje van tante Rosie.
„Kind!" zegt hij geschrokken. „Wat is er met jou?"
„Ik weet niet . . . kijk, het ziet er zo eng uit en ik heb zo'n pijn."
Ze toont hem een pols, die naar alle waarschijnlijkheid is gebroken.
„Hoe heb je dat zo gauw klaargespeeld!" vraagt hij, luchtiger dan hij zich voelt. „Ik zag je zojuist nog voor het raam."
„Ik zag Elmie komen. Ik had Reneetje op m'n arm. Ik draaide me om en toen struikelde ik over Elmie's speeltafeltje. Ik heb het daar nota bene zelf neergezet. En ik wilde Reneetje geen pijn doen. Maar we vielen allebei. Ik in een gekke kronkel, om het kind te beschermen. Mijn arm kwam zo gek terecht. O, au!"
„Ik haal mijn auto. Dan rijden we meteen naar de dokter. Ik neem Elmie mee naar vaders huis. Daar moet mevrouw Lang maar even op passen. Het kleine ding zullen we voor de zekerheid ook even na laten kijken. Goed?"
Rosalie knikt flauwtjes. De pijn maakt haar misselijk en initiatiefloos.
Ze laat zich even later door Will in de auto helpen, samen met Reneetje.
„Achterin," beslist Will „en probeer haar met je goede hand vast te houden."
De huisarts van meneer Pavard bevestigt Wills vermoeden: de pols van Rosalie is inderdaad gebroken en moet zo gauw mogelijk worden gezet in het dichtstbijzijnde ziekenhuis.
„Dat is Arnhem!" weet Will.
Gelukkig heeft Reneetje alleen een buil aan haar voorhoofd opgelopen, verder kon de arts niets constateren.
„Zullen we de jongedame eerst naar mevrouw Lang brengen? Die heeft al zo vaak op de kinderen gepast."
„Ja, dat kan nu niet anders. Morgen komen mijn tantes, die willen vast de eerstkomende dagen de zorgen wel voor hun rekening nemen. Ik kan natuurlijk wekenlang niets beginnen . . ."

Plotseling zich de omvang van de nasleep realiserend, jammert ze: „Ik moet dinsdag weer beginnen!"
„Dinsdag? Mórgen?" informeert Will afleidend, zijn auto onderwijl het Lienderbos in manoeuvrerend.
„Nee!" zegt Rosalie benauwd, „volgende week. Maar dit geintje zal me heel wat meer tijd kosten."
„Wat doe je eigenlijk voor de kost?"
„Ik ben kapster!"
Will Verheyde grijnst, alle narigheid ten spijt. „Nee, dat zal niet best gaan, lieve kind. Apropos, ben je rechts of links?"
„Rechts. Ja, dat is natuurlijk een gunstige bijkomstigheid, het is mijn linkerhand. Maar werken kan ik niet. O, ik zie me al die weken al alleen op mijn kamer zitten. Ik moet er niet aan denken."
„Dan blijf je hier voorlopig. Je kunt vast nog wel met het één of ander behulpzaam zijn, al is het dan met één hand."
„Misschien!" Rosalies gezicht is weer vertrokken door pijn.
„Zo, ik zal je helpen uitstappen."
Mevrouw Lang komt al met Elmie achter haar aan, toegesneld. Ze neemt Reneetje van Will over en vraagt met een meewarig gezicht wat de dokter gezegd heeft.
Will vertelt het haar in enkele woorden. „Wij rijden nu meteen naar Arnhem. Wilt u vader even inlichten, mevrouw Lang?"
„Dat heb ik al gedaan. Ik heb intussen ook sterke koffie gezet. Als u dus nog heel even wachten kunt . . . het lijkt me dat juffrouw Bedijn daar wel aan toe is. Wat zult u geschrokken zijn!"
Rosalie knikt, toch getroffen door de zorg van de vrouw.
Bertha Lang loopt al bedrijvig voor hen uit. Als Will met Rosalie binnenkomt, schenkt ze juist de kopjes vol. Reneetje zit in haar stoel voor het raam, keurig vastgemaakt in haar tuigje. „Ik heb die stoel maar even opgehaald. Ik durf haar niet zo rond te laten lopen. Haar vader heeft dat ook liever niet."
Weer knikt Rosalie. De pijn belet haar te praten.
Will ziet het wel. Zodra de kopjes leeg zijn sommeert hij: „Nu gaan we dit meisje eens een mooie armband laten aanmeten. Zeg tante Rosie maar gedag, Elmie!"
Het kind kust haar, dat het klapt. Mevrouw Lang beziet het met afgunst. Maar als ze merkt, hoe zorgzaam de zoon van meneer Pavard het blonde meisje ondersteunt, speelt er een voldaan lachje om haar dunne lippen.
„Aan deze mogelijkheid had ik niet gedacht . . ." prevelt ze. „Gina, er is nog niets verloren, kind."

„Je hebt je kranig gehouden!" prijst Will, als ze later weer in de auto zitten.
„En ik vond jou zeer aanmatigend, om niet te zeggen opdringerig. Nota bene net te doen, alsof je bij me hoort!" zegt Rosalie, quasie verontwaardigd.
Will speelt het spelletje mee. „Sorry!" Hij legt een berouwvolle hand op Rosalies ingepakte arm. „Maar je keek zo angstig. Ik had het hart niet jou alleen bij die beul binnen te laten gaan."
Rosalie valt uit haar rol. „Ik vond het erg fijn, dat je bij me bleef, Will. Dat mag ik toch wel zeggen? Dit ongelukje heeft ons nu eenmaal bij elkaar gebracht. Force majeur. Hier hebben we zelf de hand niet in gehad."
„Je denkt nu aan Peter Odink."
„Ja. Hij heeft een diepgewortelde afkeer van jou, Will."
„Ik weet het!" zucht hij. „En ik wilde om ik weet niet wat, dat die staat van oorlog tussen ons werd opgeheven. Omwille van Lineke, snap je."
„Nee."
„Jij bent er toch wel van op de hoogte, dat ik iets met haar heb gehad vóór het tussen haar en Peter in orde kwam?"
„Ja! Ik heb de indruk gekregen, dat je haar niet zo fair behandeld hebt."
„Dat is nog zwak uitgedrukt. Ik keek in die tijd niet op een gebroken hart meer of minder."
„De grote versierder!" spot Rosalie. „Jij bent wel erg zeker van jouw kwaliteiten op dat gebied, Will Verheyde!"
Een tijdlang is er een zwijgen tussen hen, terwijl de auto hen in hoog tempo terug naar Lienden rijdt.
Rosalie leunt met gesloten ogen tegen de hoofdsteun. Haar bleke gezichtje verraadt nog de schrik en pijn van de afgelopen uren.
Wanneer Will vaart mindert om de Larixweg in te rijden, schrikt Rosalie wakker uit haar gepeins.
„Will, is het erg bezwaarlijk om nog even door te rijden naar Prélude? Dat is even verderop, aan deze straat. Mijn tantes uit Den Haag logeren daar op het ogenblik. Ze zouden morgen de hele dag komen. Ik kan ze beter even vertellen, wat er gebeurd is. Ik weet zeker dat, als ik opbel, ze meteen naar me toekomen. Desnoods in een taxi."
„Tot uw dienst, mevrouw!" Will tikt aan een denkbeeldige pet.
„Ik dacht trouwens dat meneer Feenstra daar logeerde. Vader

zei me zoiets. Ik liep met het plan rond, om hem daar op te zoeken!"

„Dan ben je te laat. Maar het weekeinde komt hij de beide zusters van mijn vader weer ophalen. Als je hem dus per se spreken wilt . . ."

„Ach, het is niet per se noodzakelijk. Ik had alleen eens een boom met hem op willen zetten, ergens over . . . Jij hebt hem geloof ik niet zo hoog?"

„Iedereen vindt hem sympathiek en vertrouwen inboezemend . . . alleen: ik niet. Maar dat heeft een heel bijzondere oorzaak."

„Hij beging de fout, met je moeder te trouwen!"

Rosalie draait haar hoofd met een ruk naar Will toe. Hij knipt één moment het licht aan. En weer uit.

„Precies en bemoei je er verder niet mee. Wat begrijp jij van dit soort zaken?" vraagt Rosalie met een vreemd-hoge stem, die haar emoties verraadt. Ze knippert verwoed met haar oogleden, maar dat kan die verwaande, onuitstaanbare man naast haar gelukkig niet zien.

„Méér dan je denkt!" Wills stem klinkt ongewoon zacht en ernstig.

„Ik heb in mijn jeugd ook zo het een en ander meegemaakt. Misschien helpt het je, als we hier eens samen over praten?"

„Hier is het!" zegt Rosalie kort. „Je hebt vanmiddag al genoeg voor mij gedaan. En voor de rest, ik heb altijd mijn eigen boontjes gedopt en ik wil dat blijven doen ook!"

„Zoals je wilt!" antwoordt Will Verheyde stijfjes.

HOOFDSTUK 9

Vanaf het ogenblik, dat tante Charlotte de witte pols van Rosalie onder ogen krijgt, vallen er voor Rosalie geen eigen boontjes meer te doppen.

Voortvarend als Charlotte is, treft ze onmiddellijk maatregelen.

Will Verheyde verbijt een lach als hij ziet, hoe dociel „tante Rosie" zich naar binnen laat tronen en in de kamer in een gemakkelijke stoel helpen.

„Zo, tante Em zal je iets halen voor de schrik. U ook, jongeman?"

Will knikt geestdriftig. „Liefst iets pittigs. Dat helpt het best tegen een schok."

„Ik schenk geen sterke drank aan automobilisten!" decreteert tante Charlotte spits.

„Dan maar een Spa groen!" berust Will, met een knipoog naar het meisje. Maar Rosalie ontwijkt zijn blik. Ze wíl niet in de ban raken van deze rokkenjager, zoals Lineke eens en vele anderen. Dat heeft hij zelf toegegeven. Nee, als ze nog ooit . . . dan moet het een betrouwbaar type zijn als Peter. Nóóit een zelfde type als zij zelf is.

Tante Charlotte wil er niets van horen dat haar nichtje teruggaat naar de Waterlelie.

„Als ik met u mee mag rijden, jongeman, dan zoek ik wat kleren voor de beide kinderen en voor mijn nichtje hier en misschien wilt u mij dan met de kinderen weer even terugbrengen. Tegen vergoeding, vanzelfsprekend."

Will Verheyde verheft zich in volle lengte. Hij zet zijn schouders zo breed mogelijk uit. Wel alle dekzwabbers op een steel: hij laat zich niet door zo'n wildvreemd Haags dametje de wet voorschrijven. Hoe heeft hij het nu? Dat Rosalie, die hem anders beslist geen doetje lijkt, zich zo laat manipuleren, is háár zaak.

„Ik wil u met alle plezier een lift geven, mevrouw. Maar verder wil ik niet gaan. Meneer Odink heeft zijn kinderen al dikwijls aan mevrouw Lang en haar dochter toevertrouwd. Ik weet zeker dat zij nu uw nichtje met raad en daad terzijde willen staan en dat juffrouw Lang meteen bereid is zolang 's nachts bij Rosalie te blijven. De kinderen kunnen dan in hun eigen bed blijven."

Charlotte kijkt verbluft naar hem op. Hoewel zelf niet klein van stuk, torent Will toch meer dan een hoofd boven haar uit.

„Wat-eh denk jij, Em?"

„Ik denk dat meneer Verheyde gelijk heeft. De kinderen moeten zo rustig mogelijk gehouden worden. Er hebben er al teveel over hen gemoederd, het laatste driekwart jaar . . ."

„Goed!" stemt Charlotte genadig in, „maar dan wil ik wel graag mee, om Rosalie nu wat behulpzaam te zijn. En morgenvroeg komen we terug. Dan bellen we bijtijds om een taxi!"

Will applaudisseert in stilte. Het denkbeeld, dat Rosalie hier de verdere week onder de hoede van deze bazige tante zit opgeborgen, lokt hem niets. Hij heeft heel wat liever met de andere zuster te maken, die met het zachte, gevoelige gezicht en de lieve stem . . .

Het gaat inderdaad, zoals Will Verheyde heeft voorspeld: de

dames Lang dralen geen ogenblik om hun gunsten aan te bieden. Hoofdschuddend kijkt Bertha Lang naar de gipsen pols van Peters schoonzuster.

„Daar zul je een tijdlang niets mee kunnen beginnen. Jammer dat je op deze manier weinig kunt doen voor die arme Peter. Maar wij zijn er ook nog, niet Gina?"

Gina Lang verzekert haastig: „Natuurlijk moeder, wij laten Peter en de kinderen niet in de steek."

Haar moeder voegt daar nog ter verduidelijking aan toe: „Wij hebben meermalen voor de kleintjes gezorgd, als Peter geen hulp had."

„Morgen kom ik terug, samen met mijn zuster. Wij zullen dan met u afspreken, hoe we een en ander het beste kunnen regelen tot Peter terug is."

Charlotte blikt mevrouw Lang koel-hooghartig aan. Ze lijkt totaal niet gevoelig voor de behulpzaamheid van moeder en dochter.

„Overdreven. Uitsloverig..." hoort Will Verheyde haar naast zich mopperen, als hij de dame terugrijdt naar Prélude.

In zijn hart moet hij haar gelijkgeven. Wantrouwt hij zelf niet de manier, waarop de dames Lang zich inzetten voor zijn vader en voor Peter Odink?

Hij denkt aan de stiekeme manier, waarop vaders secretaresse het huis van Peter binnensloop.

Charlotje is beslist niet van Lótje getikt! besluit hij en hij komt ineens tot de ontdekking, dat hij het pinnige dametje wel mag.

Zodra de schrik en pijn wat zijn vergeten, keert Rosalies oude strijdlust terug.

De aanwezigheid van het ouwelijke meisje irriteert haar na enkele uren dermate, dat ze zich geweld aan moet doen, niet tegen Gina Lang te snauwen.

Ze besluit die avond maar op de bank te blijven liggen, waar tante Charlotte haar zo comfortabel mogelijk heeft geïnstalleerd. Rondom in kussens gepakt, die Gina ieder ogenblik wil opschudden.

„Ik lig prima en ik heb een spannend boek. Maak je om mij maar geen zorgen."

Gina is overal tegelijk, merkt Rosalie op, als de telefoon begint te rinkelen.

Ze staat al met de hoorn in haar handen, vóór Rosalie de bank af is.

„Péter!" hoort Rosalie haar hoge zangerige stem . . . „Ja, ik ben hier, dat komt zó . . ."
Rosalie neemt haar de telefoon uit handen. Ze legt haar hand op de microfoon. „Ik leg het zelf liever uit!" verklaart ze kort. „Dag Peter!" en doet hem beknopt het verhaal van haar onfortuinlijke val.
Na even gepraat te hebben, geeft ze Gina, die nog steeds afwachtend achter haar staat, de telefoon terug. „Hij wil jou nog even. Overtuig hem alsjeblieft, dat het niet nodig is dat hij eerder terugkomt, Gina!"
Dat doet Gina dan en daarna vertelt ze nog even vlug iets over de kinderen. Leuke voorvalletjes, waarvan ze weet, dat ze de vader zullen interesseren.
Rosalie, vanaf de bank, ziet hoe het fletse gezicht van de jonge vrouw oplicht, als ze over Reneetje en Elmie praat.
Ze houdt écht van hen! denkt ze beschaamd. En misschien ook wel van Peter. Ik ben een spook, dat ik haar dat niet gun. Zij zou vast een heel lieve moeder voor hen zijn en een goede vrouw voor Peter.
Maar dan staat Lineke weer levensgroot en bijna tastbaar voor haar. Linekes beide kindertjes afstaan aan Gina Lang?
Bitter weet ze: ik heb geen enkele stem in het kapittel. Peter zélf heeft hierin het laatste woord en als ik zo naar Gina luister, kan ze het maar best vinden met de vader van Linekes kinderen.
Ze slaakt een zucht van opluchting als ze Gina de hoorn weer terug ziet leggen op het toestel!

De laatste dagen van Peters afwezigheid wordt Rosalie naar hartelust vertroeteld. Ze wordt door de tantes en mevrouw Lang op één lijn gesteld met de twee kleintjes. Ze mag niets en moét alles, dat wil zeggen: rusten, eten, slapen, wandelen. En hoe Rosalie aanvankelijk ook protesteert, het helpt haar niets. De drie vrouwen zijn er van overtuigd, dat ze zo'n beetje half dood is en zich vooral niet moe mag maken! „En dat allemaal om een gebroken pols!" spot Rosalie, als ze donderdagsmiddags weer eens alleen door het Lienderbos dwaalt. En – hoe kan het anders? – op een eveneens wandelende Will Verheyde stuit.
„Loop je even mee voor een afzakkertje?" inviteert hij zodra hij haar ziet.
„Och ja, ik heb toch niets beters te doen!"
„Geweldig vereerd."
Rosalie kijkt verbaasd naar zijn strakke gezicht. „Nou zeg! Wat mankeert jou?"

Will Verheyde ziet, zonder zijn hoofd naar haar toe te wenden een verbazend aantrekkelijk gezichtje, omkranst door opvallend, zilverkleurig haar. Een meisje, dat vanaf het eerste moment zijn aandacht heeft getrokken, als hij eerlijk is.

Maar hij wil haar niet binnenlaten in zijn gevoelsleven. Niet na die onvergetelijke ervaring met Lineke. Niet na haar gewelddadige dood . . . Door op een speciale manier aan haar zuster te denken, zou het zijn, alsof hij Linekes nagedachtenis bezoedelde . . .

Deze gedachtengang doet hem een strakke, gereserveerde houding aannemen tegenover Rosalie. Maar, o, inconsequentie! nu vraagt hij haar nota bene mee te gaan naar zijn caravan!

„Eigenlijk best knus!" vindt Rosalie, rondkijkend in Wills tijdelijk home. „Net een piepklein huisje. Hoewel" . . . aarzelt ze „nee, het zou mij toch te eng zijn, op den duur."

„Ik ben niet meer ruimte gewend. Een hut aan boord heeft ongeveer dezelfde oppervlakte."

„Dat is waar. Ben je van plan je hele leven te varen?"

Will lacht bulderend. „Daar krijg je niet eens de kans voor. Vaarjaren, vooral die in de tropen, tellen dubbel. Je bent veel eerder óp, door die afmattende hitte beneden in de machinekamer . . ."

„Air-conditioning!"

„Jawel. Maar dan nog. Vooral als de temperatuur buiten loei-hoog is. Ik maak nogal veel Perzische Golfreizen . . . nou, dat merk ik na een tijdje. Je verliest enorm veel vocht door transpireren."

„Zoutpillen!" zegt Rosalie weer prompt.

„Jij hebt van je zwager Peter wel het een en ander gehoord. Maar hij is er toch mee opgehouden, met varen."

„Voornamelijk om Lineke. Trouwens Tjerk Feenstra, je weet wel, de man van mijn oudste zus Lon, wil ook proberen een baan aan wal te zoeken."

„Dat zal hem niet erg meevallen. Tenminste niet op hetzelfde niveau."

„Nee!" zegt Rosalie peinzend. „Die twee zitten nu in Vancouver. Vakantie. Maar Tjerk schreef, dat hem ginds een prachtbaan is aangeboden. Ik ben bang . . . maar ik zóu het kunnen begrijpen."

„Het is een mooie stad met een schitterende omgeving! Ik heb er ook weleens over gedacht om te emigreren maar je moet daar wel connecties hebben."

„Ik hoop niet dat Tjerk en Lon daar voorgoed neerstrijken. Om moeder niet!"

„Nee. Dat begrijp ik. Dat zou een nieuwe klap voor haar zijn."
„Als *ik* het nu was!"
Will, nonchalant zijn benen zwaaiend vanaf de picknicktafel, die de afscheiding markeert tussen woon- en keukenhoek, kijkt niet-begrijpend. „Wat bedoel je?"
„Nou, gewoon. Het heeft tussen moeder en mij nooit erg geklikt. Ze zou mij het minst missen van haar ploegje. Daarom was mijn eerste gedachte ook, toen ik hoorde van Linekes ongeluk: waarom ik niet? Lineke had zo'n lief karakter. Van haar moest je wel houden. Terwijl ik . . ." Driftig houdt ze haar sigaret in het vlammetje van haar aansteker. Inhaleert zo diep, dat ze prompt gaat hoesten.
„Roken is nog nooit een oplossing voor een probleem of een jeugdtrauma of wat ook geweest!" leraart Will.
„Drinken ook niet!" kaatst Rosalie kattig terug, met een welsprekende blik op een aantal lege of half-lege flessen op de grond.
„Met een paar flinke borrels achter de kiezen zie je heel anders tegen de wereld aan. Dat kun je van roken niet zeggen!"
„Het is allebei een verslaving!" geeft Rosalie toe. „Maar een mens probeert vaak met allerlei pepmiddelen zijn eenzaamheid of wat ook te verdringen."
„Dus jij bent eenzaam?" destilleert Will. „Ik dacht dat een mooie vrouw als jij omzwermd zou zijn door bewonderaars."
„Wat koop ik daar voor?" vraagt Rosalie hartstochtelijk. „Daar moet jij me antwoord op kunnen geven, Will Verheyde. Ik heb begrepen, dat jij ook nooit over aandacht van het zwakke geslacht te klagen hebt.
„Gehád!" verbetert Will. „Ik begrijp zo goed, hoe jij je voelt, meisje. Óver blijft van al dat voos plezier een eenzaamheid, een teruggeworpen worden op jezelf en een enorm wantrouwen, waar het échte belangstelling, écht gevoel voor jou als méns betreft. Je vraagt je af, wat je netto, zonder je mooie gezicht, eigenlijk waard bent. Of niet?"
„Já!" Rosalie leegt in één teug de rest van haar sherry. „Bedánkt, Will!" Vóór het goed en wel tot Will Verheyde doordringt, is ze verdwenen.
De caravan lijkt ineens hopeloos leeg!

„Fijn gewandeld?"
Bertha Lang, gehuld in een gestreepte jasschort, die haar nog langer doet lijken dan ze is, staat bij het aanrecht aardappels te schillen, als Rosalie terugkomt.

„Jawel!" Het klinkt mat. Bertha kijkt het meisje even oplettend aan.
„U ziet er moe uit. U had beter ergens aan kunnen gaan. Zo lang rond lopen, alleen in het bos . . . Ik denk dat meneer Peter dat ook niet goed zou vinden. Vooral niet na dat met zijn vrouw."
„Dat was een ongeluk!"
Bertha Lang snuift. „Dat zéggen ze."
Rosalie kijkt naar de dunne benige vingers, die vaardig het mesje hanteren. Er gaat iets benauwends uit van de onverstoorbaar schillende vrouw bij het aanrecht. Zou mevrouw Lang meer afweten van het ongeluk van haar zusje? Maar . . .
Net als Rosalie op het punt staat haar een vraag te stellen, droogt Bertha Lang haar handen af. „Zo, dat is genoeg voor vandaag en voor het weekeind. U gaat zeker zaterdag terug?"
Rosalie knikt. „Dat zal wel moeten. Ik moet naar de controlearts in Den Haag."
Pas als de deur achter de vrouw gesloten is, dringt het tot Rosalie door, dat niet zij, maar Bertha Lang de vragen stelde.

Meteen uit kantoor komt Gina de kinderen brengen. Rosalie heeft dan de tafel al gedekt. Ze is het ineens zo beu, om zich langer te laten betuttelen, dat ze maar meteen met de deur in huis valt.
„Gina, ik kan het deze laatste avond best alleen af. Je weet: morgen komt mijn zwager terug, dus het weekeind redden we ons hier best. Een moment lijkt de jonge vrouw uit het veld geslagen. Dit had ze niet verwacht. Maar meteen herstelt ze zich en zegt minzaam, „Ik denk er niet over. U de laatste nacht alleen te laten. Stel je voor dat er weer iets gebeurt. Wat zou moeder wel niet zeggen? En Peter? Nee hoor. Er is nog genoeg te doen. Blijft u nu lekker zitten, dan zorg ik voor de kleintjes en de afwas en zet straks een kopje koffie."
„Dat doe ik in ieder geval!" Strak staat Rosalies gezicht en ze heeft weer dat ongenaakbare in haar houding, waarmee ze de mensen op een afstand houdt . . .
Ik weet dat ik ondankbaar ben, maar ik kan gewoon niet nóg een avond tegen dat meewarige gezicht aankijken. En – mens nog aan toe! – laat die Gina zich eens een béétje beter verzorgen. Daar is nu ook geen kraak of smaak aan. Als ik nu twee handen tot mijn beschikking had, zette ik de schaar eens in dat vormeloze kapsel en daarna zou ik het vlot föhnen en wat passende make-up op haar gezicht aanbrengen en niet die felle troep, die vloekt met dat rode haar. Hè, zo iemand zou er toch heel anders uit kunnen

zien. Zit natuurlijk finaal onder de plak van die lange sla-dood van een moeder!

Zo windt Rosalie zich in stilte op, terwijl Gina rustig en onopvallend haar gang gaat.

HOOFDSTUK 10.

De nacht heeft al een donkere deken uitgespreid over het stille bos. Een deken met een zilveren zoom . . .

Het is Peter Odink vreemd te moede als hij over de langzamerhand zo vertrouwde boslanen rijdt . . .

Eenmaal voor de Waterlelie overspoelt hem zó'n golf van heimwee naar zijn liefste, dat hij niet in staat is meteen uit zijn auto te stappen.

Hij leunt met zijn armen op het stuur en tuurt in de donkere nacht. De bijna kale kruinen van de bomen bewegen meewarig hun hoofd. Ze zijn getuige van zijn wanhopige verdriet, zoals ze eens getuige waren van zijn intense geluk. Hier in dit bos, in het huis, dat hij schroomt binnen te gaan, liggen de herinneringen aan zoveel blijdschap, die verloren ging . . .

„De dood is zo wreed, God!" kreunt hij. „Zo ónmenselijk, zo definitief. Hij hóórt niet bij het leven. Leven is beweging, is groei . . . Weet U wat het zeggen wil, losgescheurd te worden van iemand waarmee je met hart en ziel verbonden bent? Weet U dat, God? Ja, U weet het! Jezus zelf huilde bij een graf . . . U kent mijn droefenis, U lijdt met mij mee, dat merk ik , dat ervaar ik. En daarom ook is mijn verdriet vermengd met een droefheid, die ik nog niet benamen kan. Ik ontdek in mij gevoelens, een húnkering die ik met Lieke begraven dacht. Is dan een mensenliefde zó onberekenbaar, zó aards en spoedig verwelkt, wanneer hij niet gevoed wordt?

Deze week in het zonnige, nog milde zuiden, heeft zijn verwarring eerder vergroot, dan dat hij is afgenomen. Er is een onrust in Peter, die hem weerhoudt daar binnen te gaan, waar zíj is: Rosalie. Met haar stralende schoonheid en haar lichaam dat er voor geschapen lijkt, om gestreeld te worden. De hunkering wordt bijna een marteling als hij aan haar denkt. Er worstelt zich een kreet omhoog, diep uit zijn hart. Het is een schreeuw om hulp en tegelijk een snik en samen stijgen ze als een gebed omhoog.

Peter start de motor en rijdt het pad op naar de garage. Zo min mogelijk lawaai makend, ontsluit hij de bruin gelakte garagedeuren.

„Ze slaapt natuurlijk al lang!" mompelt hij, de sleutel in het slot stekend.

Als in een visioen ziet hij het brede bed, waar nu geen Lineke wacht, zoals anders na een zakenreisje. Het is de eerste keer sinds haar dood, dat hij langer dan een dag van huis was!

Rosalie heeft hem wel degelijk gehoord. Sinds haar zwager weg is, slaapt ze bijzonder licht, bang als ze is dat ze één van de kinderen niet horen zal. Bijna altijd is ze er nog vóór Gina uit, als Elmie of Reneetje roept. Gina heeft zolang haar intrek genomen in Linekes werkkamertje, waar een opklapbed staat. Ze had voorgesteld om bij Reneetje te gaan slapen, maar daar had Rosalie niet van willen horen. „Ze slaapt al zo onrustig, ik denk niet dat Peter daar gelukkig mee is," had ze Gina gezegd.

Het is bij enen als Rosalie een auto stil hoort houden, pal voor de Waterlelie.

Ze slaat haar dek terug en loopt naar het raam. Als ze het gordijn iets terugschuift, ziet ze hem duidelijk zitten: Peter heeft nota bene het lampje in de auto aangeknipt. Hij zit voorovergeleund en tuurt onbeweeglijk voor zich uit . . .

Haar hele hart gaat uit naar die eenzame man in zijn auto, die blijkbaar de moed niet op kan brengen het huis binnen te gaan dat hem van meet af aan weer confronteren zal met zijn geleden verlies. In deze minuten wijkt de wrevel die deze week bezit van haar nam, die groter werd met iedere keer dat zij de blonde Will Verheyde ontmoette en zag hoezeer hij gebukt gaat onder schuld en wroeging. Om wat hij Lineke aandeed. Wrevel of wellicht is het meer een teleurgesteld zijn in de man Peter Odink, waar ze altijd in haar hart zo tegenop heeft gezien. Om zijn onverwoestbare optimisme, zijn geloofsvertrouwen. Maar ene Will Verheyde laat hij vallen als een baksteen . . . heeft ze gemord.

Nu is er alleen plaats voor medelijden.

Die is er nóg, als ze geruisloos de deur van haar kamer opent en de trap af zweeft in haar dunne duster, om hem te verwelkomen.

Peter ziet het zachte licht in haar ogen, terstond als ze tegenover elkaar staan in de hal.

„Dag Peter. Je bent vroég zeg!"

„Vróeg? Láát, ik had gehoopt een paar uur eerder thuis te zijn."

„Je had gezegd van zaterdag. Nou, dat is het, sinds ruim een uur!"
Peter glimlacht. Hij strekt zijn hand uit naar Rosalies verbonden arm.
„Hoe is het nu? Wat een pechvogel ben jij zeg!"
„Ik heb in het begin veel pijn gehad, nu gaat het best. Zeg, Peter, het lijk wel alsof je een beetje bruin geworden bent."
„Gezichtsbedrog, meisje. Maar dit weekje heeft me wel enorm goed gedaan. Eens even van je zorgen verlost te zijn . . . heel hartelijk bedankt, Rosalie, dat jij dat mogelijk hebt gemaakt." Peter slaat zijn arm om Rosalies schouder. Hij voelt de warmte van haar huid door de dunne stof heen. Die tintelt in zijn vingers en stroomt óp naar zijn verkleumde hart.
Hij kust haar, net als die eerste keer: hongerig en toch met een tederheid, die Rosalie de tranen in de ogen dringt.
Rosalie laat hem stil begaan. Ze groeit in deze ogenblikken naar een rijpheid, die ze zelf nog niet overziet.
Als Peter haar loslaat, eindelijk, ontwijkt ze zijn ogen niet. Er is begrip en heel veel warmte in haar stem, als ze zegt: „Zullen we binnen nog even wat drinken, jongen?"
Geen van beiden heeft er weet van, dat boven aan de trap twee ogen hen hebben gadegeslagen.
Van iemand voor wie een kus onlosmakelijk verbonden is met: trouwen en kinderen krijgen . . .
Iemand die niet het onderscheid heeft geleerd.
Teleurstelling, afgunst, haat, gekwetste eigenwaarde malen als een mallemolen door Gina's hoofd.
Hij hoort bij mij! denkt ze, machteloos haar handen ballend. Hij en die twee schatten. Ik zou ze álles geven wat ik had. Als zij eerst maar weg is. Dat ongelukje met die pols komt voor mij als een geschenk uit de hemel vallen. En ik weet zeker, dat moeder dat óók zo ziet.
Tenminste . . . schrik doorschokt Gina plotseling als een lijfelijke pijn: als Rosalie ná dat bezoek aan haar controlearts niet terugkomt. Ze kan immers nog wéken haar werk in die kapsalon niet doen?

Bijna op hetzelfde ogenblik stelt Peter zijn schoonzusje de vraag: „Rosalie, ik heb er de hele week over gepiekerd, ginds . . . Zou je niet terug willen komen, volgende week?"
Rosalie nipt van het fonkelende rode vocht. Ze draait haar glas rond en rond in haar vingers, die plotseling heel koud aanvoelen.
„Hoe bedoel je, terugkomen?" vraagt ze een beetje ademloos.

„Voorgoed!" zegt Peter en, hartstochtelijk ineens, gooit hij er uit: „Ik kan je niet meer laten gaan, Rosalie. Ik moet steeds aan je denken. Het is . . . ik heb er tegen gevochten, maar het helpt niets. Toen ik ontdekte dat ik op die manier aan je dacht, werd ik bijna gek van afkeer van mezelf. Ik voelde het als verraad aan Lineke. Je weet hoeveel ik van haar gehouden heb. Hoeveel ik nóg van haar houd . . . maar . . ."

„Peter!" vraagt Rosalie ogenschijnlijk rustig, „houd je van mij? Net zoveel als je van Lineke deed? Nee, wacht even, ik vraag niet of je op precies dezelfde manier van me houdt. Want dat kan nooit maar, hóud je van mij?"

„Ik . . . ja, natuurlijk. Anders zou ik toch niet vragen . . . ik wil met je tróúwen, Rosie!"

„Morgen ga ik naar Den Haag, Peter. Ik kom binnenkort terug. Dan praten we hier nog eens rustig over. Goed? Dit is een té belangrijk onderwerp om midden in de nacht te behandelen op een tijdstip dat jij doodmoe terugkomt van een rit van honderden kilometers en daarbij hevig geëmotioneerd bent."

Peter gaat staan, net als Rosalie. Hij kijkt verbaasd naar haar. Ze is ineens Rosalie niet meer, het jongere zusje van zijn overleden vrouw. Ze is een jonge vrouw met onvermoede, onbekénde kanten.

Heel vreemd, is hij ineens blij met dit uitstel.

Zacht, om de kinderen, gaan ze achter elkaar naar boven. Peter wacht, tot hij de deur van Rosalies kamer dicht hoort gaan. Dan sluipt hij voorzichtig naar de bedjes van zijn kinderen. Eerst naar dat van Elmie. Haar donkere krullen liggen in een toef boven haar hoofdje.

Daarna staat hij lange tijd gebogen over het kindje, dat Lineke met zoveel zorg en angstige voorgevoelens heeft verwacht. Om wie ze ook ná de geboorte nog zoveel smart en pijn heeft uitgestaan.

Het hoofdje van dit kind is niet meer dan een lichte plek in het donker . . .

Net als jij, mijn lief, bezig bent een lichte plek te worden in mijn levensmozaïek . . .

Waar zijn de ontbrekende stukken van mijn levenspuzzel? Ik meende, dat Rosalie die in kon vullen. Maar ze was me ineens zo vreemd, ik voelde me bijna opgelucht, toen ze niet inging op mijn vraag. Maar hoe de lege plek dan op te vullen?

Hij ziet de zorgende, nimmer aflatende handen van Gina Lang. De moederlijke wijze, waarop ze met zijn kinderen omspringt . . .

Rosalie . . .

Gina . . .

Wie kan jou ooit vervangen, Lieke?

Peter komt overeind. Hij strekt zijn pijnlijke rug. Zijn uitgeputte lichaam snakt naar rust, maar zijn brein is nog koortsachtig bezig met de oplossing van zijn grote probleem: een moeder voor zijn beide kinderen. Zó kan hij toch niet doorgaan, met steeds een nieuwe hulp? Hij zal er maandag weer om moeten vragen, mevrouw Lang kan niet blíjven bijspringen, zij is ook de jongste niet meer. En bovendien wil hij niet zoveel verplichtingen aan haar. Ook vanwege Gina niet. Tenzij . . . voor de kinderen zou Gina ideaal zijn. Maar als vrouw zegt ze hem niets, in tegenstelling tot Rosalie. Ja, maar die is soms weer zo zorgeloos, zo nonchalant . . .

Peter komt er niet uit. Hij ligt nog lang te woelen, van de ene zij op de andere . . .

En heel ver, op de achtergrond van zijn denken, plaagt hem vaag nog een andere oplossing. Maar net als hij die hersenschim denkt te grijpen, ontsnapt ze hem. Als een vogel in de vlucht . . .

Die nacht droomt Peter van een vogel. Het is een glanzend witte duif. Ze zit in de spleet van een hoge, steile rots. Boven het dier is de blauwe hemel en achter haar, waar de rotsen verder uiteen wijken, de azuurblauwe zee . . . Maar als hij voorzichtig dichterbij sluipt, om haar aan te raken, klapwiekt de vogel de hemelsblauwe koepel tegemoet . . .

Klokslag twee uur houdt de zilverkleurige wagen van Anne Feenstra de volgende dag stil voor het huis van Peter Odink.

„U bent een man van de klok, oom Anne!" prijst Peter. Hij zet Elmie haastig van zijn schouder omdat de jongedame van enthousiasme gevaarlijke capriolen maakt boven zijn hoofd.

„Opa, opa!"

„Ha, wildebras! Zó, krijg ik tien kusjes, nou nou! Kijk maar eens gauw wie er nog meer is meegekomen!"

Achter Anne Feenstra's rug komt een slank meisje met een geestig gezichtje en kort, blond haar tevoorschijn. „Boehhoeh . . ." loeit ze naar het kleine nichtje.

„Carry!" jubelt Elmie al.

„Tánte Carry, jongedame!" grijnst Carry ondeugend. „Ha, die Peter. Jij ziet er goed uit zeg!"

Peter omhelst het jongste zusje van Lineke hartelijk. Hij is altijd dol op deze lucht-hart-treurniet geweest en nóg. Het is alsof met Carry een stukje zon het sombere huis komt binnen huppelen.

„Waar is Rosalie?” vraagt Carry, zodra ze binnen is.
„Nog even naar de overkant, afscheid nemen.”
„Van je baas?” informeert Anne Feenstra, als hij ook Peter heeft begroet.
„In het gunstigste geval wél,” zegt Peter gemelijk. Anne ziet met verbazing het innemende gezicht van Peter veranderen in een gesloten masker. Hij hoort Peters woorden weer, die hij onlangs in zijn oude studeervertrek in Prélude uitsprak: „Hij heeft Lineke veel verdriet gedaan, Will Verheyde. Waarom moet hij Rosalie nu óók weer het hoofd op hol brengen?”
Anne beperkt zich tot een afkeurend schudden van zijn hoofd. Peter zal zelf moeten inzien, dat hij op de verkeerde weg is met zijn onverzoenlijke houding ten opzichte van de zoon van zijn baas.
„Daar komt ze!” gilt Carry en ze holt de kamer al uit en naar buiten. „Hallo Rosa! Hoe is het met je pols?” Rosalie wordt nét zo hartelijk begroet, als Carry dat de rest van de familie heeft gedaan.
Rosalies gezicht klaart er helemaal van op. Carry is een zonnetje, altijd al geweest, hoewel ze best snibbig uit de hoek kan komen. Maar zij ziet van alles weer gauw de lichtzijde en dat hebben ze met elkaar hard nodig, zo'n lichtstraaltje na alle narigheid. Binnen ergert Rosalie zich trouwens meteen weer aan haar jongste zus. Carry heeft altijd al een goede band met oom Anne gehad, maar zoals ze nú met hem omgaat, is gewoon overdreven. Ze noemt hem nota bene „vader Anne”! Verdrietig bedenkt Rosalie, dat Carry haar eigen vader dikwijls op de kast kon jagen met haar geplaag en haar keiharde muziek, zodat vader zich niet concentreren kon op zijn pianostudie.
Peter, die haar afgetrokkenheid wijt aan het afscheidsbezoekje dat Rosalie ongetwijfeld bij Will Verheyde heeft afgestoken, merkt zuur op: „We zaten met de thee op jou te wachten, Rosalie. Je bleef lang weg!”
„Nog geen half uur!” Verontwaardigd kijken haar diepblauwe ogen hem aan. Peter houdt zijn adem in. Er is een flits van een intens blauwe zee en een witte duif, blikkerend in het gouden zonlicht . . .
Rosalie, je bent zo mooi!
Anne Feenstra onderschept Peters blik. Een onrust schiet als een paddestoel in hem omhoog en doet hem wat gejaagd aandringen op afscheid nemen, zodra de kopjes leeg zijn en hij Peter heeft uitgehoord over zijn bezoek aan dochter Annemiek, tijdens zijn reis naar Frankrijk. „We moeten de tantes gaan halen,

jongelui. Ze rijden niet graag bij donker. En het is nog een hele ruk, naar Den Haag."

„Eerst nog even zien of Reneetje wakker is!" De beide zusjes lopen achter elkaar naar boven.

„Hè", zegt Carry met haar flap-uiterigheid, die ze eigenlijk nog nooit te boven is, ondanks haar achttien jaar. „Jij zou hier moeten blijven, Rosa. Ik bedoel: bij Peter. Moet je zien, hoe lief Reneetje jou vindt. Ze kent jou zo goed. En Elmie houdt ook van jou, dat heb ik best gemerkt."

„Blijft alleen Peter nog!" spot Rosalie luchtig.

„Peter?" vraagt Carry met een langgerekt toontje. „Die eet jou op met zijn ogen. Dat heb ik heus wel gezien. En weet je dat ik daar hartstikke blij om ben? Ik moet er niet aan denken, dat hier een heel vreemd mens rond zou lopen. Met ónze Elmie en Reneetje. En Peter . . . hij zou onze Peter ook niet meer zijn. Ik had alleen altijd gedacht, dat hij Marieke zou nemen. Marieke is vroeger verliefd op Peter geweest. Dat weet ik heel secuur."

„Jij zou langzamerhand eens een beetje volwassen moeten worden Car. Jij ziet nog altijd bakvis-romances. Peter is Lineke nog lang niet vergeten. Hij zoekt haar nog veel teveel in een ander. Daar pas ik voor. Ik ben Rosalíe en geen Lineke, hoe lief en zacht die ook was."

„Hij hééft er dus met jou over gepraat!" destilleert Carry Bedijn pienter. „Kind, néém hem toch. Hij is wát een schat!"

Rosalie haalt haar schouders op. „Ik hoop, dat je tegenover anderen niet dergelijke onzin uitkraamt!"

Carry slaat berouwvol haar armen om Rosalies nek. „Ik zei het alleen maar . . ." Ze snikt het ineens uit. „Ik vind het zo erg, als ik hier ben en Lineke is er niet . . . thuis in Den Haag heb je er niet zo'n erg in. Maar als ik Peter zie . . . Ik kan niet hebben dat iemand van ons verdriet heeft, ook niet als jij het bent, Rosa. En ik heb gemerkt . . . ik dacht dat jij ook vaak verdrietig was en je eenzaam voelde op je kamers, al zijn ze nog zo mooi ingericht."

„Jij!" zegt Rosalie, zeer inconsequent, „jij bent een grote lieverd!"

HOOFDSTUK 11

„Kan het misschien iets rustiger?" informeert tante Charlotte over haar schouder. Achter haar zit Emma, tussen de beide nichtjes in. Charlotte voert een gesprek met Anne Feenstra, maar het blijkt wel, dat ze met één oor het gesprek achter haar tracht te volgen, want prompt croverheen, zegt ze: „Rosalie gaat natuurlijk niet terug naar haar kamers. Zeker al die weken alleen zitten kniezen, terwijl ze zo onthand is."

Anne Feenstra glimlacht in het half-donker. Rosalie zal zich zelfs door tante Charlotte de wet niet voor laten schrijven. Jammer toch, dat ze niet gewoon deze weken naar huis komt. Moeder Els zou de koning te rijk zijn, weet hij. Ze lijdt onder Rosalies afwijzende houding, waar het hem betreft. Zelf heeft hij daar minder problemen mee. Zijn Annemiek wil immers ook nog van geen terugkeer naar Nederland weten, ondanks het feit, dat ze het verre van gemakkelijk heeft, in het veeleisende gezin van de plastisch chirurg Boutal zoals Peter hem vertelde. Ach en zou Lon het niet heerlijk vinden als Annemiek weer haar intrek in Prélude nam? Anne begrijpt best dat het moeilijk voor Annemiek is, om nu nog te wennen in het gezin van moeder Els. Logeren doet Annemiek daar trouwens nog altijd graag. Maar zijn meisje is inmiddels geen kind meer. Ze is net zo oud als Marieke: bijna een en twintig en een volwassen jonge vrouw dus. Bovendien hebben de omstandigheden haar vroeg volwassen gemaakt. Haar altijd ziekelijke moeder, die ze voorgoed missen moest, toen ze ternauwernood vijftien was. Hij zelf altijd tot over zijn nek in het werk op de stichting begraven en haar enige broer Tjerk op zee. Het kind was nooit veel huiselijkheid gewend geweest. Wat zou hij die haar nog graag gunnen. Maar het is nu te laat. Het enige dat hij kan hopen, is dat ze die mettertijd in een eigen gezin ondervinden mag . . .

„Neem me niet kwalijk, Charlotte. Wat zei je?"

Charlotte lacht toegeeflijk. Typisch, dat Em en zij er geen moeite mee hebben gehad, toen ze hoorden, dat Anne Feenstra de lege plaats van hun overleden broer Arno in zou gaan nemen. Ze zouden dat wel degelijk hebben, als ze Anne Feenstra niet hadden leren kennen en waarderen als een uiterst hoogstaand en sympathiek persoon!

„Ik zei . . ." Charlotte buigt zich vertrouwelijk naar Anne over, „dat het misschien het beste was, als Rosalie terug ging naar Lienden. Ondanks die pols kan ze Peter misschien toch wat behulpzaam zijn. Met de kinderen wat wandelen en zo. Daar komt een gezinshulp vaak niet aan toe."

„Charlotte!" decreteert Anne gedempt, doch met gezag, „bemoei je hier alsjeblieft niet mee. Dit zijn te tere zaken om

door anderen gehanteerd te worden."
„Eh . . . ja, vanzelf!" geeft de oude dame aarzelend toe. Ze beziet de man naast haar met iets van ontzag: zijn gezicht verraadt zelfs 'en profil' een vastberadenheid die zij waarderen kan in een man. Haar broer Arno miste die, helaas, weet Charlotte. Dat moet één van de oorzaken zijn, dat het tegenwoordig in het gezin van haar schoonzuster Els zo veel systematischer en ook netter toegaat. Daar zal de inbreng van Anne Feenstra niet vreemd aan zijn.

Maar wanneer eindelijk het huis op de singel in zicht komt, kan Charlotte toch niet laten op te merken: „Zet de bagage van het kind er meteen maar uit, Anne!"

„Alleen als, Rosalie het daar mee eens is!"

Rosalie zegt, minstens zo vastberaden als haar stiefvader: „Wilt u mij maar even afzetten bij mijn étage, meneer Feenstra?"

De tantes kijken teleurgesteld. Carry zelfs verontwaardigd. „Wat gemeen! Mammie rekent er helemaal op, dat je thuiskomt. Ze heeft zelfs bloemen op je oude kamer gezet. O, ik vind het . . ." Ze stampvoet met haar mooie nieuwe schoentjes op de trottoirtegels.

„Kom, Car, beheers je. Rosalie weet dat zij bij ons allemaal van harte welkom is, niet kind? Maar ze is volwassen en mag zelf beslissen, wannéér ze komt. En dat mág dan ook altijd, al is het midden in de nacht!"

Rosalie kust haar zusje en de tantes. Ze kan niet verhinderen dat er tranen in haar ogen staan.

Carry meldt dat, zodra ze met vader Anne op weg is naar het huis aan de Laan van Meerdervoort.

„Ze huilde, Rosalie. Ik hebt het zelf gezien. En weet je hoe dat komt, vader Anne? Omdat ze in haar hart dolgraag naar huis zou gaan. Alleen wil ze dat voor geen goud bekennen. Zo ís Rosa."

„Klein wijsneusje! Je kon best eens gelijk hebben. Probeer maar een beetje lief te zijn voor dit zusje!"

„Pftt! Het is een spook, soms. Hoe jij zo aardig voor haar kunt blijven, is mij een raadsel. Ze wil helemaal niets van jou weten, vader Anne."

„Uit je zelf kun je dat ook niet, kind. Daar heb je Gods hulp bij nodig. Als je vraagt om Zijn Heilige Geest, dan zúl je die ontvangen en dan ga je vanzelf dingen doen, die je anders niet zou kúnnen. Omdat wij allemaal, geen mens uitgezonderd, maar een heel boos en zondig hart hebben."

„Ik zoek haar toch ook wel op? Het is en blijft mijn zusje. Ik doe heus niet zoals Marieke. Die heeft nooit veel met Rosalie opgehad en nóg niet. Misschien is dat wel om Peter. Denkt u" – als Carry echt aan het filosoferen slaat, zegt ze weer automatisch 'u' en 'oom Anne' – „Denkt u, oom Anne, dat Marieke echt om Peter geeft? Ik bedoel: ze was altijd al wég van hem, dat heeft ze me vroeger wel eens verteld."

Anne glimlacht om dat „vroeger". Net als tegen Charlotte zegt hij nu overredend: „Car, daar moet je je niet mee bemoeien. Het is nog niet eens een jaar geleden, van Lineke. Ik ben het volkomen met je eens, dat het voor Peter en de kinderen straks het beste is, als hij gaat hertrouwen. Maar gun hem de tijd en alsjeblieft: bemoei je er niet mee. Je bent toch langzamerhand de leeftijd ontgroeid, om er maar gedachtenloos alles uit te flappen wat er in je op komt, meisje. Daarmee kun je veel kwaad aanrichten en bovendien mensen bezeren. Zeker in zo'n delicate kwestie als liefderelaties."

„Maar Marieke . . ." probeer Carry toch nog.

Anne denkt aan het gevoelige meisje, dat juist door deze eigenschap al veel narigheid heeft ondervonden in haar korte leven. Evenals haar verongelukte zusje Lineke.

Ik hoop van harte dat Peters oog niet op Marieke valt. Want het is waar: zij heeft duidelijk een zwak voor Peter. Maar hij zou met haar opnieuw een leven van zorgen en moeite tegemoet gaan. Ik gun hem zo ontzettend graag een opgeruimd, blijmoedig vrouwtje, na alle moeilijkheden van de laatste jaren.

Anne Feenstra is echter wel zo wijs deze visie niet aan Carry's eigenwijze neusje te hangen.

„We zijn er!" zegt hij met nadruk.

Carry, achter zijn rug, steekt puberachtig haar tong tegen hem uit.

Anne doet alsof er geen autospiegels bestaan en knipt onverstoorbaar het binnenlampje uit.

De indertijd door Rosalie met zoveel enthousiasme ingerichte kamers zijn koud en zonder welkom.

Rosalie prutst kleumig aan het gashaardje, dat al vaker kuren heeft gehad. Straks maar even aan Eddy vragen. Ze komt hem vroeg of laat toch weer tegen, dat kan niet anders als je samen één etage bewoont. Ach, in feite heeft ze hem liever dan de zalvige Han Starink, waar ze de eerste twee jaar deze etage mee deelde. Alleen: Ed Veringa betekent: de club. Het groepje jonge mensen, dat gezamenlijk pleziertjes najaagt. In een stad als Den Haag is altijd wel iets te doen.

En als er niets te doen is, bouwen ze zelf wel een feestje. Die feestjes is Rosalie juist gaan schuwen, omdat gebleken is, dat er weinig of geen normen gelden voor het groepje „moderne" jonge mensen, waarbij Ed haar introduceerde. Als ze alleen maar denkt aan die zaterdagavond, voor ze naar Lienden vertrok! Er was een film op de T.V., die ze samen zouden bekijken. Ze had er al meteen geen hoge pet van op, omdat de film al eens was uitgesteld en nu op een laat tijdstip zou worden uitgezonden, met het oog op de jeugd. Nou, haar wantrouwen was niet voor niets geweest, het was in één woord een smerige film. Zó versexed, nee, verdierlijkt, dat je je huid voelde prikken van schaamte, omdat jij ook een mens bent.

En – ergens een logisch gevolg – de toestand erna! Daaraan wil ze liever helemaal niet terugdenken. Ze is niet voor niets halsoverkop naar Peter gevlucht, 's maandagsmorgens!

Zodra ze aan hém denkt, krijgt Rosalies gezicht een zachte glans. Peter . . . wat maakt hij ook een moeilijke tijd door. Maar hij kan terugzien op een echte, innige liefdesband, al waren er ook toen wolken aan hun hemel. Al werd die hemel dan ook nachtzwart. Hij heeft de liefde gekend. Zou Peter ooit begrijpen, dat zij zich een tijdlang heeft bewogen in dergelijke decadente kringen, hoewel die schering en inslag zijn tegenwoordig? Peter weet toch ook wat er in de wereld te koop is, na zoveel jaren varen? Maar als ze denkt aan zijn onverzoenlijke houding ten opzichte van Will Verheyde, zinkt haar de moed in de schoenen. Dan flitst het ineens door Rosalie heen: Will zou het wél begrijpen. Omdat hij deze zelfkant van het leven ook kent. Uit eigen ervaring!

Een diepe rimpel tussen haar ogen, zit Rosalie ineen gedoken op haar mooie bankje, een plaid om haar schouders. Ze mist de moed om hulp te vragen voor de kachel-met-kuren.

Ik kruip maar meteen mijn bed in, denkt ze dof. Proberen te slapen. Als ik slaap, hoef ik tenminste niet te piekeren.

Áls ik slaap . . .

„Ik heb je gemist, Anne!" verzucht Els Feenstra-van Helden als ze haar man en jongste dochter begroet. Anne kust haar grondig. Carry staat er wat verloren bij. Maar Els maakt zich al los uit Annes armen. „Jou ook, meiske. Ik kan mijn zonnetje óók niet zo lang missen. Hé, hebben jullie Rosalie niet meegebracht?" informeert ze dan wat laat.

„Had je dat écht verwacht? vrouwtje?"

„Nee, eigenlijk niet," hapert Els. „Maar o, ik had het zo gehoopt."

„Het komt wel goed. Je moet nog maar wat geduld hebben met Rosalie. Ze heeft het moeilijk genoeg momenteel."

Els streelt Anne over zijn wit-blonde haar. Hoe dikwijls heeft ze dat bij Arno, haar eerste man willen doen en het niet gedurfd. Bang als ze was om afgewezen te worden. Om een kribbig antwoord te krijgen. Ze waren zo uit elkaar gegroeid. Ze voelde dat Arno haar maar een sloofje vond; zíj met haar koppeltje kinderen, híj de gevierde, beroemde pianist. Na zijn hartaanval, nee net ervóór, hadden ze na een ellendige tijd elkaar in liefde teruggevonden en nog een heel goede tijd samen gehad, die tekort, veel tekort was geweest, om al die verloren jaren in te halen.

Nu mag ze weer gelukkig zijn, al is dat geluk vermengd met zware rouw . . .

Nooit eerder heeft moeder Els zo diep doorvoeld, hoe broos het menselijk geluk is. Hoe zeer de mens een minuscuul deeltje, maar toch een deel is van de eeuwigheid. En dat dit aardse leven daar slechts het voorportaal van is.

Liefde, hóe innig ook, staat niet in verhouding met de volmaakte liefde die God is. Die Hij ook voor ieder mens, die Hem daar om vraagt, bereiden wil . . .

„Jij bent een lieverd. Bedankt voor wat je vandaag weer allemaal voor mijn familie hebt gedaan."

„Jóúw familie?" vraagt Anne bezeerd.

„Neem me niet kwalijk, Anne: ónze familie. Ik moet er soms nog een beetje aan wennen. Dertig jaar is niet zo maar uit te poetsen en wij zijn nog maar ruim een jaar samen . . ."

„Uitpoetsen? Dat hoeft toch ook niet? Dat kan ik zelf ook niet. Ik ben met Tera ongeveer even lang samengeweest. Maar nu: onthoud voor eens en voorgoed: wij doen voortaan alles samen. Jouw zorgen zijn ook de mijne, liefste!"

„De liefste dat ben jij!" zegt Els met overtuiging.

Geen van beiden heeft gemerkt, dat Carry naar boven is gegaan. Daar zit het meisje lange tijd met een nadenkend gezichtje op de rand van haar bed.

Ik wil het later zoals mammie en vader Anne! neemt ze zich heilig voor. Maar o, wat moet je vreselijk opletten, dat je niet de verkeerde kiest. Je moet wel héél goed bij elkaar passen en dat weet je nooit na een paar maanden. Carry gaat in één run het rijtje vrienden van haar langs.

„Er is er niet één bij zoals vader Anne," mompelt ze. „Enfin, ik heb de tijd nog!"

HOOFDSTUK 12

„Dus zó was ik, vóór de zorgen en het verdriet in mijn leven kwamen?" overlegt Peter, indachtig de woorden van oom Anne, als hij vader Piet met grote passen – sprongen bijna – het tuinpad op ziet komen.

Hij heeft maar amper tijd om de bel vóór te blijven.

„Vader! Fijn je weer eens te zien. Zijn jullie allang terug uit Markelo?"

„Vanmorgen pas. Je moet de hartelijke groeten hebben van je zuster en zwager. En van de jongens natuurlijk ook. Moeder was nog druk. Met eten klaarmaken, je kent dat wel. Ze wil jullie morgen graag de hele dag te gast, jongen. Jou en de meidjes. Waar zijn ze? Zou je me niet eens dóórlaten?"

Peter grinnikt. Het is alsof met vader iets van zijn onbezorgde jongensjaren terug is gekomen. Hij heeft toch een heerlijke jeugd gehad! Niet in de laatste plaats door de altijd optimistische vader Piet. En natuurlijk ook, omdat moeder Mar een schat van een moeke is!

„Graag!" zegt hij daarom grif op de uitnodiging. „Het was best gek die weken dat jullie wegwaren. Maar voor moeder was het hard nodig. Is ze weer wat opgeknapt, vader?"

„Die weken bij Gerty hebben haar enorm goed gedaan. Dat kind heeft zich tot en met uitgesloofd om het moeder naar de zin te maken. Bovendien was ze eens in een heel andere omgeving. Moeder heeft erg geleden onder het verlies van Lineke, Peet!"

„Moeder hield veel van haar!" zegt Peter zacht. „Wie niet, zou ik bijna zeggen."

„Is je schoonzusje weer weg? Vertel eens: hoe heeft het hier gereild en gezeild, de laatste maand?"

Meneer Odink gooit zijn jas nonchalant over een stoelleuning. Hier kán dat, weet hij. Bij zijn – in zijn ogen overdreven – nette dochter Gerty, had hij al lang een reprimande gehad. Waar dat kind die ordelijkheid van heeft is hem een raadsel. Zijn zoon Peter is al even slordig als hij en bij zijn vrouw Mar prevaleert gezelligheid ook boven netheid. Nee, vader Piet voelt zich hier in de Waterlelie als een vis in het water. Alleen moest er die schaduw niet hangen. Die schaduw van de dood. Zijn olijke, nog altijd iets bruin getinte gezicht betrekt.

„Waar zijn de kinderen?" informeert hij nog eens.

„Bij mevrouw Lang. Ik had nog een zakelijke bespreking met

Pavard, nadat Rosalie was vertrokken. Ik heb ze dus een poosje naar De Wuit gebracht."
„Maak niet teveel verplichtingen wat die vrouw betreft!" raadt zijn vader.
„Waarom niet?"
„Die probeert haar dochter te slijten, wat ik je brom."
„Hhhh?"
„Ja. Ach, jongen, dat is toch zo klaar als een klontje? Dat had je ouwe vader zelfs meteen door en ik ben anders helemaal niet zo opmerkzaam waar het dit soort zaken betreft."
„Gina?" zegt Peter vragend en de verbazing in zijn stem is niet gespeeld. „Op die manier heb ik nog nooit aan haar gedacht. Ze is erg lief en zorgzaam voor de kinderen. Ik heb enorm veel aan haar te danken. Ze stond en staat nog altijd klaar voor ons. Toen Lineke ziek was en ook het afgelopen jaar, na haar dood. Nooit deed ik vergeefs een beroep op haar of haar moeder."
„Je moet het zelf maar weten. Ik heb je gewaarschuwd. Dat oude mens lijkt me een uitgekookte tante."
„Vader, je maakt je zorgen om niets. Als er ooit iemand anders Liekes plaats in gaat nemen, zal dat in geen geval Gina Lang zijn."
Piet Odink zweeft de vraag op de lippen: wie dan wel? maar het gezicht van zijn zoon staat zo afwerend, dat hij hier voorlopig van af ziet. Wel informeert hij hoe Peters reis naar Frankrijk is verlopen.
Nadat Peter verhaald heeft van zijn zakenbezoek aan de Franse tegelfabriek in Salernes, vraagt meneer Odink langs zijn neus weg. „Woont daar de ex-vrouw van meneer Pavard niet? Ik meen me zoiets te herinneren."
„Ja. Ik heb haar zelfs nog ontmoet. En zijn dochter ook."
„Ada?"
Peter knikt. „Hoe is het toch met haar, Peet? Woont ze nu voorgoed bij haar moeder?"
„Blijkbaar wel. Ik heb haar maar heel even gesproken."
„Was eh . . ."
„Ze deed vreemd. Ontweek me. Eigenlijk best te begrijpen, na wat er indertijd tussen ons is voorgevallen."
„Ach, het is al weer verschillende jaartjes geleden. Daar hoeft ze je toch niet scheef om aan te blijven zien? Hoewel . . . het heeft misschien dieper bij haar gezeten, dan jij vermoedt."
„Ada en diepe gevoelens!" schampert Peter. „Nee, vader, zij is precies zo'n egoïstisch en oppervlakkig wezen als dat schilderij van een maman van haar. Om over broer Will nog maar te zwijgen."

„Typisch, dat je met Pavard zo goed op kunt schieten."
„Hij is heel anders. Ik kan me best indenken, dat die man zich doodongelukkig moet hebben gevoeld tussen zo'n zelfzuchtig stelletje."
Piet Odink zucht verstolen. De zoon en dochter van zijn compagnon kunnen nu eenmaal geen genade vinden in Peters ogen. Wat hem zelf betreft is er nog altijd dat gevoel van tekort geschoten zijn ten opzichte van de mooie Ada, die ze toch eens als de verloofde van zijn zoon in hun huis hebben ontvangen. Mar en hij hadden het geen geschikt meisje gevonden voor hun zoon en dat hadden ze haar laten merken ook. Na de breuk tussen Peter en Ada had hij in het restaurant van het Lichtdal nog een gesprek met haar. Hij herinnert zich dat hij na afloop dacht: we mogen dit meisje niet laten zitten met haar vragen en twijfels. Wat was daar van terecht gekomen? Hij had haar eerlijk gezegd nooit meer ontmoet. Hij had er ook geen moeite voor gedaan. Hij wist, dat ze naar Frankrijk was vertrokken en zo af en toe nog eens een korte vakantie doorbracht in le Pâturage, het schoonheidsinstituut in het bos, recht tegenover het Lienderbos. Soms vergezeld van haar moeder, soms met vrienden... Dat vernam hij van meneer Pavard, die hij nog wel eens opzocht. Bij die gelegenheden hoorde hij dat Ada haar vader nooit in diens eigen woning opzocht. Ze scheen nog altijd vuurbang om Peter tegen het lijf te lopen. Peter, die met Lineke immers schuin tegenover Ada's vader woonde?
Ada... ze heeft écht van Peter gehouden, denkt meneer Odink. En hij hééft haar teruggezien. Was Peter niet wat al te summier wat die ontmoeting van Ada en hem betrof? Enfin, zijn zorg om dat ouderlijke, wat ál te opofferende typetje, die Gina Lang, blijkt gelukkig ongegrond te zijn.
„En Annemiek, heb je haar nog gezien?"
Nu klaart Peters gezicht weer op. „Ja, na de nodige moeite. Dat kind heeft daar een hóndebaan. Tjerk was daar al bang voor. Ze is daar gewoon duvelstoejager in dat witte paleis van die plastisch chirurg. Een villa vader! Allemaal marmer en op de voorkant is een schitterende handschildering aangebracht. Het huis ligt in een park, zo groot en rondom is een hoog traliehek opgetrokken. Het heeft me heel wat moeite gekost om Annemiek te spreken te krijgen en hoe ik het voor elkaar heb gekregen, dat ze een paar uur vrijaf mocht, weet ik nog niet. Mevrouw Boutal kruipt gewoon voor haar man. Ze durft nota bene haar au-pair niet eens zelf vrijaf te geven!"
„Hoe was het met onze Annemiek?"

„Eerst wat te drinken halen. Je zit nog steeds op een droogje."

Als ze aan een glas port nippen, vertelt Peter met een nadenkende rimpel tussen zijn zwarte wenkbrouwen: „Annemiek is veranderd. Het lijkt wel alsof ze ineens volwassen is geworden. Niet meer die gezellige babbelkous van vroeger. Het was altijd net zo'n flap-uit als Linekes jongste zusje Carry.

„Annemiek heeft al heel wat meegemaakt, dat weet jij even goed als ik."

„Óf ik dat weet. Ze is me zo vertrouwd als een eigen zusje. Zó heb ik haar ook altijd beschouwd."

„Blijft ze nog lang in Frankrijk?"

„Tot eind februari. Daarna wil ze nog naar Engeland. Nee, die voelt er voorlopig niet voor om terug te gaan naar Nederland. Ik heb nog altijd zo'n idee, dat ze er moeite mee heeft, dat haar vader nu in Den Haag woont."

„Maar ze houdt toch veel van Linekes moeder?"

„Jawel. Maar het is heel wat anders of je iemand mag, of dat je die iemand – hoe sympathiek ook – op de plaats van je eigen moeder ziet. Ik ben tenminste blij, dat Elmie en Reneetje nog te klein zijn, om dáár verdriet van te hebben. Als die hummels maar iemand hebben, die van ze houdt, die lief voor ze is, zal dat weinig problemen geven, denk ik. U had eens moeten zien hoe stapel ze op Rosalie waren, toen ze weg ging. Terwijl ze haar amper kenden toen ze kwam."

Piet Odink kent zijn zoon door en door. Hij ónderkent daarom meteen de tedere klank, die in Peters stem sluipt, als hij de naam Rosalie uitspreekt.

„Dus tóch!" piekert hij. Moeder Mar heeft het weer eens bij het rechte eind. De mooiste van de Bedijn-meisjes, maar niet direct de áárdigste. Dan, zich zijn tekort schieten ten opzichte van Ada Verheyde in herinnering roepend, neemt Piet Odink zich heilig voor, Rosalie nooit iets van zijn minder vleiende gedachten te laten merken. Een mens moet lering trekken uit zijn vroegere fouten!

Maar de zorg om Peter en de kinderen neemt hij mee terug naar huis. Hoewel zijn zoon hem wat juffrouw Lang betreft, geruststelde.

Nadat zijn vader is vertrokken, gaat Peter, diep in gedachten de trap op. Voor de deur van de logeerkamer blijft hij talmend staan. Hij weet hoe het is een kamer binnen te gaan, waarin je tevergeefs iemand zoekt die je dierbaar is. Langzaam duwt hij de deur open . . .

Als aan de grond genageld blijft hij staan.
Diep, bijna sidderend haalt hij adem. Lelietjes-van-dalen... Hij zuigt zijn longen vol met de zoete geur die Lineke altijd omgaf...
Hij sluit zijn ogen en dan voelt hij dat ze op hem toezweeft, steeds dichterbij komt ze hem... hij durft zich niet te bewegen, bang als hij is de in nevel gehulde gedaante te verjagen. Hij wil haar naam zeggen, maar niet anders dan een doffe kreun ontsnapt zijn kurkdroge lippen. Hij merkt hoe het zweet op zijn voorhoofd parelt...
„Liefste... lieveling..." Het bloed klopt wild in zijn slapen, doet zijn hart met felle slagen bonzen in zijn borst...
„Lie-ke!"
Peter opent moeizaam zijn ogen. Als iemand die juist ontwaakt kijkt hij verdwaasd om zich heen.
Er is geen witte gedaante. De kamer is leeg. Keurig opgeruimd, op een enkel kledingstuk na.
Hij kijkt ernaar, als verstard.
Achter hem zegt de meewarige stem van mevrouw Lang: „Gunst, meneer Peter, wat is er aan de hand? U ziet zo wit als een doek!"
Van beneden klinkt het heldere stemmetje van Elmie: „Pappie!"
Peter slikt krampachtig.
„Het is de herinnering..." antwoordt hij toonloos. „Ik ging hier binnen. Ik rook de geur van Linekes parfum. U zult die ook nog wel herkennen."
Mevrouw Lang snuift.
Als vergoelijkend zegt ze: „Zusters doen dat zo vaak, iets lenen van elkaar. Daar hoeft u uw schoonzuster niet kwaad om aan te kijken. Het is toch heel gewoon? Nou ja, ze wist, dat u liever niet had, dat ze aan spullen van Lineke kwam. Maar ach, zo erg is dat toch ook weer niet? Dat jumpertje, dat ze deze week droeg, stond haar beslist heel goed. Waarom zou ze niet...?"
„Jumpertje?" Peters ogen staren nog steeds naar de turkooizen vlek op het bruine manoustoeltje...
„Dat, dáár!" wijst Bertha Lang.
Peter doet een paar stappen in de richting van het stoeltje. Met een wilde beweging grist hij het kledingstuk van de stoel. Het is een jumper van mohairwol met een wijde col. Hij ziet Lineke er weer mee in haar handen. Haar lieve, iets verlegen gezichtje. De kwetsbare, bruin-groen gespikkelde ogen. „Vind je hem mooi, Peter?" „Trek hem eens aan. Ik moet hem éérst áánzien."

Een tomeloze drift spuit in hem op. Hier zul je meer van horen, Rosalie! Wat heb ik me in jou vergist! Je bent wel degelijk het ongevoelige, hooghartige wezen, waar ik je tot voor kort voor hield. Ik ben behekst door jouw schoonheid, je mooie lijf. Ik vergat even de binnenkant, dwaas die ik ben. Het komt alleen, omdat ik zoveel liefs en warms en teders zo abrupt missen moest . . .

Mevrouw Lang ontwringt hem het kledingstuk. „Ik zal het een sopje geven en netjes oppersen!" zegt ze kalm. „En komt u dan beneden koffie drinken? Ik zet meteen. U bent helemaal van streek."

„Ik kom zo. Ik wil me nog even verfrissen."

Op de grote slaapkamer trekt hij één van de laadjes open van Linekes toilettafel. Uit een bruin bewerkt bijou-doosje haalt hij een sleutel. Hij steekt hem in het slot van de grote diep-glanzende kleerkast.

Sprakeloos staart hij naar een paar japonnetje die van de hangers zijn gegleden en nu op de bodem van de kast liggen. Een wit-wollen jasje vertoont een lelijke vlek bij de reverskraag. Peter herkent die terra kleur. Het is de tint van Rosalies lippenstift!

Verdriet dringt zijn woede naar de achtergrond. O, Rosalie, hoe kon je? Je hebt me verteld hoeveel moeite je er al mee had om ons huis binnen te gaan, nu je zuster daar niet meer is. Hoe kan ik je nog geloven, als ik met eigen ogen zie, dat je er niet voor terugdeinst zelfs Liekes kleren aan te trekken? Je moet daar zelfs de sleutel voor hebben opgezocht . . .

Ik . . . ach ik heb me vreselijk in jou vergist. Ik moet je dat zo gauw mogelijk zeggen, want met zo'n wantrouwen tussen ons is er immers geen nieuwe start mogelijk voor ons tweeën?

Beneden legt zijn kleine dochter onmiddellijk beslag op hem. Elmie klautert op zijn knie en begraaft haar krullekopje in haar vaders grijs-wit gestreepte trui.

Automatisch beginnen Peters handen het zijdezachte haar te strelen. Dan, in een impuls zet hij Elmie op de grond. Hij tilt Reneetje uit de box en terug in zijn leren stoel, wenkt hij Elmie. „Kom, jij ook prul!" Zo, met de beide kinderen dicht tegen zijn hart, lijkt het alsof ze hen weer heel nabij is: Lineke . . .

Bertha Lang komt binnen met de koffie voor Peter en een bekertje vruchtesap voor de kinderen. Om haar mond speelt een voldaan lachje.

Maar als ze het kopje bij Peter neerzet, op het lage bijzettafeltje, treft haar de trek van pijn op dat aantrekkelijke mannengezicht.

Haastig wendt Bertha haar ogen af van deze smart.
Pas bij de deur durft ze nog een snelle blik te werpen op de jonge weduwnaar.
Hij zit daar, zijn armen om de beide kinderen geslagen. Alsof ze troost zoeken bij elkaar in hun grote verdriet. Met een onvaste stem zegt ze: „Ik zal Gina vanavond sturen. Er zal nog wel verstelwerk liggen of strijkgoed."
Peter schrikt wakker. „Vanavond niet, mevrouw Lang. Ik wil vanavond alleen zijn met mijn kinderen!"
Bertha Lang heeft geen weerwoord. Zelfs een nuchter, beheerst type als zij beseft, dat die drie nu samen moeten zijn. Zonder buitenstaanders. Dit verdriet is van hen drieën.
Maar, o vrouwelijk raffinement, nog vóór Bertha de zware eiken deur achter zich in het slot trekt, verdringt al weer een gevoel van voldaanheid het vage schuldgevoel. Zachtjes in zichzelf prevelt ze haar dooddoener: „In liefde en oorlog . . ." en ze voegt daar in gedachten nog haastig aan toe: „Ik deed het in je eigen belang, Peter Odink. En in dat van Gina. Zij zou een prima vrouw voor jou zijn en een zorgzame moeder voor de kinderen. En ik zou eindelijk ontslagen zijn van mijn belofte aan Ab. Ik zou me helemaal aan Roger Pavard kunnen wijden. Dat filmsterachtige meisje, die Rosalie is niets voor jou. Zij zou zich spoedig vervelen in dit stille bos . . .
Zo sust Bertha Lang haar geweten dat onrust vertoonde, toen ze Peters verslagenheid zag na zijn ontdekking, dat er iemand in Linekes spullen had geneusd.
„Hij had die kleren allang op moeten ruimen. En de rest!" denkt Bertha nuchter. „Wat geeft het om in het verleden te blijven wroeten? Ik heb dezelfde week nog de hele santekraam van Ab weggedaan. Een mens moet leren met de feiten te leven en niet stil blijven staan bij wat geweest is!

HOOFDSTUK 13

Op een stormachtige avond vlak vóór sinterklaas, kondigt het elektrische belletje bezoek voor Rosalie aan.
Ze heeft automatisch meegeteld. Drie keer. Voor haar dus. Ze roetst de trappen af. Ze houdt er niet van, zeker bij avond niet, om aan het touw langs de trapleuning te trekken.

„Trap! Hé, jíj?"
Voor haar staat een lange druipende gestalte gehuld in een nylon regenpak.
„Dag Rosalie. Is jouw broer hier soms?"
„Job? Nee, hoe kom je daarbij? Job woont nog gewoon thuis. Die is druk aan het potten om in het huwelijksbootje te kunnen stappen, volgend jaar."
„O! Ik dacht... hij zit hier nog wel eens een avond met Hanneke. En ik woon hier in de buurt. Het is voor mij gemakkelijker om eerst bij jou langs te gaan."
Jan Dekker, alias Trap, kijkt wat onzeker naar het mooie gezichtje boven de roze jumper.
„Je mag evengoed wel boven komen. Dan maak ik vlug een kop koffie. Ik moet namelijk weg."
„O, maar ik wil je niet ophouden..."
„Onzin. Het komt niet op een kwartier."
Rosalie maakt in haar keukentje een kop oploskoffie voor Trap en zichzelf.
„Koffie, Trap."
„Bedankt. Zeg-ge... Rosalie... noem me maar liever geen Trap meer. Die naam ben ik een beetje ontgroeid. Ik ben al zolang van school."
Rosalie knipoogt plagend naar het jongensachtige sproetengezicht van Jobs schoolkameraad.
„Je lijkt nog geen dag ouder dan toen je met je schooltas samen met Job je huiswerk maakte, op de zolderkamer van Job."
Jan Dekker voelt zich kennelijk niet erg op zijn gemak. Hij schuift met de punt van zijn sportschoen het berberkleedje onder het salontafeltje omhoog en weer terug. Omhoog... Hij durft niet weer op te zien. Maar ook zonder naar Rosalie te kijken, ziet hij die prachtige blauwe poppe-ogen, omkranst door lange zwarte wimpers. Eén van de zeven schoonheden, zeiden ze op school. Ach, hij was de enige niet, die verliefd werd op het mooiste meisje van de hele school. Eén klas lager zat ze dan hij...
Maar niemand lukte het om haar als meisje te krijgen. Hem ook niet. Ze had hem geplaagd, met hem geflirt, maar daar was het bij gebleven. En hij kón deze verliefdheid maar niet te boven komen. Hij kón haar niet vergeten, al was het dan al weer een jaar of vier geleden, dat ze bij elkaar op school zaten.
„Misschien líjk ik nog een schooljongen, ik ben het niet meer, Rosalie!" zegt hij stroef. „Als ik me niet vergis, ben ik zelfs een jaar ouder dan jij. Ik ben net als Job bijna vier en twintig."

„Ik plaagde je maar, Jan. Eigenlijk klinkt Jan ook veel leuker. Stoerder!"

Jan lijkt plotseling moed te vatten.

„Rosalie!" gooit hij er in één adem uit. „Ik kwam helemaal niet voor Job. Ik kom voor jou. Ik houd van jou. Ik ben al jaren gek op je. Dat moet je gemerkt hebben. Ik heb vaak genoeg naar je gunsten gedongen. Ik heb je als een hondje achterna gelopen. Ik . . . ik wil nu eindelijk weten, of jij ook voor mij voelt. Ik word doodziek van die onzekerheid. Soms doe je heel lief en een andere keer ben je weer zo . . . zo uit de hoogte . . . dan durfde ik het je gewoon niet te zeggen . . ."

„Lief?" vraagt Rosalie. „Ach Jan, ik ben me niet bewust dat ik ooit lief tegen jou gedaan heb."

„Wel. Zo net nog. Als je zo plagerig lacht . . . zo . . . ja, dan word ik helemaal warm van binnen. Dan zou ik je zó in m'n armen willen nemen."

Rosalies blauwe ogen glinsteren ineens verdacht.

„Jan!" zegt ze met trillende stem. „Ik wilde wel, dat ik van jou kon houden. Jij bent zo eerlijk. Jij houdt zo ontzettend púúr van mij. Ik voel dat. Maar ik kan niet. Ik mag er dan aardig uitzien, ik ben een rotte appel van binnen, Jan. Jij weet ook wel, hoe ik de laatste jaren geleefd heb. Ik ben geen vrouw voor jou, jongen. Ga naar Marieke, dat is een schat van een kind. Die zou goed bij jou passen, heus. Ze is trouw en ze heeft een lief, warm kloppend hartje. Je hebt gelijk, ik ben eigenlijk maar een hooghartig, egoïstisch schepsel. Ik deug niet voor de liefde, Jan."

Het aardige sproetengezicht van Jan betrekt. „Kun je me geen enkele hoop geven, Rosalie?" vraagt hij, zonder op haar hint wat Marieke betreft in te gaan.

Rosalie schudt heel beslist haar blonde lokken. „Nee, Trap!" zegt ze, opstaand. „En nu moet ik me omkleden. Ik moet nog op visite!"

Jan Dekker gaat ook staan.

„Dus . . ."

„Dág," zegt Rosalie zacht. „Probeer mij te vergeten. Ik ben het niet waard, écht niet. Jij moet een vrouw als . . ."

„Ja, houd maar op. Ik ben mans genoeg om zelf uit te maken, wat voor vrouw ik wil. Dag Rosalie, bedankt voor de koffie."

Rosalie zet voor haar toiletspiegel haar lippen aan. Fel oranjebruin. Ze hoort Peters stem weer door de telefoon: „Op de kraag van Linekes witte manteltje, dat ze kocht, vlak vóór ze verongelukte zat een lelijke plek lipstick. Oranje-bruin. Die kleur droeg Lineke nooit."

Ze kijkt naar de gewraakte stift in haar handen. Dat hij zo maar zonder naar haar weerwoord te luisteren, begint te beschuldigen. Hij had het ook over japonnetjes die verkreukeld op de grond lagen en een mohair jumpertje en sieraden, onder het logeerbed . . .

Jij gaat je gang maar, Peter Odink. Als jij mij bij het minste geringste van iets verdenkt, zit die liefde van jou niet erg diep. Ik heb dat meteen al gevoeld. Je zoekt een vrouw, alleen uit biologische noodzaak. Maar verder wil je niet gaan. De nagedachtenis aan Lineke mag niet worden bezoedeld. Niemand mag zelfs een vinger uitsteken naar haar eigendommen. Het is beslist een beetje absurd, Peter. Jij zult toch wakker moeten worden uit je droom en moeten beseffen, dat je de tijd niet stil kunt zetten, laat staan dat je de tijdklok terug kunt draaien.

Een stevige roffel op haar kamerdeur bewijst dat dit ook voor haarzelf opgaat. Een lachende Ed Veringa kijkt om de hoek. „Dacht ik het niet? Het mooiste meisje van Den Haag zit hier op haar kamer te kniezen in haar eentje. Kom, trek gauw je jas aan. We gaan de gezelligheid opzoeken. Jij ziet er maar betrokken uit de laatste tijd, kindje."

Rosalie kijkt naar haar spiegelbeeld. Ze ziet er inderdaad niet stralend uit. Ze denkt aan Jan Dekker en de vele Jans vóór hem. Ze ziet zijn verdrietige ogen en opnieuw weet ze: ik ben geen vrouw om blijvend lief te hebben. Daar zou hij gauw genoeg achterkomen. Mijn hárt doet nooit mee, als mijn lichaam liefheeft . . .

Ze strijkt nog even, voorzichtig nu, langs haar lippen. Wat zei Peter, dat ik . . . ach, Line-pien, ik zou de aanblik niet eens kunnen verdragen van al jouw vertrouwde dingen . . . laat staan, dat ik je kast zou openmaken om er jouw kleren uit te halen en aan te trekken . . . Maar als iedereen tóch zo'n slechte dunk van mij heeft . . . wat komt het er op aan, als ik mijn leven verder verknoei? Ze vinden mij tóch een slechterik.

Ze knipoogt via de spiegel naar Eds montere gezicht. „Ik ga mee," zegt ze. „Even m'n jas aanschieten."

„Ik wacht op de gang. 'k Moet de mijne ook nog halen."

Rosalie hoort hem voldaan fluiten op de gang en daarna in zijn eigen kamer.

„Papa," hunkert ze, „kon ik nog meer één keertje dicht tegen je aangeleund luisteren naar je eindeloze pianospel. Op de poef, vlak naast je glanzende vleugel . . . Altijd als ik pianomuziek hoor, moet ik aan je denken. En hoe goed wij elkaar begrepen en aanvoelden, al beweerden de zusjes, dat ik alleen om je gaf om mijn zin te krijgen, of een extraatje . . . nee, jij toverde door je klanken het zuivere in mij te voorschijn. Nu jouw melodie voorgoed zwijgt, komen er steeds meer dissonanten in mij op . . .

„Rosa, ben je klaar?" roept Ed.

„Jóeh!"

Stralend is haar lach en haar stem even vrolijk als altijd. Een clown huilt achter zijn masker. Lach dan, Rosa. Maak plezier.

De donkere verwijtende ogen van Peter, de verdrietige van Jan Dekker, ze wíl ze niet meer zien. Niet meer aan hen denken.

En dat lukt haar wonderwel, deze avond, vroeg in december.

HOOFDSTUK 14

Boven de duinen, met de zwevende meeuwen, drijven trage wolkengevaarten. Een bleek-blauwe strook zal spoedig de loodgrijze bank ontmoeten, die van over de zee de eerste regen en wellicht hagel brengen gaat . . .

De oude Jacob van Helden verzadigt zijn ogen aan het grandioze spel van wolken, wind en water.

„Als ik nu mijn palet had," hunkert hij. „Die kleurschakeringen . . . ik schilder toch alweer heel wat jaartjes en nog wist ik niet dat de hemel zoveel tinten blauw en grijs voortbracht."

Eerbied voor de Schepper en een gevoel van kleinheid, afhankelijkheid, nemen bezit van hem.

Minutenlang staart Jacob van Helden naar de witte schuimkoppen, waarmee de golven versierd zijn. Eindelijk dringt het tot hem door dat zijn oude teerschoenen doorweekt zijn en dat hij bezig is zich een ziekte op de hals te halen, door hier langer te blijven staan in die harde noordwester wind.

Hij ziet verwonderd om zich heen. Zover hij zien kan is het strand verlaten op deze decembermorgen.

„Als de mensen eens wat meer langs het strand kuierden, wat meer oog kregen voor de natuur om hen heen, zouden ze heel wat minder kwaaltjes hebben," moppert hij voor zich heen. Hij begint weer tegen de wind op te tornen. Soms staat hij even hijgend stil om naar de zee te kijken. Pas halverwege het duinpad, waaraan zijn huisje gelegen is, komt hem iemand tegen. Het is Rosalie, Jacob herkent haar direct aan haar haren. Die kleur zie je nu eenmaal zelden.

„Opa. Ik was er al bang voor. Als tante Riekje dit weet! Dat u met dit gure weer naar het strand bent gegaan!"

„Lariekoek! Ik ben m'n eigen baas. Daar heeft Riekje zich niet mee te bemoeien. En jij ook niet, kind."

„Pftt. We zeggen het toch voor uw bestwil?"

„Bestwil, bestwil," sputtert opa Van Helden. „Ik kan zelf het beste beoordelen, wat mijn bestwil is. Ik heb genoten, meisje, van die luchten boven zee. Jullie zien alleen maar mooie kleren en smeerseltjes om op je gezicht te schilderen. Ik maak mijn schilderijen liever op een doek."

„Nou maar," zegt Rosalie, gezellig bij opa inhakend, „ik weet zeker, dat sommige aardse genoegens u ook niet onberoerd laten. Snoepen bij voorbeeld."

„Wat heb je meegebracht?" vraagt Jacob likkebaardend.

„Voor straf zeg ik niets. U ziet het wel, als we thuis zijn."

„Hoe gaat het met jou, m'n kind? Ik heb je niet veel gezien, de laatste tijd."

Rosalie toont hem haar gipspols. „Nog steeds keurig ingepakt. Maar ik voel er niet veel meer van."

„Ik doelde niet alleen op die arm van je."

„O." Het klinkt afwerend genoeg. Maar Jacob laat zich niet zo maar uit het veld slaan. Zeker niet door een afwerend antwoord.

„Kom jij God nog weleens tegen, kind?"

„Jakkes opa, wat een antieke vraag! Ik ben naar u toegekomen om gezellig koffie te drinken. Als u begint te preken, had ik beter in Avenue bij mijn collega's kunnen blijven."

„Ik kan het niet over mijn hart verkrijgen, jou zo ongelukkig te zien en net te doen alsof ik het niét merk. Dat is de weg van de minste weerstand en die heb ik mijn hele leven niet gekozen. Dus of het je bevalt of niet: vanmorgen geen leuterpraat, maar open kaart. Soms moet het mes er radicaal in om erger te voorkomen."

Stil gaat het meisje de laatste honderd meter naast de oude man. Ze strijdt een felle strijd van binnen. Zo zielsgraag zou ze eens haar hart uitstorten. Uitspreken wat er is aan zeer, aan eenzaamheid, aan twijfel . . . maar opa . . . hij is al zo oud. In jaren staat hij zover af van haar en haar eigentijdse problemen.

„Kijk," wijst Jacob op een paar meeuwen boven hun hoofd. „Ze drijven op de wind. Ze hoeven zelf nauwelijks één vleugelslag te doen. Zo zou jij ook moeten doen, Rosalie. Je laten drijven op Gods liefde en trouw. Dan zou je nooit zo met jezelf in de knoop zitten, als nu het geval is."

In het huisje is het behaaglijk warm. Warm en gezellig. Ach, wat heeft ze deze knusheid toch gemist. Waaróm heeft ze ook opa en tante Riekje gemeden? Zij staan immers buiten de geschiedenis van thuis? Omdat, weet Rosalie, ze het niet goedkeuren, dat ik zó reageer op moeders tweede huwelijk. Opa zegt altijd precies waar het op staat. Ik voel immers zelf wel, dat het niet goed is, dat ik moeder in deze moeilijke tijd nog eens extra verdriet bezorg. Maar ik kán meneer Feenstra niet accepteren. Net doen alsof er vóór vaders dood niets gepasseerd is. Moet ik dan huichelen? Dat wordt immers al genoeg gedaan? Ze ziet ineens het gezicht weer van de huishoudster van Peters baas: mevrouw Lang. In haar speurde ik direct bij de eerste kennismaking al een onoprechtheid, een gevoel van niet-echt zijn, dat me op mijn hoede deed zijn voor deze vrouw. Ik ben dat méér tegengekomen. Waarom doen mensen zo? Je verliest het vertrouwen in de mensheid op deze manier . . .

Jacob van Helden scharrelt in zijn keukenhoek met koffiemokken en room en suiker. Hij kijkt naar het gebaksdoosje, dat zijn kleindochter achteloos op het keukenbuffet heeft gezet. Nadenkend schuift hij de verlokkelijk uitziende roomhoorns op een schoteltje. Enkele jaren geleden zat zíjn dochter Els hier met een even bedrukt gezicht als háár dochter nú! Anne Feenstra was bij haar en ze tracteerden hem even gul als Rosalie. Tóén al was er een saamhorigheid tussen Els en Anne die een aandachtige toeschouwer wel op móést merken. Jacob weet, dat de kern van Rosalies verdriet juist ligt bij deze innige relatie tussen haar moeder en de vreemde indringer, die de plaats van vader Arno innam. Met éven bevende handen – daaraan merkt hij toch dat hij ouder wordt – schenkt hij de koppen vol.

„Zo, meisje, help jij je oude opa eens met het gebak.”

Rosalie lacht verontschuldigend. „Ik laat u maar tobben.”

Genietend drinken ze de hete, sterke koffie en smullen van het gebak. Ondanks de dreiging van een gesprek, schurkt Rosalie zich behaaglijk in tante Riekjes lage stoeltje . . . „Fijn is het hier toch altijd, opa.”

„Zou je niet zeggen, dat je hier zo graag komt,” meesmuilt Jacob. „Rosalie, ik mijmerde net over jouw moeder . . . weet je, dat zij vorige week een heel zware strijd geleverd heeft? En . . . wat méér zegt: ze heeft die nog gewonnen ook. Nu mag jij me het antwoord geven: wie denk je dat hier een groot aandeel in heeft gehad?”

Rosalie zwijgt. Het zal meneer Feenstra niet zijn, denkt ze bitter. Iedereen wil dat ik die man wenend om de hals val en „vader” stamel. Nóóit, nóóit van mijn leven.

„Nou,” dringt haar opa aan. „Wil je niet weten, waar ik het over heb?”

Rosalie haalt, quasie ongeïnteresseerd, haar schouders op. „Als u het per se kwijt wilt . . ."

„Er was een vioolconcert van ene Anje Keyzer. Zij heeft ook met je vader opgetreden, dat zul je je ongetwijfeld herinneren."

„Ik herinner me haar héél goed, opa. Ik weet, dat moeder haar nooit vergeven heeft, wat er indertijd tussen haar en vader is voorgevallen. Dat is één van de voornaamste redenen, dat ik het moeder kwalijk neem, dat zij zelf met oom . . . met meneer Feenstra aanpapte, terwijl ze hetzelfde in vader en Anje veroordeelde. Zelfs nú nog, nu ze zelf weer in de zevende hemel is."

„Achter bitterheid gaat meestal veel eenzaam verdriet schuil," orakelt Jacob. „Ik wilde je overigens net vertellen, dat jouw moeder juffrouw Keyzer heeft opgewacht na afloop van het concert. Zij heeft haar gecomplimenteerd met haar succes en haar bloemen overhandigd."

„Dat zegt nog niets. Massa's mensen geven bloemen aan iemand die ze in hun hart niet uit kunnen staan . . . waar ze zelfs een gloeiende hekel aan hebben. Zo huichelachtig zíjn mensen!"

Jacob van Helden weifelt tussen zijn recalcitrante kleindochter eens flink de kast uitvegen én het blonde kopje tussen zijn handen nemen en haar dwingen uit te spreken alles wat er huist aan bitterheid in dat jonge hart. Hij kiest tenslotte voor het laatste. „Kind," zegt hij bewogen, „kom eens dicht bij jouw grootvader. Toe, vertel me maar, wat is er dan allemaal, m'n meisje?"

Rosalie vecht nog tegen het restje trots en onafhankelijkheid dat er over is van haar onverschillig pantser. Maar als ze opa's warme stem hoort en kijkt naar de bewogenheid in dat oude, gegroefde gezicht, barst ze uit in een niet te stuiten tranenvloed. Pas veel later, als ze alle eenzaamheid en pijn heeft uitgehuild, legt ze haar hart voor hem open.

Dan tracht Jacob van Helden samen met haar een uitweg te vinden in die doolhof van vragen en problemen waar een jong mensenkind in dreigt te verdwalen. Onhoorbaar smeekt hij zijn hemelse Vader wijsheid en kracht . . .

Pas in de vallende schemering wandelt Rosalie terug naar de bushalte op de boulevard.

Zwijgend verzadigt ze zich aan het rustgevende panorama onder haar: het doorkijkje tussen twee duinen naar het verlaten strand en de zee . . .

Een oranje-bruine wolkenbank markeert de plaats waar de namiddagzon gloeiend onderging . . .

Vlak voor haar, achter het door prikkeldraad afgezette duin, is een groenvink druk in de weer met het leeg eten van de laatste bessen van de duindoorn. Het beestje herinnert Rosalie ineens aan het feit, dat zij terug moet naar huis, om haar eigen maaltijd te bereiden. Anders had ze evengoed aan opa's invitatie gehoor kunnen geven en bij hem en tante Riekje blijven eten. Maar nee, na dat indringende gesprek met opa moet ze alleen zijn. Alleen om te overdenken wat haar te doen staat. Het is immers net, alsof alles nu eindelijk in de juiste volgorde gerangschikt staat! Vragen waar ze nachten van wakker heeft gelegen, lijken geen vragen meer. Verwonderd vraagt Rosalie zich af, hoe het kan bestaan, dat een man van opa's jaren zich zo goed in haar gevoelsleven verplaatsen kan. Dat ze zaken als liefde en sex zonder terughouding met hem heeft kunnen bespreken, het is een groot voorrecht. O, zó oud te worden, hunkert ze.

Er is een ongekende rust in haar. Ik moet een blinddoek hebben voorgehad, dat ik me zo vergiste in de gevoelens van mijn eigen hart. Of . . . wilde ik niet luisteren naar wat mijn hart mij ingaf? Ik weet nu, dat ik liefheb. Ik, de ongenaakbare, Rosalie Bedijn, die iedereen maar een kouwe vond . . .

Een hunkering, een haast om terug te gaan naar dat stille winterbos, ginds, overvalt haar plotseling als een lichamelijke zwakte.

Ze is blij, als ze de gele koplampen van de bus ziet aankomen. Haastig stapt ze in als hij stilhoudt bij de halte. Haar benen lijken verstijfd door de avondvrieskou.

In het oosten klimt de aardschaduw omhoog . . .

Samen met een lichte zoom van hoop: die in het hart van een jong mensenkind.

HOOFDSTUK 15

De week daarop onderneemt Rosalie Bedijn opnieuw de reis naar het kleine Gelderse dorp. Ze heeft haar oudste zuster Lon telefonisch om logies gevraagd. Lon en Tjerk zijn alweer enkele dagen terug van hun vakantietrip en zodoende heeft Rosalie een mooi excuus om terug te gaan naar Lienden. Want sedert het indringende gesprek met opa is er een schroom in haar, die haar belet, om weer even spontaan als de eerste keer bij Peter binnen te vallen met haar koffer.

Hoe zal hij reageren, als ze onverhoeds weer voor zijn neus staat? Zal er nog wantrouwen staan in zijn donkere ogen? Dezelfde gereserveerdheid, die er vroeger was, wanneer ze elkaar ontmoetten?

Dat zou ik niet kunnen verdragen, weet Rosalie. Ook niet, dat hij ontdekt, dat ik van hem ben gaan houden.

Peter . . . mijn hele hart gaat naar je uit, als ik denk, hoe je daar 's nachts in je auto zat, voor je huis . . . zó eenzaam, zó murw door het verdriet om onze Line. En jouw kindertjes . . . ik zou ze zo graag het gemis van een moeder proberen te vergoeden . . . ik ben van die hummels gaan houden, in die paar weken, alsof het mijn eigen pukken zijn. Ik heb nooit geweten, dat ik zoveel om die wurmen gáf. Deze overleggingen spoken door Rosalies hoofd, als ze aanbelt bij Prélude, in de loop van die decembermorgen . . .

Lon Feenstra doet open en een moment later vallen de beide zusters elkaar schreiend in de armen.

Rosalie heeft het vooral te kwaad. Lon brengt Lineke zó dichtbij, zo héél dicht. Hetzelfde wipneusje, dezelfde groenbruine spikkelogen . . . Lineke . . . oh!

„Kom, Rosa, niet huilen. Ik ben veel te blij, dat ik jou weer terugzie. De anderen heb ik allemaal in Den Haag gezien, zondag."

Er is een stil verwijt in Lons stem, maar hartelijk toch, zegt ze: „Kom er gauw in meid, je zult best trek in koffie hebben na die lange reis. Je blijft voorlopig toch? Tjerk moet volgende week weer varen. Hij is vanmorgen juist naar de maatschappij om zich weer present te melden. Ik zal me razend eenzaam voelen, nu Annemiek ook weg is. Prélude is veel te groot voor mij alleen."

„Als ik mag, blijf ik een tijdje. Ik mag pas na Oud en Nieuw weer werken."

Onder het genot van een kopje koffie en een punt eigengemaakte boterkoek – daarin is Lon evenals moeder Els een expert – praten de zusjes over allerlei onderwerpen, behalve die, welke hen het meest bezighouden. Omdat ze elkaar eigenlijk wat zijn ontgroeid, de jaren nadat Lon en Lineke het ouderlijk huis in Den Haag verlieten om in Amsterdam de opleiding voor verpleegkundige te gaan volgen.

Nu voelt Rosalie een drang in haar om deze zuster met haar warm kloppend hart, terug te vinden.

Maar over Peter spreken durft ze niet en ook moeder en meneer Feenstra noemt ze niet. Ze weet, dat Lon dol is op haar schoonvader, die nu – vreemd genoeg – tegelijk haar stiefvader geworden is sinds zijn huwelijk met moeder.

Daarom verhaalt ze van haar onfortuinlijke val, steekt ze in alle toonaarden de loftrompet over de beide nichtjes Elmie en Reneetje, en vertelt ze van haar bezoek aan opa, vorige week. Lon op haar beurt praat enthousiast over haar schitterende reis naar Canada. Over haar vliegdoop en de hartelijke ontvangst ginds in Vancouver bij de familie van een collega van Tjerk . . . „Daardoor was het ook mogelijk, deze reis," zegt Lon eerlijk. „Anders was het ons veel te kostbaar geworden. Zeg, Rosa, ik zal het jou vast verklappen: met Oud en Nieuw wil ik de hele familie hier vragen. Het leek me zo'n mooie afsluiting van dit moeilijke jaar, om dat samen te doen. Ik hoop, dat jij geen spelbreker zult zijn, zus."

Rosalies gezicht krijgt op slag iets afwerends. „Dat weet ik echt nog niet, Lon. Je moet niets forceren."

„Ik hoor het nog wel," zegt Lon met een zucht. „Wanneer wil jij naar het bos? Je weet, dat Peter een andere gezinshulp heeft?"

„Hij vertelde, dat hij daar om had gevraagd."

„Ik ben er maandag meteen even gaan kijken. Nou, ik geloof dat hij boft. Het is niet zo'n piepjonge vrouw, getrouwd en erg lief voor de kinderen. En het huis ziet er keurig uit. Dat is wel eens anders geweest, bij vorige hulpen."

„Fijn voor Peter. Hij heeft het zonder die huishoudelijke beslommeringen al moeilijk genoeg," meent Rosalie warm. Lon ziet de mooie ogen van haar zusje opgloeien, maar ze zegt niets.

's Middags komt er bezoek voor Tjerk en Lon. Nadat Rosalie een kopje thee heeft meegedronken, kondigt ze aan, nu even naar de Waterlelie te willen gaan. „Het is meteen een goede lichaamsbeweging, die wandeling. Ik word anders veel te dik."

Zwager Tjerk schiet in de lach. „Mug," plaagt hij. „Je mag wel oppassen: straks moeten we jou ook zoeken net als een echte mug."

„Zo'n schoonheid zie je niet gemakkelijk over het hoofd," meent de mannelijke helft van het echtpaar, dat op bezoek is, als Rosalie weg is. „Jij bent maar een boffer, kerel. Zo'n schat van een vrouw en beelschone zusters . . ."

„Schoonzusters," verbetert Tjerk. „Hoewel, mijn zus mag er ook best zijn, ze komt misschien het eind van de maand een paar dagen thuis."

Lon hoort het verlangen naar Annemiek in zijn stem. Ze schuift dichter naar hem toe. Ze weet, dat Tjerk zelf dan niet van de partij zal zijn en dat die wetenschap hem nu al pijn doet . . .

Rosalie bestormen de meest tegenstrijdige gevoelens, als ze opnieuw het stille bos betreedt, waarin ook Peters huis verscholen ligt.

Enerzijds struikelen haar voeten bijna door de haast om zo vlug mogelijk terug te zijn in de Waterlelie, anderzijds is er de sterke tegenzin, de pijnlijke confrontatie met Linekes heengaan. Opnieuw zal ze dit gemis weer als een klauw op haar borst voelen drukken.

Als ze dicht de Eikenwal is genaderd, worden haar voeten trager. De gezinshulp is er immers nog? Om half vijf zal ze pas vertrekken, weet Rosalie van Lon. Terwijl ze onzeker haar pas inhoudt, hoort ze ineens haar naam roepen. Ze ziet Will Verheyde tussen de kale stammen door wenken. Ach, waarom niet? Bij de Waterlelie kan ze toch nog niet terecht.

Even later zit ze tegenover hem met een glas witte wijn. „Wat een bof, dat ik je net zag gaan. Ben je al lang terug?"

„Sinds vanmorgen. Ik logeer bij mijn zus en zwager."

„Waarom niet hier, bij Peter?"

Rosalie krijgt een gloeiende kleur bij deze rechtstreekse vraag. Will kijkt haar opmerkzaam aan. „Zóóó," stelt hij nadrukkelijk vast, „staan de zaken er zó voor . . ." Hij trekt de fles met een wilde beweging naar zich toe en vult de glazen nog eens.

Maar Rosalie zegt mat: „Er is niets aan het handje. Peter moet mij helemaal niet meer." En dan, zonder zich af te vragen, waarom ze Will, juist Will, in vertrouwen neemt, vertelt ze van de sieraden en kleren van Lineke en hoe Peter haar door de telefoon verweten heeft ze gebruikt te hebben tijdens zijn afwezigheid.

Will Verheyde is nog krasser in zijn uitspraak dan haar opa. „Dat moet het werk van de geachte dames Lang zijn," zegt hij knarsetandend. „Dat Peter daar niet aan denkt. Dat valt me eerlijk gezegd tegen. Hij heeft kleppen voor de ogen, net als mijn vader. Hij wil ook geen kwaad van hen horen. Maar geen vrouw is zo filantropisch ingesteld, dat ze zich belangeloos zo voor een man inzet. Tenzij er liefde in het spel is."

Will ziet een gevoelig gezichtje, met dromerige spikkelogen: zijn begijntje . . . Hij leegt zijn glas in één lange teug.

„Jij kunt je beter bij witte wijn houden, jongetje. Ik geloof, dat jij veel te veel drinkt," merkt Rosalie schertsend op. Maar er klinkt bezorgdheid door in haar stem.

„Kan het jóú schelen, Rosamunde?"

Even houden zijn hel-blauwe ogen die van het meisje gevangen. Rosalie slaat haar wimpers neer, verward. Ik moet hier weg, denkt ze gejaagd, ik moet naar Peter. Bij hem heb ik dat verwarrende niet.

Ze staat zo haastig op, dat ze met de wijde mouw van haar trui het glas meemaait. Het valt kletterend op een paar vuile pannen, die Will achteloos op de grond heeft gezet, in stukken.

„Ik zal het vergoeden," zegt Rosalie gesmoord.

„Welnee, meisje, zo'n prul van een glas. Wat doe je nu? Je huilt."

„Niet. Niet waar."

Maar Will laat zich niet om de tuin leiden. Hij keert haar niet al te zacht een halve slag om en tilt haar gezicht bij haar eigenzinnige kinnetje omhoog. „Waarom huil je, schat?"

„Om . . . om . . . ach, ik weet het zelf niet. Ik kan helemaal niet meer uit mezelf wijs worden. En opa zei . . ." Ineens houdt ze abrupt op. „Zeg dat nooit meer, Will Verheyde. Ik kan dat van jou niet hebben. Van jou niet."

Als ze verdwenen is, pijnigt Will zijn hersens af met de vraag, wat hij precies tegen haar gezegd heeft. Welk woord zó Rosalies verontwaardiging heeft gewekt. „Ik zei toch alleen . . .," mompelt hij. „Ik vroeg alleen: waarom huil je . . . schat . . . Was het dat, Rosalietje? Ach kind, ik meende het immers met heel m'n hart? Het was geen kooswoordje, dat mij vroeger maar al te grif van de lippen vloeide . . . Rosalie . . . gaat er nu hetzelfde gebeuren als indertijd met Lineke? Moet ik ook jou verliezen gaan aan hem, mijn aartsvijand?"

Een kreun als van pijn ontsnapt Will. O, kon ik me maar laten troosten, zoals jij nu vertroost wordt, begijntje. Bij de eeuwige God, die jou met Zijn Vaderarmen opwachtte, toen je stierf . . . Je hebt me er van verteld, toen je nog bij me was. Maar ik wilde niet luisteren. Het leek zover weg, zo wazig . . . Ik had in die tijd geen God nodig. Ik kon het zelf best af. Plezier en drank . . . sex en je geld met handenvol wegsmijten en niemand verantwoording schuldig zijn van je doen en laten . . . en nu . . . ik ben zo eenzaam, zonder jou, zonder liefde en juist toen ik iemand ontmoette die dezelfde manco's kent, verdwijnt ze spoorslags uit mijn leven . . .

Rosalie is woedend op zichzelf. Omdat ze zich zo slecht in de hand heeft tegenwoordig. Wat moet die pedante rokkenjager wel niet denken van haar? Dat ze toch voor zijn knappe gezicht bezweken is? Wat heeft ze voor bespottelijke dingen gezegd?

Struikelend zoekt ze haar weg tussen de dennen en sparren en groen uitgeslagen stammen van oude eiken.

Achter het kantoor van Roger Pavard komt Rosalie tenslotte uit. Door het raam ziet ze het donkere hoofd van Peter gebogen over een stapel papieren. Naast hem staat Gina. Blijkbaar neemt hij een brief met haar door. Nog is ze niet opgemerkt, maar als ze voorzichtig de zijkant van het gebouw probeert te bereiken, kijkt Gina naar buiten. Heel even ontmoeten hun ogen elkaar. Lang genoeg om Rosalie te verraden, hoe zeer Gina Lang geschrokken is van haar onverwachte terugkomst. Zou ze Peter zeggen, dat zij hier buiten is? Vastbesloten loopt Rosalie naar de voorzijde van het kantoor. Hoewel ze hem liever niet stoort, is ze vast van plan onverhoeds voor zijn neus te staan. Zodat hij geen tijd heeft zijn houding te bepalen. Ze moet zien, of er blijdschap te lezen staat in zijn ogen, als hij haar terugziet. Vlug, misschien heeft Gina nog geen gelegenheid gehad het hem te vertellen . . .

„. . . wanneer deze pompen niet worden geaard, schijnt er geen afzetting van zink op de metaaldelen meer voor te komen. Echter moeten deze pompen dan worden gewikkeld op 24 of 48 volt. Desgewenst kunnen wij voor een transformator zorgen. Punt. Hoogachtend . . . Heb je dat, Gina?"

Gina Lang knikt. Tegelijk met Peter kijkt ze naar de deur, waardoor Rosalie is binnengekomen.

Peter Odink is kennelijk verrast haar zo onverwacht terug te zien. Ook blij? Rosalie ziet dat zijn gezicht meteen weer „in de plooi" staat. „Rosalie," zegt hij opstaand, „hoe kom jij zo uit de lucht vallen?" Om Gina drukt hij haar vormelijk de hand. „Ik loop met je mee. Gina, jij redt het hier wel met die brieven? Zodra je ze klaar hebt, kun je ook wel gaan. Ik kom straks nog terug om te tekenen."

Samen gaan ze naar de overkant. Peter vertelt intussen van zijn nieuwe gezinshulp en Rosalie op haar beurt dat ze een poosje bij Lon en Tjerk logeert. Peter is blij met deze oplossing. Want hij is er nog steeds niet zeker van, welke gevoelens hem naar Rosalie trekken. Hij voelt wel dat ze samen praten moeten, maar tegelijkertijd huivert hij voor een gesprek terug. Hij zal opnieuw onder haar bekoring komen en heel andere dingen zeggen dan zijn verstand hem sommeert . . .

Rosalie denkt intussen koppig: „Hij zal er zelf over moeten beginnen, Peter. Tenslotte heeft hij me van dingen beschuldigd, die ik niet gedaan heb. Die ik door de telefoon ten stelligste heb ontkend. Bah, ik vind het gewoon min, om iemand waarvan je zegt te houden, zó af te snauwen . . ."

De gezinshulp – een aardige, kwieke vrouw van middelbare

leeftijd – heeft haar mantel al aan, als ze achterom komen. Nadat Peter haar aan Rosalie heeft voorgesteld, zegt ze: „U weet: anders kijk ik niet op een kwartiertje. Maar ik heb een afspraak bij de tandarts vanmiddag."

„Gaat u maar gauw," zegt Peter hartelijk. Rosalie kamt voor de halspiegel haar blonde manen. Hij is voor iedereen hartelijk. Behalve voor mij. En voor Will Verheyde. Vreemd toch eigenlijk . . . Zou hij niet weten, hoe Will zich dat aantrekt?

In de kamer is het behaaglijk warm. En keurig opgeruimd. Elmie zit aan haar tafeltje te kleuren. Zelfs het speelhoekje ziet er netjes uit. En Reneetje, in de box, lijkt ook best tevreden met de nieuwe „tante". Maar Elmie komt met een enthousiast gilletje op hen toe. Peter steekt zijn beide armen naar haar uit. Elmie negeert hem echter en vliegt Rosalie om de hals. „Tante Rosie. Ik heb weer een andere tante. Maar ik wil alleen maar jóú."

„Ach, hummel," zegt Rosalie met tranen in haar stem, „die nieuwe tante is toch erg lief? En ze helpt pappie zo fijn met alles als hij aan het werk is . . ."

„Krijg ik niets?" vraagt Peter quasie beledigd. „Jij hebt goede papieren, Rosalie. Ze ziet zelfs haar eigen vader niet."

„Dat is ook wel anders geweest. Deze jongedame is een allemansvriendinnetje. Zie je nu wel: nu is het jouw beurt."

Hijgend en steunend komt Peter uit Elmies onstuimigheid tevoorschijn. „Koffie, Rosalie? Die zet mevrouw de Laar altijd vóór ze weggaat."

„Graag. Als ik ze in mag schenken."

Peter heeft Reneetje uit de box gevist. Met het kleintje op zijn knie informeert hij naar Rosalies pols en daarna naar de familie in Den Haag. „Ik ben onlangs bij opa en tante Riekje geweest. En vóór ik hier heen ging, nog naar de tantes," vertelt Rosalie.

„En thuis?" vraagt Peter terloops. Rosalie schudt haar hoofd. „Daar is het nog niet van gekomen."

„Ook niet met sinterklaas?"

„Ach nee. Moeder heeft daar ook niets aan gedaan, dit jaar. Je begrijpt . . ."

„Ik ben met de kinderen bij mijn ouders geweest," bekent Peter. „Voor de kleintjes moet alles zo gewoon mogelijk doorgaan. Vorig jaar hebben we het nog samen gevierd. Toen leek het weer zo goed met Lineke . . ."

„Het is alweer bijna een jaar . . ."

„Ja."

Er valt een pijnlijke stilte. Rosalie schraapt nerveus haar keel. „Ik moet zo weer eens terug. Ik weet niet hoe laat Lon eet."

„Rosalie," zegt Peter plotseling, „ik ben wéér onhebbelijk geweest, laatst door de telefoon. Het lijkt wel alsof ik dat speciaal tegen jou doe. Maarre . . . weet je, Rosalie: het kwam grotendeels door teleurstelling. Ik heb veel te veel waarde gehecht aan die geschiedenis van die kleren en zo . . . Gewoon omdat ik nog steeds niet hebben kan, dat iemand aan Liekes spulletjes komt. Vergeef het me maar, Rosie."

Met ogen fonkelend van drift staat ze voor hem. „Ik wil er geen woord meer over horen. Jij neemt maar voetstoots aan, dat ik me in Lines kleren gestoken heb toen jij in Frankrijk was. En met haar sieraden heb lopen pronken. Jij beschuldigt mensen zonder eerst grondig na te gaan of het wáár is. Jij valt míj grondig tegen, Peter Odink. Ik ben teruggekomen, omdat ik dacht dat je wel razend spijt zou hebben van de weinig vleiende dingen die je mij naar het hoofd hebt gegooid. Uit mezelf ben ik naar je toegegaan. Omdat ik met je te doen heb, Peter. Ik weet, dat je eenzaam bent en . . . en . . . maar dat geeft je nog niet het recht zo náár tegen mij te doen. Ik heb óók gevoel, al denkt iedereen van niet."

„Maar," stottert Peter, totaal verbouwereerd.

„Nee, Peter. Met zo'n gebrek aan vertrouwen tussen ons kan ik niet verder gaan. Ik . . ." Rosalie kucht zenuwachtig, „ik ga nu naar Lon. Maar ik denk dat ik daar niet blijf. Ik wil jou voorlopig niet meer zien."

„Maar wie . . .?" doet Peter een laatste poging. „Zoek dat zelf maar uit. Jij weet het toch zo goed? En anders vraag je 't m'n opa maar. Die had zelfs al op zo'n afstand door wie hier achter zat. Nou, ajuus, dag kinders!" Opzettelijk ruw klinkt haar stem. Ze geeft de meisjes een aai over hun kruin, terwijl haar hart hunkert om ze tegen zich aan te drukken, Lines kindertjes.

Met fier opgericht hoofd ziet Peter haar voorbij het zijraam gaan even later. Het is al donker buiten, maar Peter weet dat ze nu geen lift van hem accepteren zal. Nu loopt ze alleen door die stille boslanen, denkt hij bezorgd. Mijn schuld! Door mijn drift en achterdocht heb ik het grondig verprutst. Met trillende vingers draait hij het telefoonnummer van zijn vriend Tjerk. In enkele woorden legt hij uit, waarom Rosalie zo hals over kop is vertrokken.

„Klinkt me bekend in de oren," plaagt Tjerk Feenstra aan de andere kant voorzichtig. „Ik heb wel eens meer dergelijke zaken voor jou opgelost, als ik me goed herinner. Maar ik kom eraan. Ik vis haar onderweg wel op. Sterkte, driftkop."

HOOFDSTUK 16

„Waarom huil je, Rosalietje?"

Ook nu realiseert Rosalie zich niet, waarom ze in één ren naar de caravan is gehold. Het laat haar ijskoud of Peter haar heeft zien gaan. Ze heeft maar één gedachte: ik kan nu niet naar Lon en Tjerk, die zo gelukkig zijn met elkaar. Niet nu ik zelf zoveel verdriet heb om wat Peter heeft gezegd. Of liever: wat hij heeft laten dóórschemeren. Hij houdt niet écht van mij. Anders zou hij mij nooit zoveel pijn doen. Bij Will kan ik me zelf zijn. Daar hoef ik me niet groot te houden. Will begrijpt hoe rot ik me nu voel, omdat hij zelf zoveel heeft meegemaakt.

„Waarom?"

„Hij denkt nog steeds dat ik . . .," snikt Rosalie.

„Linekes kleren en parfum . . .," vult Will aan. „De káffer. Rosalie, meid, droog je tranen. Zie je Will Verheyde staan? Deze meneer gaat hoogstpersoonlijk naar de overkant om een zekere Peter Odink te vertellen, hoe de vork in de steel zit. En voorts dat hij zijn handen dicht mag knijpen met zo'n ahum . . . zo'n vrouw als jij."

„Nee, nee Will. Hij kan jouw bloed wel drinken. Alsjeblieft, daar wordt de zaak alleen maar gecompliceerder door. Als hij merkt, dat ik er met jou over gepraat heb . . ."

Will Verheyde trekt zich niets van Rosalies smeekbeden aan. Hij schiet in zijn suède jack en beent naar de Waterlelie. Vastberaden belt hij aan de voordeur.

Peter, in de veronderstelling, dat het Tjerk is, zwaait de deur wijd open. „Heb je haar opgevist?"

„Inderdaad," zegt de stem van zijn aartsvijand.

„Peter wil de deur zonder een woord dichtsmijten, maar Will is daar op bedacht en wurmt zijn voet ertussen.

„Een ogenblikje, graag. Ik kom niet voor mezelf, maar voor Rosalie. Die zit als een hoopje ellende bij mij in de caravan, omdat jij haar van iets beschuldigt, dat het arme kind niet heeft gedaan. Ik weet toevallig, wie dit op zijn, of liever gezegd, haar lever heeft."

„Ik heb jouw leugens nooit geloofd, Verheyde. Spaar ze me dus," zegt Peter ijzig. „En verder vraag ik je nog eens en ditmaal voor het laatst: bemoei je niet met mij. Niet met mij en niet met mijn kinderen. En anders ram ik die mooie tronie van jou in elkaar."

Will ziet de grimmige uitdrukking op het verbeten gezicht van Linekes man. Als een pijnscheut doorzindert het hem dat Peter Odink hem háát.
Verslagen, met vermoeide, onzekere stappen gaat hij terug naar de caravan. Zonder enige uitleg of voorafgaande verklaring loopt hij op het zusje van Lineke af en trekt haar wild in zijn armen.
Zijn lippen schroeien waar hij haar huid raakt en toch zijn ze van een tederheid, die Rosalie zich nog heel veel later herinnert en die haar dan tot troost zal zijn.
„Will, o Will."
„Ja, m'n schat. Kom dicht tegen mij aan. Je bent zo koud."
„Ja. Ik ben koud. Zelfs van binnen voel ik me verkleumd."
„Ik zal je wel warmen," en hij kust haar nog eens en weer . . .
Er is geen wereld meer vol onbegrip, beschuldigingen, haat . . . Er is alleen de veilige beslotenheid van twee armen, van warme lippen, die woorden zeggen, waar je kwetsbare ziel zo naar hunkert . . .
Er is slechts de knusse beslotenheid van een piepklein huis op wielen.

Die avond wachten Lon en Tjerk in Prélude tevergeefs op hun logé. Tegen elven zegt Lon met tranen in haar stem: „Toe, Tjerk, ga haar daar halen."
Tjerk Feenstra schudt vastberaden zijn blonde hoofd. „Geen sprake van. Rosalie is meerderjarig. Ik kan haar daar niet als een klein kind wegslepen."
„Maar die Will is niet vertrouwd met vrouwen. Je weet toch, hoe het indertijd met onze Line is gegaan? Oh en dat nu uitgerekend Rosalie ook weer op hem moet vallen . . ." Lon, de kordate, barst in tranen uit.
„Kom, vrouwtje, maak je niet zo van streek. Dat is helemaal niet goed voor jou. Rosalie woont al jaren zelfstandig. Zij is best in staat op zichzelf te passen. En wat die Will Verheyde betreft: ik geloof, dat hij veranderd is sedert Linekes ongeluk. Dat heeft zijn vader zelf verteld. Ook dat hij heeft gezegd, dat hij razend spijt heeft, dat hij Lineke zo min heeft behandeld."
Lon snuit haar neus in Tjerks zakdoek. „Ik weet het niet," zegt ze gesmoord.
„Ik wel: jij gaat meteen je mandje in. Ik blijf nog een uurtje lezen. Dan ga ik ook."
„Als Peter hoort, dat Rosalie bij Will is." Lon huivert plotseling van nervositeit. „Hij kan zo driftig zijn, Peter."

Tjerk drijft haar onverbiddelijk de trap op.

Midden in de nacht – Tjerk moet boven zijn pocket in slaap zijn gesukkeld – schrikt hij plotseling klaar wakker van lawaai voor de villa.

Gespannen wacht hij of het dichterbij komt. Even later hoort hij gelach en geloop op zij. Vóór men aan kan bellen, staat Tjerk al bij de deur. Hij wil niet, dat Lon wakker wordt. Hij heeft namelijk sterk het vermoeden, dat zijn schoonzusje Rosalie voor de deur staat.

Hij opent de deur op een kiertje; de solide veiligheidsketting laat hij voor de zekerheid stevig op z'n plaats en ja, daar staat in het felle zoeklicht van de buitenlamp een giechelende Rosalie verwoed met haar ogen te knipperen.

„Wa-wat een licht," hikt ze. „Will, kom eens hier. Da-dan kun je ook op de foto. Geef me maar een arm . . . dag zwa-ager, mag ik je mijn aanstaande voorstellen?"

„Rosalie!" In twee toonaarden! Tjerk werpt een niet al te vriendelijke blik over Rosalies hoofd naar de lange gestalte achter haar.

„Wat heeft dit te betekenen, Rosalie? Je bent onze gast en een gast heeft zekere verplichtingen. Lon heeft een hele tijd met het eten op jou zitten wachten."

„Het is mijn schuld, Feenstra." Will Verheyde doet een stap naar voren. Hoewel ook zijn adem naar drank ruikt, maakt hij niet de indruk te veel te hebben gedronken.

„Je had haar niet zoveel mogen geven."

„Nee. Ik weet het. Maar ze was zo overstuur. Ze moet maandenlang op het randje van haar zelfbeheersing hebben gebalanceerd . . . Dicht boven een gapend ravijn."

Tjerk bijt op zijn lip. Dit suggestieve beeld van Rosalie zwevend boven de afgrond is zelfs voor een nuchter type als Tjerk niet erg aangenaam.

„Kom er in, lui," zegt hij zo gewoon mogelijk.

„Nee," schrikt Will. „Het is al zo laat. Rosalie wilde helemaal niet terug. Ik heb haar er bijna toe moeten dwingen."

„Bedankt, Verheyde. Ik ben je er erkentelijk voor, dat je het deed. Al was het alleen voor Lon."

„Is je vrouw in bed?"

Tjerk knikt.

„Nou, goed, heel even dan." Achter Rosalie, die hij naar binnen moet duwen, betreedt hij de hal.

„Sigaret?" vraagt Tjerk, zodra ze zitten. Rosalie half tegen

Will aangeleund – hij moet haar steeds weer overeind zetten – proestlacht. „Wat kijk je streng, Tjerk. Precies je vader ... die kan dat ook. En de hele meute vliegt voor hem en doet precies wat zijne majesteit verlangt ... ze vliegen allemaal voor hem ... oom Anne, oom Anne en nog eens oom Anne ... Ie-iedereen, behalve ik."

Pets. Met een door woede vertrokken gezicht kletst Tjerk haar links en rechts op haar gezicht. Het giechelen gaat geleidelijk-aan over in een zielig huilen ...

„Ze is tipsy," zegt Will nog eens ten overvloede.

„Van mijn vader blijft ze af. Tipsy of niet. Hij heeft het er al moeilijk genoeg mee, met die onverzoenlijkheid van haar. En moeder Els niet minder," briest Tjerk.

Will slaat zijn arm om de schokkende schouders. „Ze heeft verdriet. Ze kan haar vader niet vergeten. En ook de dood van haar zuster heeft ze nog helemaal niet verwerkt."

„Rosalie?" vraagt Tjerk bekommerd. „Rosalie, is dat zo?"

Ze heft langzaam het hoofd met het zilveren haar op, dat nu verward, verdoft, langs haar trieste gezichtje hangt. Op haar wangen twee rode vlekken. Waar Tjerks hand haar geraakt heeft.

Ze ziet hem zo treurig aan, dat hij moet slikken.

„Ik ben de laatste jaren door een hel gegaan. Geestelijk," bekent ze met moeite haar tong bedwingend. Want haar geest lijkt ineens weer helder en klaar te kunnen zien. Het is alsof ze in een kristalhelder bergmeer kijkt ... Ze ziet alles wat ze wilde ontvluchten weer pijnlijk voor zich ...

„Maar kind," weet Tjerk eindelijk niet beter te zeggen. „Je hield ons allemaal op een afstand. Je deed zo koel, zo uit de hoogte ... je wilde niet dat we je hielpen. Je trok je steeds meer terug ..."

„Jullie vergeten ze gauw," klaagt Rosalie. „Papa was nauwelijk dood of je vader stond al klaar om moeder te troosten. Goed, ze hebben keurig een jaar gewacht, maar dat was meer voor de buitenwereld. Die twee hielden al van elkaar vóór vader ziek werd ... en nu ... met Line ... nu gaat het precies zó ... Peter is nog kapot van alles ... hij kan niet hebben dat er zelfs maar met een vinger naar Lines spulletjes wordt gewezen, maar intussen, intussen ..."

Ze begint ineens hartbrekend te snikken.

„Intussen?" herhaalt Tjerk bedaard.

Ze kijkt hem aan, haar blauwe ogen één radeloze poel van vragen en waaroms. „Intussen vraagt hij mij met hem te trouwen.

Terwijl hij niet eens van me houdt."
,,En jij? Houd jij wel van hem?" Tjerks stem verraadt niets van zijn innerlijke onrust. Zijn schrik.
Rosalies ogen dwalen naar Will Verheyde. Ze ziet zijn gespannen blik. Ze haalt haar schouders op. ,,Ik weet het niet meer. Ik geloof niet meer in liefde. Het is me allemaal veel te goedkoop. Te oppervlakkig. Als je elkaar toch zo gauw vergeten bent . . . wat heeft liefde dan voor zin?"
,,Mensenliefde, hoe hecht ook, is maar een bedroevend vage afspiegeling van de liefde, die God ons laat zien in Zijn Zoon die Hij afstond. Om ons met God te verzoenen. Het liefste dat hij had, gaf Hij in handen van moordenaars: de mens die Hij zo goed geschapen had . . . En alles, wat er verkeerd gaat in deze wereld, alle rampen en oorlogen, die het gevolg zijn van ons boze hart, van de haat tegen onze Schepper, waarvan we zelfs het bestaan durven ontkennen, vervult God met een droefheid. Een medelijden, die zijn weerga niet kent. Want wie zou zoveel ontrouw en haat niet straffen met verdelging en ondergang? Hij heeft nog geduld. Omdat Hij ons liefheeft."
Stil hebben ze geluisterd naar Tjerks bewogen woorden. Vooral Will heeft ze oplettend gevolgd.
,,Lineke," zegt hij moeilijk. ,,Zij sprak over dezelfde God. Zij kende Hem ook."
,,Als je wilt, kun je Hem ook leren kennen, Verheyde."
Will Verheyde schraapt zijn keel. ,,Ik . . . hm . . . Je weet niet hoe ik ben. Hoe ik geleefd heb . . . en denk je dan dat God . . .? Zou Hij met míj in zee willen?"
,,Ik weet het zéker. Hij maakt geen uitzondering. Voor niemand. Iedereen mag bij Hem aankloppen."
,,Loop één dezer dagen eens bij me aan," dringt Will. ,,Ik wil hier graag nog eens over dóórpraten."
,,Dat zal dan heel gauw moeten, want ik moet volgende week weer varen."
Ze nemen met een handdruk afscheid. Als twee vrienden.
Achter hem smaalt Rosalies stem schamper: ,,Dat riekt naar een ouderwetse bekering. Gunst, Tjerk, jij kunt zo vréselijk zwaar op de hand zijn. Denk je nu heus dat een vlotte vent als Will hier echt in geïnteresseerd is? Hij had een moment last van z'n rikketikje. Een zwak ogenblik zogezegd. Maar denk maar niet . . ."
,,Vooruit, naar bed jij," sommeert Tjerk streng. ,,En speel je rol van onverschillige niet zó goed, dat iedereéén erin gelooft. Zelfs mij had je bijna om de tuin geleid . . . hoewel ik altijd een

groot vraagteken achter die ivoren toren van jou heb geplaatst."
„Tjerk, de grote mensenkenner," spot Rosalie, voor hem uit de trap oplopend.
„Houd je maar vast," raadt Tjerk gedempt. „Straks moet ik je nog opvangen."
„Dan laat je me toch gewoon vallen? Net als iedereen?"
Tjerk Feenstra zucht maar eens hartgrondig.
Rosalie ligt nog lange tijd te woelen in haar logeerbed.
In de kamer ernaast weet ze Lon en Tjerk, die elkaar écht liefhebben, al haar smadelijke woorden en gedachten ten spijt. En ik? Heb ik lief? Kán ik liefhebben? Ze ziet vele gezichten de revue passeren . . . het laatst dat van Jan Dekker, van Ed Veringa, van Peter en tenslotte dat van Will . . . Als ze denkt aan de voorbije avond samen met hem in de caravan, snikt ze wanhopig . . .

HOOFDSTUK 17

„Deze jongedame was weer eens op stap," zegt Bertha Lang, een huppelende Elmie aan haar hand meevoerend. „Zeg papa maar vlug gedag, dan breng ik je terug naar huis."
Peter Odink kijkt verbolgen op. „Ik heb liever niet, dat u mij hier op kantoor stoort mevrouw Lang."
„Nee. Pardon, maar ik dacht dat u zich misschien zorgen maakte. Om Elmie."
„Ik wíst niet eens, dat ze weg was. Waar zat ze nu weer?"
„In de caravan natuurlijk. Meneer Verheyde schijnt grote aantrekkingskracht te hebben voor Elmie."
„Jij weet zo langzamerhand toch wel, dat je daar niet komen mag Elmie? Papa is héél boos op jou! Je moet eigenlijk een flink pak op je broek hebben, juffie!"
Elmie begint prompt te huilen om Peters barse gezicht en woorden.
„Oom Will is ziek. Hij ligt in bed en hij heeft het koud."
„Kan me niks schelen," tiert Peter. „Vooruit, neem haar mee mevrouw Lang. Ik spreek hier nog wel een hartig woordje over met Elmie."
„Hij zal kou gevat hebben vannacht. Moet hij maar niet hartje winter bij nacht en ontij met uw schoonzuster in het bos rond-

zwalken," teemt Bertha boosaardig. ,,En dan nog wel op zo'n luidruchtige manier. Foei, Gina en ik schrokken er wakker van."

Peters gezicht wordt zo mogelijk nóg strakker.

Zonder nog een woord aan het tweetal te spenderen, buigt hij zich weer over zijn paperassen. Hij is er van overtuigd, dat de anderen woord voor woord gehoord hebben, wat mevrouw Lang zei, al zit hij hier dan in het glazen privékooitje van Pavard.

Dus is ze bij hem gebleven, Rosalie. Ach, het verwondert hem niets. Rosalie heeft het nooit zo nauw genomen met de liefde. Evenals Will Verheyde. Ze zijn wel aan elkaar gewaagd, die twee. Het is maar goed, dat hem bijtijds de ogen zijn opengegaan. Een type als Rosalie zou immers nooit de plaats van Lieke in kunnen nemen?

Elmies pittige snoetje drukt één en al afkeuring uit als mevrouw Lang haar niet al te zachtzinnig terugbrengt naar de Waterlelie. Ze moet het kind bijna slepen. ,,Wil naar oom Will," drenst ze. ,,Oom Will is ziek."

,,Niks ziek. Die slaapt alleen zijn roes uit," snauwt Bertha Lang. ,,Kom kind, doe niet zo vervelend. Hè, jij bent een echte lastpost. Reneetje is véél liever."

,,Niet waar," gilt Elmie. ,,Elmie is ook lief. Jij bent niet lief. En Gina niet en die nieuwe tante niet. Ik wil tante Rosie. En oom Will."

,,Nou, dan ga je daar toch heen?" Bertha Lang geeft het kind onverhoeds een duw, zodat het struikelt over een boomwortel. ,,Toe dan. Ga dan," hitst ze. ,,Misschien willen ze jou wel adopteren. Dat flútstel."

Het kind hoort haar al niet meer. Als een pijl uit de boog schiet ze in de richting van de witte caravan, achter in het bos . . .

Bertha Lang kijkt haar voldaan na.

,,Dat zal nieuwe herrie geven," prevelt ze voldaan. ,,En meneer Peter weet dat nu ook van vannacht. Hij zal zich wel drie keer bedenken, voor hij opnieuw met die mooie juf aanpapt. Gina, m'n kind, je papieren hebben nog nooit zo goed gelegen als vandaag!"

Elmie wipt de treetjes van de caravan op. Net zo'n huisje als van Pipo, denkt ze.

Ze doet het deurtje open en gluurt naar binnen. ,,Oom Will. Oom Will, ik ben weer terug. Heb je nog pijn in je hoofd? Zal ik thee voor je zetten? Kan ik best."

Er komt geen antwoord en daarom gaat ze schoorvoetend

naar binnen. Ze ziet dat de bedbank leeg is. Waar is oom Will? Ze roept en roept, maar er komt geen oom Will. „Hij is even een boodschapje doen," zegt ze voor zich heen. „Elmie gaat thee voor hem zetten. Want oom Will heeft het koud en hij heeft hoofdpijn . . ."

Zoekend kijkt het kind rond naar lucifers. Als ze die niet vinden kan, zet ze maar vast de kraantjes open van het gasstel. Daarna vult ze de waterketel en zoekt opnieuw lucifers. Want zonder vuur gaat het water niet koken, weet Elmie . . .

Als ze geen lucifers kan vinden, gaat ze teleurgesteld terug naar het deurtje. „Ik haal ze stilletjes bij pappie uit de keuken," denkt ze. Net als ze naar buiten wil gaan, ziet ze op één van de plankjes naast de deur een doosje liggen. Met de tong tussen haar lippen strijkt ze voorzichtig een lucifer aan. Het gaat niet. Nog eens probeert ze het en dan lukt het. Maar het zijn zulke gekke korte stokjes. Elmie brandt haar wijsvinger en met een kreet van pijn laat ze hem op de mat vallen. Van pijn en schrik zet ze het daarna op een hollen.

Ze weet, dat ze iets gedaan heeft, waar papa heel erg boos om zal zijn.

Will Verheyde staat achter de leunstoel waarin zijn vader als een hoopje ellende zit. „Waarom ben je niet op kantoor? Wat is er vader? Voel je je niet goed?"

Roger schudt zijn doorgroefde gezicht. „Dat is het niet. Ik hoorde van mevrouw Lang . . . dat ze bij jóú was, die schoonzuster van Peter, vannacht. Weet je niet, dat Peter met haar trouwen wil? Waarom zit jij daar nu weer tussen, jongen? Moet alles dan opnieuw beginnen? Heeft Peter nog niet genoeg narigheid gehad soms? Indertijd al met Ada. Nu schiet jij weer onder zijn duiven. En allemaal, omdat jullie nooit respect voor andermans gevoelens en offervaardigheid is bijgebracht in jullie jeugd. Begrijp je niet, dat ik het als een persoonlijke schuld ervaar tegenover mijn vriend en compagnon?"

„Nee, daar begrijp ik niets van. Ik ben zélf verantwoordelijk voor mijn daden. En Ada ook. Zet dat toch eens uit je hoofd, vader. Jij hebt gedaan wat je kon, van zo'n afstand. Al die jaren door heb je geld gestuurd naar Frankrijk. Ook nu nog, nu wij al lang volwassen zijn en op eigen benen staan. Vader, hoe vaak heb ik niet gezegd, dat jij je niet langer van alles hoeft te ontzeggen voor háár? Monique redt zich wel ginds. Denk je dat zij zich zorgen om jou maakt, vader?"

„Ze is en blijft jouw moeder, jongen."

Wat zei Rosalie vannacht? „Ik geloof niet meer in liefde . . .” Maar het bestaat wel, Rosalietje. Er zijn mensen, die onvoorwaardelijk liefhebben, met een trouw en een volharding, waar je koud van wordt . . . Mijn vader heeft nog altijd lief: het trotse, egoïstische schepsel, dat mijn moeder is . . . Ik kan er niet bij, ik snap het niet, ik veracht hem er om en tegelijkertijd bewonder ik hem enorm.”

Wat zei Rosalies zwager, de zoon van meneer Feenstra? Mensenliefde is maar een flauwe afschaduwing van Gods liefde . . .

„God . . . Waar bent U? Als U mij ziet, als U mij hoort, kom dan, want ik ken de weg naar U niet.”

Hevig geëmotioneerd gaat Will voor het raam staan, dat uitziet op de achtertuin en het kale winterse bos . . .

Dan . . .

Hij slaakt een kreet van ontsteltenis en grote schrik.

„Vader!” roept hij, „de caravan brandt.” Op hetzelfde ogenblik horen ze een enorme knal. Will vliegt naar buiten, met Roger op zijn hielen. Uit het huis van Pavard komt Bertha Lang aangehold. „Elmie,” krijt ze buiten zinnen van angst. „Elmie is daarbinnen. Ik heb haar het trapje op zien gaan.”

„Waarschuw Peter. En de brandweer. De dokter . . .,” schreeuwt Will over zijn schouder.

Achter hem roept de stem van zijn vader hem terug. „Je kunt daar niet binnengaan. Alles staat in lichterlaaie.”

„Het kind,” hijgt Will. „Het kind is immers binnen?”

Het kind van Lineke. Haar vlees en bloed. Will Verheyde bedenkt zich geen ogenblik. Hij grijpt een dweil uit de emmer die Bertha Lang bij de caravan heeft achtergelaten en gooit die over zijn hoofd, wikkelt zijn handen in een paar vochtige werkdoekjes en terwijl een nieuwe schok door het brandende huis op wielen vaart, stort hij zich via het deurtje, dat ook al vonkt en vlamt naar binnen . . .

Met ogen star van ontzetting staren Roger en Bertha Lang naar de vuurzee. Het lijkt uren te duren, hoewel het slechts seconden kunnen zijn, vóór ze hem weer tevoorschijn zien komen. Heel even staat hij grotesk afgetekend tegen de rossige avondlucht: een geblakerde gedaante. Dan, zijn armen maaiend als om in een laatste poging staande te blijven, valt hij voorover het trapje af, kermend van pijn.

Zijn vader is onmiddellijk bij hem. En Bertha Lang en Peter Odink, het overige personeel van Roger Pavard . . . Allemaal zien ze met afgrijzen de bewusteloze, zwaar gewonde man. De natte, lichtbesneeuwde grond dooft de laatste vonken van zijn verschroeide kleren . . .

Tot ineens Peter zich losrukt uit zijn verstarring. Het lijkt alsof nu pas tot hem doordringt, waaróm Will daar binnen is gegaan.

„Elmie," gilt hij, „ik moet haar zoeken."

Hij vecht als een razende om te ontkomen aan armen, die hem belemmeren zich ook te storten in die vlammenzee . . .

Als de brandweer arriveert, valt er voor hen niet veel meer te doen dan de smeulende resten van de caravan of wat daarvan overbleef, te blussen. De zoon van Roger Pavard is dan al in allerijl naar het dichtstbijzijnde ziekenhuis afgevoerd . . .

Elmie heeft zich verstopt tussen roestig tuingereedschap en oude tuinmeubelen onder een half vermolmd afdak, schuin achter de caravan.

Met grote angstogen ziet ze hoe het huisje van oom Will binnen enkele minuten in lichterlaaie staat. De knal bezorgt haar nog meer schrik. Ze slaat haar handjes voor de ogen. „Pappa . . . pappie . . .," snikt ze. Niemand hoort haar. Even later ziet ze oom Will naar binnen hollen. „Elmie is daar!" roept hij.

„Niet waar, ik ben hier," roept Elmie. Maar ook nu gaat haar ijle stemgeluid verloren in die van het brullende vuurmonster . . .

Als ze oom Will uit het vuur tevoorschijn ziet komen, schreeuwt ze van angst. Oom Will is helemaal zwart, net als zwarte Piet.

O, wat is ze bang. Waar is pappa? Zou hij erg boos zijn om wat ze gedaan heeft? Ineens ziet Elmie haar vader staan. Wat doen ze nu? Ze pakken hem vast en houden hem tegen. Wil pappa ook naar het vuur? Nee, nee, dat mag niet. Dan wordt hij net zo zwart als oom Will, die nu stil op de grond ligt. Hij is natuurlijk dood. Net als mammie en Bel, de hond . . .

„Pappie," roept Elmie weer en nu snelt ze uit haar schuilplaats tevoorschijn. Ze rent op haar vader af en drukt zich tegen hem aan.

Peter reageert niet. Het is alsof een verstarring zich van hem heeft meester gemaakt. Na Lineke is hij nu ook zijn dochtertje kwijt. Hij is er altijd bang voor geweest, dat ook zijn kinderen iets zou overkomen . . . sedert hij in dit bos is komen wonen, lijkt alles mis te gaan . . .

Er lijkt een dreiging uit te gaan van dit stille bos . . .

„Pappa, pappa . . ."

„Kom, Odink, ze is terecht. Haar mankeert niets. En voor de zoon van Pavard kunnen we niets meer doen. Ik zal je terugbrengen naar je huis." Een paar buren leiden hem naar de Waterlelie.

Peter laat met zich doen. Hij merkt niet dat een koud handje troost zoekt in zijn grote mannenhand . . . Steeds weer ziet hij die geblakerde man, die zijn leven inzette voor het kind van Lineke en hem . . . Hoort hij de rauwe kreten van pijn . . .

„Het is teveel," zegt Piet Odink, in allerijl gewaarschuwd. „Ik neem mijn zoon en de beide meisjes mee naar huis. Hij heeft een schok gehad. Hij moet hier weg."

Zo is de Waterlelie die avond donker en verlaten.

En Rosalie Bedijn weet nog van niets . . .

HOOFDSTUK 18

De smeekbeden van Lon hebben niet kunnen verhinderen, dat Rosalie de volgende morgen na het koffiedrinken vertrekt. „Toe, Rosa, ik weet, dat je het moeilijk hebt. Dat je stikt in de problemen. Blijf hier nog wat, zodat we er over praten kunnen. Je zult zo alleen zijn, op je kamer."

„Lief van je, Lonneke. Maar ik moet alles toch zelf uitvechten. Daar kan niemand me bij helpen."

„Toch wel," zou Lon willen zeggen, maar ze weet dat het geen geschikt moment is, om dit te zeggen.

Als Lon merkt dat het Rosalie ernst is, helpt ze haar met het pakken van haar koffertje. Tjerk brengt Rosalie naar het busstation. „Bel even, als je goed over bent. Dat is voor Lon een geruststelling," vraagt Tjerk.

„Ik weet niet, of ik rechtstreeks doorga naar mijn kamers." Het klinkt afwerend en afdoende tegelijk.

Tjerk steekt nog even zijn hand op, als Rosalie voor het raampje verschijnt. Met zeer gemengde gevoelens stapt hij weer in zijn auto. Hoe goed begrijpt hij in deze ogenblikken, dat moeder Els haar het problemenkind noemt: Rosalie . . .

In Rosalie gist en borrelt het. Oh, nu niet terug te hoeven naar die kille kamers, waar ze gestoord zal worden door de telefoon, door Ed . . . waar ze weer aan haar zullen rukken en trekken, omdat je nu eenmaal deel uitmaakt van de maatschappij.

Ik wil nadenken, alleen. Ongestoord.

Voor haar oog verrijst ineens een afgelegen boerderijtje: vader Arno's retraîteplaats. Ook hij heeft meermalen behoefte gevoeld, om zich van alles en iedereen terug te trekken.

Als ik daar ook eens een paar dagen zou kunnen blijven, hunkert Rosalie. Ik weet, waar ik dat boerderijtje ongeveer zoeken moet. Het is hier niet ver vandaan . . .

Zonder verder na te denken of haar plannetje uit te spinnen, stapt Rosalie, nadat de bus enkele dorpjes gepasseerd is, zomaar pardoes aan de kant van de weg uit. Ook hier is bos, aan weerszijden van de weg . . .

„Het moet hier in de buurt zijn, mompelt ze. En haar koffer in de ene, haar tas in de andere hand, slaat Rosalie een bosweg in . . .

In het huis aan de Laan van Meerdervoort in Den Haag waar Anne en Els wonen, heerst grote ongerustheid.

„Waar kunnen we haar zoeken?" jammert Els. Ze harkt met haar handen door het kroezende haar, zodat het bijna recht overeind komt te staan.

„Kalm nu liefje, we moeten samen rustig overleggen, óf we iets doen moeten. Rosalie is meerderjarig en op dit ogenblik is er niet meer aan de hand dan dat ze nog niet op haar kamers is aangekomen. Als er in Lienden niet alarm was geslagen, vanwege die caravanbrand, wisten we niet eens waar ze zat. Als Rosalie gewoon hier in Den Haag op kamers is, weet je soms ook dagenlang niet waar ze uithangt, Els."

„Dit is anders. Heel anders, Anne. Lon vertelde dat ze tot over haar oren in de problemen zit. Ze kan wel iets ergs gedaan hebben . . . oh, wie weet wat er gebeurd is. En wij zitten hier maar rustig te overleggen of we iets moeten doen. Als het Annemiek betrof, was je al lang op pad gegaan."

Anne Feenstra, pijnlijk getroffen door de woorden van Els, zegt ingehouden: „Dat was een trap onder de gordel, Els. Dat moet je maar liever niet meer doen."

Els doet er geprikkeld het zwijgen toe. Zonder Anne er in te kennen, draait ze het nummer van Arno's zusters. „Charlotte, met Els. Heb jij enig vermoeden waar Rosalie is? Lon belde vanmorgen even nadat ze uit Lienden vertrokken was. Vanaf vanmiddag heb ik naar haar kamers gebeld. Job is er zelfs heen gegaan. Haar huisgenoot had haar nog niet gezien. Ze had er toch allang en breed kunnen zijn?"

„Het is nu," preciseert Charlottes stem, „zeven over tien. Er komen dus nog treinen binnen. Misschien is ze onderweg ergens uitgestapt. In Utrecht bij voorbeeld. Je weet dat het kind dol op winkelen is. Luister Els, Em en ik houden jullie op de hoogte. Wij wonen dichtbij Rosalie. Dat is geen punt."

„Maar ik wil niet dat jullie zo laat nog de straat opgaan,"

jammert Els. Op dit ogenblik grijpt Anne is. Hij neemt Els de haak zonder meer uit handen en zegt: „Met Anne. Het lijkt mij beter, dat we even naar jullie toekomen. Net wat Els zegt: we kunnen jullie hier niet mee belasten. En we willen onder geen beding, dat jullie door die kou naar Rosalie lopen."

Els begint zenuwachtig haar jas aan te trekken. „Leg even een briefje neer voor de kinderen," verzoekt Anne. „Carry is al naar bed gegaan. Die had hoofdpijn. En Marieke . . . ik dacht dat die met Job mee was naar Trap . . .," bezint Els zich. „Nou ja, ze hebben een sleutel . . ."

Onderweg naar de tantes hangt er een ongewoon stilzwijgen tussen hen. „Anne doorvoelt mijn angst toch minder sterk, omdat het niet om zijn eigen kind gaat," mort Els. „En goedbeschouwd kan hij zich ook niet de ware omvang van mijn smart om Linekes heengaan indenken . . . dit verdriet had ik vast beter, intenser kunnen doormaken met Arno . . . hij was net zo gesteld op Line als ik. En Rosalie . . . om haar zou hij misschien nóg meer angst uitstaan dan ik . . ."

Maar als Anne haar bij het uitstappen behulpzaam is, als hij zorgzaam als altijd haar jas dichtknoopt tot bovenaan haar hals, schaamt Els zich voor haar wrokkende gedachten. Voelt zíj voor Tjerk en Annemiek, hoe graag ze die twee ook mag, hetzelfde als voor haar eigen kinderen? Heeft Anne haar niet enorm door die afschuwelijke tijd na Arno's overlijden heen geholpen en wat een ongelooflijk moeilijk jaar heeft hij nu niet met haar doorgeworsteld? Ze geeft hem pardoes een kus, die ergens op zijn kin terechtkomt. „Sorry Anne," zegt ze gesmoord, „ik heb jou pijn gedaan. En dat verdien je niet. Waarom moeten we altijd de liefste treffen?"

„Omdat liefde tegen een stootje kan," meent Anne monter. „Want ik houd van jou, kleine kattekop."

Emma Bedijn doet open. „Charlotte binnen?" vraagt Anne achterdochtig, vanwege Emma's schuldbewuste gezicht.

„Ze kan ieder ogenblik terugzijn. Ik moest een taxi bellen. Ze wilde stante pede naar Rosalies kamers om te zien of ze al is aangekomen."

Binnen rinkelt de telefoon. Emma verontschuldigt zich en zo blijven Els en Anne alleen achter aan het begin van de lange gang. Onzeker zien ze elkaar aan. Els ziet de humoristische glimpjes in Annes ogen. Ze produceert een beverig lachje. „We hadden niet anders kunnen verwachten. Charlotte is en blijft een akelig kloek wijfje . . ."

Emma steekt even haar hoofd om de kamerdeur. „Het is Tjerk. Hij vraagt of we al iets weten van Rosalie. Hij schijnt zich toch wel bezorgd te maken." Els is meteen weer in mineur. „Oh, dat arme kind. Wie weet waar ze nu zit . . . of ligt . . . ja, er kan toch van alles met zo'n meisje gebeuren? Vooral met zo'n mooi meisje als Rosalie is."

„Ja, dat weten we nu wel." Geërgerd stopt Anne een pijp. „Hamer daar toch niet altijd zo op. Het feit dat Rosalie een knap toetje heeft doet hier niets ter zake. Ik denk, dat jullie daar met elkaar jarenlang zo'n punt van hebben gemaakt, dat Rosalie langzamerhand het idee heeft gekregen, dat ze alleen uit een buitenkant bestaat. Daar kon de hele schoen wel eens wringen. Haar innerlijk heeft ze zorgvuldig voor iedereen verborgen gehouden. Na al die jaren wil ze nu geen inmenging meer. Daarvoor is het te laat, Els."

„Ik ben wat Rosalie betreft, schromelijk tekort geschoten," belijdt Els. „Dat weet ik. Dat heb ik al zo vaak gezegd. Daarom ben ik nu ook zo bang dat er iets met haar is. Omdat ik me verantwoordelijk voel."

Emma gebaart met haar hand. „Anne, jouw zoon wil jou graag even spreken."

Inmiddels horen ze de voordeur en even later komt Charlotte mopperend op de kou en op haar onwillige reumabenen, de kamer in. „Nee, Els, Emma, geen Rosalie. Wel heb ik die medebewoner gesproken. Overdreven beleefd type. Praat mij wat al te enthousiast over Rosalie, als je het mij vraagt. Maar goed: hij wist ook niets. Ze was er niet. We kunnen nog even wachten op de laatste trein uit de richting Utrecht. En dan gaan we slapen en we zien dan morgen wel verder. Rosalie loopt niet in zeven sloten tegelijk, neem dat van mij aan."

„Maar ze heeft problemen," huilt Els. „Anne, jij hebt dat zojuist zelf van Tjerk gehoord."

„Ja. Maar ik heb net als Charlotte vertrouwen in Rosalie. Die komt gewoon weer opdagen, morgen of overmorgen. Misschien hoor je waar ze geweest is. Misschien ook niet."

Els' moederhart steigert. Maar ze zegt niets meer. Evenals Lon en Tjerk de vorige nacht, wachten zij tevergeefs op de terugkeer van Rosalie, het zorgenkind . . .

„Dit moet het zijn," prevelt Rosalie als ze in de kromming van een weggetje een huis ziet met de frisgroen geschilderde luiken. Het staat een eindje van de weg. Vóór in de besneeuwde tuin staat een bord met het opschrift „Boomkwekerij". Ze herinnert zich, hier ooit eens met haar vader te zijn geweest en dat ze toen bij deze kwekerij de weg hebben gevraagd naar het huisje van vaders vroegere studiegenoot. Het bleek pal naast de kweker, nog verder naar achteren te staan, verscholen tussen de bomen en struiken . . .

,,Als hij nu maar thuis is . . . anders is mijn moeite nog tevergeefs . . ."

Rosalie loopt het officiële pad, dat aan het begin wordt aangeduid als ,,wandelgebied". Na enkele tientallen meters is er een klein platgetreden doorgangetje naar het erf van het boerderijtje.

Op het winterse erf ziet ze tot haar grote opluchting een man, gebogen over een oude waterput.

Onzeker loopt ze op hem toe. Als dit Walter Hesmeijer is, hoe zal hij dan reageren, als zij zo maar ongevraagd zijn kluizenaarsbestaan binnendringt?

Pas wanneer ze vlak achter hem staat, schijnt de man haar op te merken. Hij komt met een pijnlijk gezicht uit zijn gebogen houding. Rosalie ziet, dat hij bezig is bamboestokken in de waterput te zetten. Hij heeft een gebruind, niet meer zo heel jong gezicht. De vele rimpeltjes rond mond en ogen verraden, dat hij het leven van de optimistische kant bekijkt en gauw tot lachen bereid is. Zijn ene hand gestut in zijn rug, duwt hij zijn geruite pet naar achteren, zodat ze zwierig op zijn grijze haardos komt te staan . . .

Hij kijkt haar onderzoekend vanonder zijn zware wenkbrauwen aan. Dan barst hij uit in een luide lach, die de winterstilte rondom verdrijft . . .

,,Là-là, een verhoring. De werkelijkheid overtreft mijn stoutste dromen . . . Zo'n mooie vrouw . . . wat brengt u, schone prinses naar mijn nederige woning?"

,,De herinnering aan mijn vader, die ik niet vergeten kan," zegt Rosalie prompt. De man kijkt haar nog scherper aan en dan, in plotseling herkennen, breidt hij zijn armen uit. ,,De dochter van mijn grote vriend . . . dat ik je niet meteen herkende. Onvergeeflijk, voorwaar. Terwijl je zoveel op hem lijkt." Hij kust haar op beide wangen en zichtbaar ontroerd, neemt hij haar arm en leidt haar in de richting van het lage deurtje.

Voor ze binnengaan maakt hij haar opmerkzaam op een kleine dakkapel. ,,Zie je dat raam? Dat was het vroegere mestluik. Er is een pront kamertje van gemaakt. Ik kan nu gasten ontvangen. Jij bent mijn gast, m'n kind. En wees maar niet bang dat de oude Walter zich misdragen zal. Hij is veel te blij met de komst van zijn kleine vriendinnetje . . . Arno Bedijn . . . ja, ja . . . hoelang is het alweer geleden, dat we hem begraven hebben?"

„Twee jaar," zegt Rosalie zacht.

Binnen, waar het vuur behaaglijk brandt, voorziet Walter Hesmeijer haar van een kom gloeiend hete koffie.

„Nu zal ik eerst wat voor je spelen. Een stuk, dat jouw vader hier componeerde en achterliet . . . en jij drinkt intussen je koffie, daar zul je van opknappen. En dan, straks, gaan we eens fijne herinneringen ophalen aan een groot, talentvol pianist . . . jouw vader, Arno Bedijn . . ."

Even later droomt Rosalie weg op de zoete, meeslepende klanken van de vleugel die Arno Bedijn eens inspireerde tot deze tedere melodie, die allengs overgaat in een hartstochtelijke werveling van klanken . . .

Ademloos laat Rosalie zich drijven, wegdrijven op steeds hoger wordende golven van emoties, tot ze bij de laatste akkoorden uitbarst in een wilde huilbui.

Walter Hesmeijer keert zich om op zijn pianokruk. Hij knikt tevreden.

„Zo moest het komen, kind," zegt hij bewogen.

Naast haar zit hij en wacht, tot ze kunnen praten over Arno Bedijn. Hij is Rosalie nooit zo nabij geweest als hier.

HOOFDSTUK 19

In Prélude kijken Lon en Tjerk elkaar bevreemd aan.

Tjerk heeft juist het telefoongesprek met Den Haag beëindigd. „Ik begrijp het niet." Zijn veelgeprezen kalmte lijkt hem nu toch in de steek te laten. „Geen woord over Will Verheyde. Niet over Peter, Elmie . . . van vader valt me dat toch vreselijk tegen. Voor jouw moeder telt alleen Rosalie momenteel, dat kan ik nog plaatsen . . ."

„Zij zijn niet zo bij alles van vanmiddag betrokken als wij. Wij hebben Will gezien . . ." Lon huivert. „Ik heb heel wat narigheid gezien in mijn verpleegstersjaren . . . maar dit . . . Hij moet enorm veel pijn lijden, brandwonden zijn iets verschrikkelijks. En hoe zal hij er uit zien, áls hij hier door komt? Alleen zijn gezicht en handen zijn er nog redelijk afgekomen. Maar de rest . . ."

„Zeg Lon, ik rijd nog even naar de Odinks. Ik wil graag weten, hoe het met Peter is. Ik heb om hem ook zorg. Hij leek zo afwezig, zo star."

„Er moet heel wat in hem omgaan. Will en hij staan nog altijd op voet van oorlog. Als je het niet erg vindt, blijf ik liever hier. Misschien horen we nog iets van Rosalie. Stel je voor dat ze belt, dan is er niemand thuis."

„Ik blijf niet lang weg. Jij moet ook hoognodig naar je bed. Je ziet moe, meisje." Tjerk kust haar als was ze van porselein.

Even breekt Lons zonnige lach door. „Je bent een schat, Tjerkie. Tot straks." Lons gedachten toeven even bij andere zaken. Als we straks allemaal bij elkaar zijn, vertel ik ons nieuws, denkt ze blij.

„Kan ik Peter nog spreken, of is hij al naar bed? Het is niet zo erg vroeg meer," zegt Tjerk gedempt, als Piet Odink aan de deur verschijnt.

„Kom er maar gauw in. Tante Mar is al naar boven. Die is gewoon op. Er is met Peter niets te beginnen. Hij wil nergens over praten. Jongen, Tjerk, als ik hem daar zo zie zitten! Ik zou zo een potje kunnen grienen. Is dat nou die kwajongen die geen zee te hoog was? Die altijd in was voor een lolletje? Jij was altijd serieuzer, jij waakte erover dat hij het niet te bont maakte."

Tjerk laat zich in één van de rieten stoelen vallen, die de gezellige serre bemeubelen. Inderdaad, hier heeft hij samen met Peter heel wat koffie en drankjes verzwolgen. Meestal in gezelschap van een paar verpleegstertjes van het Lichtdal, waar vader Piet en zijn vader werkten. Het gelach was dan niet van de lucht. En altijd was Peter de grote promotor.

„Het komt wel weer goed met Peter. Maar het zal tijd nodig hebben. En eerst zal hij schoon schip moeten maken. Want met wrok en haat in je hart kun je niet happy zijn."

Ze denken allebei aan de zwaargewonde man, die ze op de brancard hebben zien wegvoeren.

„Heb je nog iets gehoord, Tjerk?"

„Ik heb gebeld naar Peters baas. Maar daar krijg ik geen gehoor. Hij blijft natuurlijk in het ziekenhuis. De toestand is heel ernstig, zeiden ze daar in de vooravond. Maar dat weet u, oom Piet."

„Dat zoiets nu eerst moet gebeuren," mompelt Piet Odink. „Dat zie je toch zo vaak in het leven. Eerst moet er iets verschrikkelijks gebeuren, voor een mens de ogen open gaan."

„Ik weet niet, of je het zo moet zien. Of het zo bedoeld is . . ."

„Nou in dit geval wél! Ik heb er Peter dikwijls op gewezen. Dat het zo niet mág. Maar als hij alleen de naam Verheyde al hoort, lijkt er iets in hem te bevriezen."

„Het heeft alles met Lineke te maken. Hij kán Will niet vergeven, dat ze indertijd met hem een korte verhouding heeft gehad. Vóór ze Peter accepteerde. Dat is het oude zeer."

„Nu vergaat hij natuurlijk van zelfverwijt. Nu het wellicht te laat is. Nou, ik zal eens zien, of hij nog aanspreekbaar is. Maar ik moet het wel zachtjes doen. Mijn vrouw heeft haar rust hard nodig. Vanmorgen kwam er een telefoontje uit het Lichtdal, dat Margootje weer ziek is. Dat gebeurt mij tegenwoordig veel te vaak. Ze heeft steeds minder weerstand, lijkt het wel."

Met een kennelijk onwillige Peter komt meneer Odink na een tijdje terug.

„Ja? Wat had je, zo laat nog?" vraagt Peter nors.

Tjerk laat zich niet intimideren. Hij geeft oom Piet een wenk en deze verdwijnt opgelucht. Hij weet ook niet hoe hij deze in zichzelf gekeerde Peter moet aanpakken.

„Ik kom me even overtuigen van jouw welstand," zegt Tjerk. „Jij hebt vanmiddag een beste opdoffer gehad."

„Dat hoef je me niet nog eens te komen vertellen. Dat weet ik zelf veel te goed. Dacht je soms dat ik er niet kapot van ben? Ik zie maar steeds dat afschuwelijke beeld van Verheyde voor me. Dat raak ik in der eeuwigheid niet meer kwijt."

„Nou-nou," doet Tjerk sussend.

„Begin niet te wauwelen," waarschuwt Peter met flitsende ogen. „Dat is het laatste dat ik nu verdragen kan."

„Dat was ik ook niet van plan. Ik wilde alleen zien, hoe het je ging. En je zeggen, dat Lon en ik in gedachten met je meeleven. Maar je kunt ons niet beletten om voor jou te bidden. Om vrede in je hart en vergeving. Want misschien sterft hij deze nacht, de zoon van jouw baas. En dan zou je het nooit meer goed kunnen maken, Peet."

„Hoepel op, man," snauwt Peter met zijn laatste restje zelfbeheersing. „Ga terug naar de vrouw die je aanbidt. Vlieg elkaar in de armen en bid voor mijn part de hele nacht. Wat snappen parkieten als jullie van mijn ellende?"

Tjerk schiet een brok in de keel bij deze woorden.

Zwijgend gaat hij voor Peter uit naar de deur, naar de buitendeur. Daar zegt hij nog: „Je hebt gelijk, wij kunnen jouw ellende niet doorvoelen. Daarom neem ik je deze woorden ook niet kwalijk. Dag Peet."

Peter Odink sluit de deur achter hem. Bijna geruisloos.

Verwezen kijkt hij naar zijn hand, die nog rust op het slot. De knokkels zijn wit, zó krampachtig houdt hij de knop van de deur omklemd.

„Als hij sterft . . . dan kan ik het nooit meer goedmaken," kreunt hij halfluid. Oh, mijn God, dat niet, dat niet . . . dan heb ik hem zelf de dood ingedreven. Met mijn absurde jaloezie, die hem geen aandacht van Elmie gunde. Door het kind te verbieden naar hem toe te gaan, dreef ik haar juist in zijn richting. Ik ken dat immers? Elmie heeft mijn karakter. Ik reageer precies zó."

Hij laat zich bij de eettafel neervallen op een pluchen stoel. Daar huilt hij lang en bitter. Tot vader Piet hem naar boven voert, als was hij nog een kleine jongen.

Vóór zijn werk rijdt Piet Odink de volgende morgen naar het Lienderbos. Hij móét weten, hoe Will Verheyde de nacht heeft doorstaan. Als hij die is doorgekomen.

Het huis van Pavard is echter helemaal donker, maar juist als hij het pad achteruit rijdt met zijn auto, ziet hij mevrouw Lang aankomen. Hij opent het portierraampje en vraagt gedempt: „Heeft u nog iets uit het ziekenhuis gehoord, mevrouw Lang?"

Bertha Lang, één en al bereidwilligheid – de vader van meneer Peter immers – teemt: „Meneer Pavard is bij hem. En zijn moeder en zuster zijn ook opgeroepen. Die moeten helemaal uit Frankrijk komen, dus dat zal nog wel even duren."

„Hoe is het met Verheyde?"

„Ze durfden hem niet meer naar het brandwondencentrum te vervoeren, daar was hij te ernstig voor. Bovendien . . . als de familie opgeroepen wordt . . . dat lijkt niet best, dunkt mij zo."

„Bedankt," zegt Piet Odink kortaf en draait het raampje weer dicht.

Hij kan nu eenmaal niet veel sympathie opbrengen voor die óver-lievige huishoudster van Pavard. Evenals voor haar dochter Gina.

Tot koffietijd houdt Peter het uit in zijn ouderlijk huis. Dan ziet moeder Mar hem ineens zijn jas van de kapstok grissen. „Ik ga aan het werk," roept hij en is meteen verdwenen. Hij heeft niet eens naar Reneetje omgekeken, denkt ze bekommerd. En Elmie is ook maar zonder afscheid te nemen zo met Piet meegegaan naar school. Ach, waar moet dit toch allemaal op uitdraaien? En het leek allemaal zo mooi. Een sprookje. Ik weet nog hoe ze hier samen stonden, die eerste keer, Peter en Lineke. Zo stralend. Zo jong en vol verwachtingen en idealen . . . Ineens is er ook een ánder beeld: van haar zoon Peter, toen hij thuiskwam, na een hond te hebben aangereden. Mar Odink weet nog, hoe Peter toen om haar heen drentelde en ijsbeerde, tot hij tenslotte zijn jas greep en terugging naar het bos, om de bazin van het hondje op te zoeken en zijn spijt te betuigen . . . Toen ging het om een hond. Nu . . .

Mars gezicht klaart op. Jij gaat helemaal niet aan het werk, Peet. Jij gaat eindelijk de stem van je hart volgen.

Overspoeld door emoties gaat Mar in haar eigen stoeltje zitten. Ze voelt zich duizelig en beverig en toch is er weer hoop in haar hart. Geluidloos bidt ze voor de man, die, zichzelf niet achtend, een brandende oven binnenging, om hun Elmie te redden . . .

In een impuls tilt ze Reneetje uit de box en met het kind in haar armen toeft ze geruime tijd bij hen, die ze liefheeft. Onderwijl het kleine meisje wiegend zoals ze dat jarenlang haar eigen meisje heeft gedaan.

In een onbezonnen hoog tempo legt Peter de afstand af naar het streekziekenhuis, zo'n vijftien kilometer buiten Lienden. Als hij er nog slechts enkele kilometers van verwijderd is, dwingt een politieporsche hem tot stoppen. Nadat hij heeft uitgelegd dat hij op weg is naar een zwaargewonde, mag hij doorrijden, echter met de bepaling het kalmer aan te doen.

Gelukkig bereikt hij zonder ongelukken de hoofdingang van het ziekenhuis. Bij de portier vraagt hij of hij bij Verheyde kan worden toegelaten. Na een telefoontje schudt de man ontkennend zijn hoofd. „Hij verkeert in shocktoestand. U mag wel even naar de familie. Ze zitten in een kleine wachtkamer. Om de beurt zijn ze bij hem."

Na enkele minuten staat Peter tegenover zijn vroegere verloofde, Ada Verheyde.

„Peter." Hij ziet in haar rood-beschreide ogen. Haar gezwollen gezicht.

„Dag Ada. Hoe kom jij hier al zo vlug?"

„Ik was hier toevallig. In le Pâturage. Dat doe ik wel vaker, dat weet je. Maman is ook gewaarschuwd. Ze kan er vanmiddag zijn."

„Hoe is het met hem?"

„Oh, Peter! Het is zo ontzettend! Zijn gezicht! En hoe hij lijdt . . . ik . . . ik kan het niet aanzien," jammert Wills zuster.

„Weet je hoe het gebeurd is?" vraagt Peter gespannen. De jonge vrouw knikt.

„Hij dacht dat jouw dochtertje in de caravan was. Hij wilde haar eruit halen."

Peter beweegt zijn lippen. Eén-, tweemaal. Maar nog wil het hem niet over de lippen. Waaróm hij hier is. Dat het zo moeilijk is, zo onménselijk zwaar.

Ada Verheyde kijkt naar de man, die eens zo'n grote plaats in haar hart innam. Om hem ging ze terug naar Frankrijk, naar mamam. Om hem te vergeten . . . Het is haar niet gelukt, beseft ze deze ogenblikken. Ondanks haar eigen smart, kan ze de zijne niet aanzien. Ze kijkt naar de deur, waardoor haar vader verdween. De deur die haar vrees inboezemt, omdat hij open kan gaan om een verpletterende boodschap dóór te laten.

Na een poosje komt Pavard binnen. In deze ene nacht is hij jaren ouder geworden. Maar als hij Peter ziet, lijkt hij toch even te ontspannen.

„Ik ben blij jou hier te zien, jongen. Will heeft naar jou gevraagd. Naar jou en naar Rosalie."

Peter wordt één en al afweer. „Ik kwam alleen om te informeren," mompelt hij dof. „Niet om . . ."

„Will vráágt naar jou," dringt Roger. „Je mag niet weigeren . . ."

Als in een droom gaat Ada hem vóór naar het kamertje aan de overzijde van de gang. Bij de deur trekt ze zich als een schichtig haasje terug. „Er is een verpleegster bij hem," fluistert ze in zijn rug.

Dan staat Peter naast het bed van zijn vroegere varensgezel. Wills handen en zijn gezicht zijn ingezwachteld, de rest is verborgen onder een dek, dat zijn lichaam niet raakt. Alleen zijn ogen kijken Peter aan, met zoveel pijn, nee, ontzétting, dat hij er van weg móét kijken.

De zuster gebaart hem naast het hoofdeinde plaats te nemen.

Wanneer hij daar zit, als een zoutpilaar, onbeweeglijk, versteend, voelt hij plotseling hoe een hand naar de zijne tast.

„Vergeving . . .," kreunt een stem. Peter staart als in trance naar die witte verbonden hand. Die getast heeft naar zíjn kind. Die lijdt, onnoemelijk lijdt, omwille van het kind van Lineke en hem . . .

Ineens is het niet moeilijk meer. Met een uiterst behoedzaam gebaar schuift hij zijn sterke bruine hand onder die van Will en legt hem terug op het smetteloze dek.

„Jij moet míj vergeven, Will Verheyde. Ik sta zo diep bij jou in de schuld. Zo diep. En ik besefte het niet. Zeg dat je mij alles vergeeft: mijn kleinzielige jaloezie. Waar alles uit voortkwam . . ."

„Omdat we allebei van haar hielden," het is niet meer dan een zucht, maar Peter heeft het toch verstaan.
„Ja! Jij net zo goed als ik. Ik gunde haar jou niet. En Elmie niet en Rosalie niet . . ."
De patiënt beweegt onrustig. „Rosalie," zegt hij uitgeput.
„Moet ze komen? Bedoel je dat?" Will knikt nauw merkbaar.
„Ik zal m'n best doen."
De zuster gebaart Peter nu weg te gaan.
„Is alles tussen ons in orde," vraagt Peter nog een keer dringend.
„Alles . . . in orde . . .," herhaalt Will.
Na een laatste lange blik verlaat Peter Odink de ziekenkamer.

Op de gang wacht Ada hem op. „Peter, ik moet je iets bekennen."
„Nu niet," zegt Peter gehaast. „Je broer wil iemand spreken. Ik heb hem beloofd haar hier te brengen."
„Het móét," zegt Ada half in tranen. „Nu niet. Je hebt alle tijd gehad om mij te spreken, vóór dit met Will gebeurde. Dan had je toen maar moeten komen. Ik moet nu eerst proberen Rosalie hier te krijgen."
Met gehaaste stappen gaat hij naar zijn baas, om hem het één en ander uit te leggen. Daarna rijdt hij regelrecht naar Prélude, in de veronderstelling, dat Rosalie daar nog is.
Lon vertelt in een paar woorden van Rosalies overijlde vertrek, de vorige dag. „Waarom heeft Tjerk me dat gisteravond niet verteld?" verwondert Peter zich. „Misschien hebben jullie het over andere dingen gehad."
„Mmm, ja, dat moet wel." Peter is ineens weer bij de aanleiding van zijn komst naar Prélude bepaald. „Ik kom zojuist uit het ziekenhuis. Will vraagt naar Rosalie. Zodoende."
„Je bent . . . ben je bij hem geweest?" Er klinkt iets juichends door in Lons stem. Peter hoort het direct. „Hij is er beroerd aan toe. Zijn nieren geven het op, vertelde de specialist."
„Het moet wel heel ernstig zijn. Anders hadden ze hem wel vervoerd naar een brandwondencentrum," meent Lon deskundig. „Wat verschrikkelijk toch. Weten ze al hoe de brand is ontstaan?"
„Mevrouw Lang houdt vol, dat Elmie in de caravan is geweest. Misschien weet Elmie er meer van. Maar het kind was gisteren totaal van streek. Net als wij allemaal. Apropos: waar is Tjerk?
Lon aarzelt een ogenblik. Dan zegt ze toch maar: „Ook naar het ziekenhuis. Will heeft, toen hij Rosalie terugbracht, gevraagd of

Tjerk eens met hem praten wilde. Door Lineke is hij kennelijk toch na gaan denken over kardinale levensvragen."

Peter zweeft als vanouds al een cynisch antwoord op de lippen. „Will Verheyde en nádenken over levensvragen. Het idee alleen al!" Maar dan ziet hij de zwaargewonde man, waar hij nota bene juist vandaan komt. Waar hij in het zicht van de dood eindelijk vrede mee heeft gesloten. Nu blijkt hoe gebrekkig zijn vergeving is. In zijn hart wantrouwt hij zelfs nu nog de oprechtheid van Wills bedoelingen . . .

„Heb jij geen enkel idee, waar Rosalie nu is? Volgens jou is ze dus niet in Den Haag?"

„Ik zal nog eens naar huis bellen. Dan weet jij het meteen."

Ook dáár heeft men nog geen levensteken van haar gekregen en zo keert Peter onverrichterzake naar zijn ouderlijk huis terug.

Als Tjerk in het ziekenhuis arriveert, wordt hij niet bij de patiënt toegelaten. Will Verheyde verkeert weer in shocktoestand en is momenteel niet in staat te praten. Maar het móét! denkt Tjerk Feenstra wanhopig. Straks glijdt hij weg in de eeuwigheid en ik heb nog niet met hem gesproken. Waarom heb ik dat nooit eerder gedaan. Ik of iemand anders? Heeft niemand geweten, dat Will met deze vragen rondliep? De enige die hem vertelde van de God van leven en dood was Lineke. Door háár woorden is hij na gaan denken . . .

Terneergeslagen gaat hij terug naar Lon. Om hem af te leiden, vertelt ze van Peters bezoek. En van haar telefoontje naar Den Haag.

„Gek toch, niemand heeft enige notie waar Rosalie is. Zelfs jouw vader niet."

Tjerk staart in gedachten naar Lons donkerblonde hoofd. Speels als vederlichte veertjes liggen de lokken om haar gezichtje. Zachter is dat geworden, de laatste tijd. En haar ogen stralen als sterren . . .

Wat houd ik veel van haar. Hoe zwaar zou het mij vallen, om voorgoed van haar te moeten scheiden, piekert hij. Door Lineke ben ik veel bewuster gaan leven. Dingen die ik daarvóór heel vanzelfsprekend vond, zie ik nu als iets heel bijzonders . . . Dat ís leven ook. Ieder leven, in welk pril stadium ook, is iets unieks, een wonder . . . Maar ook dit tere liefdeswonder dreigt door mensendenken, door mensenhanden te worden gewurgd . . .

Tjerk moet haar even in zijn armen nemen en daarna behoedzaam op zijn knie zetten. „Lonneke, lieveling . . ."

Even vergeten ze alles om hen heen. Hun liefde staat als een

geweldige troost en bescherming tussen hen en de harde realiteit.
Dan, ineens, zet Tjerk zijn vrouw weer op eigen benen.
„Ik geloof dat ik weet waar Rosalie is," zegt hij. En, in een verwondering om deze ontdekking: „Ik denk, omdat ik even heel sterk bepaald werd bij onze liefde, Lon. Liefde zoekt de ander. Zoekt troost bij de ander. En als die ander er niet meer is . . . dan bij iemand die jouw heimwee naar de ander begrijpt."
Lon ziet Tjerk níét begrijpend aan. „Je koeterwaalt, mannetje."
„Ik denk," zegt Tjerk opspringend, „dat Rosalie dezelfde oase opgezocht heeft als haar vader indertijd. Toe, Lon, vertel me vlug: hoe kom ik daar?"

HOOFDSTUK 20

Met groeiende ontzetting heeft Rosalie geluisterd naar de boodschap, waarmee Tjerk de boerderij van Walter Hesmeijer binnenstapte. Pas later, in de auto, vraagt ze gesmoord: „Hoe wist jij dat ik hier was, bij vaders vroegere studievriend?"
„Ik begreep het, toen ik me jouw gemoedstoestand probeerde in te denken. Heb je goed met hem kunnen praten, meisje?"
„Ja. O ja. Ik moest naar hem toe, Tjerk. Hij heeft m'n vaders laatste stuk, dat hij daar in die boerderij componeerde, voorgespeeld. Toen wist ik hoe vader hier geworsteld heeft om tot een beslissing te komen. Al zijn gedachten en gevoelens heeft hij in die melodie vertolkt. Hij heeft zijn ziel voor me blootgelegd als het ware . . ."
Zwijgend leggen ze het laatste stuk af. Dichtbij het ziekenhuis overvalt Rosalie een grote angst. „Ik durf niet, Tjerk."
„Jawel. Hij heeft naar jou gevraagd. Je mag zo'n verzoek van een zwaargewonde niet weigeren."
Zijn arm om haar schouder, leidt hij haar door de hoofdingang. In de hal stuiten ze op Peter. Hij heeft Elmie bij zich. Hij toont zich erg verrast als hij Tjerk en Rosalie ontwaart.
Vormelijk drukken Peter en Rosalie elkaar de hand. Hun laatste ontmoeting staat plotseling als een barrière tussen hen. Rosalie treft het pijnlijk hem hier terug te zien. Zou hij nu ineens wél naar Will toegaan, nu dit verschrikkelijke gepasseerd is? Heeft hij eindelijk last van wroeging? Nou, voor haar is dat dan

net precies te laat. Bij haar hoeft Peter tenminste niet meer met zijn spijt aan te komen.

Maar als ze zijn donkere ogen ontmoet, die om begrip schijnen te sméken, hurkt ze haastig bij het kleine meisje neer. „Elmie," zegt ze verrast, „wat heb jij daar? Bloemetjes?"

„Voor oom Will. Die is ziek." Het kinderstemmetje klinkt ijl in deze grote ruimte.

„Will heeft vanmorgen liggen ijlen. Hij had het steeds over Elmie," vertelde meneer Pavard. „Daarom dacht ik . . . hij had ook al tevergeefs om jou gevraagd, Rosalie."

„Ik ben er nu. Zal ik Elmie even meenemen en om een hoekje laten kijken, als dat mag?"

„Als het niet te naar is. Ik bedoel: voor Elmie."

„Wacht hier maar," neemt Tjerk de leiding. „Jij bent immers al bij hem geweest? Ik zal Rosalie de weg wijzen."

Peter blijft alleen achter. Hij slentert naar de zithoek en grijpt een tijdschrift. Maar onafgebroken cirkelen zijn gedachten om de tragische gebeurtenis van de vorige dag.

Rosalie laat het kind haar tuiltje bloemen op het bed leggen, dichtbij de verbonden handen van de patiënt. „Zeg nu maar: dag oom Will."

„Dag oom Will. Slaap maar lekker," zingt Elmies stemmetje door de steriele stilte.

Heeft hij haar gehoord? Zijn hoofd beweegt onrustig. „Elmie . . .," meent Rosalie op te vangen. Ze buigt zich over hem heen. „Elmie is hier, Will. En ik ook: Rosalie." Haar stem klinkt gesmoord en het bloed suist in haar oren. Ze is ook vreselijk van hem geschrokken. Ze kan niet bevatten dat dit dezelfde is als de man, die haar twee dagen geleden heeft gekoesterd en getroost . . .

Op haar tenen loopt ze terug met het kind. Op de gang neemt Tjerk haar over. „Ik zal haar terugbrengen naar Peter en dan kom ik jou halen."

Alleen is Rosalie nu met hem. Een verpleegster komt om de hoek kijken. „U moet nu weer gaan," vermaant ze. „Alleen naaste familie. Of bent u dat ook?"

Rosalie schudt van „nee". Maar als ze zich nog even dicht over Will heenbuigt, tast hij naar haar hand. „Jij bent het aller-naast," zegt hij met een gebroken stem. Hij heeft dus gehoord, wat de zuster zei. Hij kijkt haar helder aan. „Rosalietje."

Ze snikt het ineens uit. „Niet huilen . . . om mij. Ik wilde je alleen zeggen dat het liefde was . . . niet minder."

Rosalie streelt oneindig teder de verbonden hand. „Dat weet ik. Dat vóélde ik, Will."
De zuster maant tot afscheid nemen.
Dat doet Rosalie, met een wanhopige laatste blik op de gewonde.
„Heb je veel pijn, Will?"
„Veel pijn. Maar nog meer angst."
Rosalie knikt haastig. „Tjerk Feenstra komt zo bij je. Als je bent uitgerust. Hij zal met je praten," zegt Rosalie en dan ijlt ze weg. Het lijkt een vlucht en dat is het ook. Want zijn angst kan ze niet wegnemen. Zelf is ze immers één kluwen vragen?
Tjerk wacht haar al op. Hij wil haar meenemen naar het wachtkamertje, waar Wills vader en zuster zijn. Waar ieder ogenblik ook Wills moeder zal verschijnen, naar ze hopen.
Rosalie geeft echter te kennen meteen terug te willen gaan naar Den Haag. Ze heeft hier immers niets meer te zoeken? Het verdriet moet ze toch zelf verwerken. Wie zou haar daarbij kunnen helpen?
Beneden loopt ze meteen door naar de uitgang. Ze heeft geen zin om Peter opnieuw te ontmoeten.

Pas als Rosalie de brede stoep af is en zich bezint op de vraag hoe ze hier zo snel mogelijk weg kan komen, schijnt de omvang van de tragedie rond Will Verheyde in volle omvang tot haar door te dringen. Het ging allemaal te snel. Ze heeft amper tijd gehad om Tjerks onheilsboodschap tot zich door te laten dringen. Ook de verbonden man in het vreemd hoge bed leek een boze droom. Maar nu, in het helle zonlicht, flitst het als een dolksteek door haar hart en denken: „Ik heb zojuist afscheid genomen van hem. Ik zie hem nóóit terug."
Tranen druppelen langs haar bleke gezichtje. Haar schouders schokken van een ongekend verdriet. Mensen, op weg naar het ziekenhuis, kijken steels naar haar. Het deert haar niet. „Will . . . o Will."
Maar als ze het trottoir heeft bereikt en in de richting van de abri loopt, voelt Rosalie plotseling een arm om haar schouder. Ze draait zich om, in fel verzet. Omdat ze meent, dat het Peter is.
„Ik . . . néé," zegt ze heftig. Dan kijkt ze in het bewogen gezicht van Anne Feenstra. Ze ziet de zorg om haar levensgroot in zijn ogen en met een kreet als van een gewond dier, drukt ze haar gezicht tegen zijn schouder.
„Oom Anne, ik heb zoveel verdriet."
„Dat weet ik toch, kind? Daarom ben ik toch hierheen geko-

men?" sust hij, haar haren strelend. Met zachte drang neemt hij haar mee, naar de parkeerplaats. ,,Kom," zegt hij, ,,moeder wacht in de auto."

,,Mag ik . . . gaan we . . ." klappertandt Rosalie.

,,Jij mag het zeggen, Rosalie."

,,Naar huis," verzucht ze, als een bang, dodelijk vermoeid kind. Want nooit eerder heeft haar het ouderlijk huis in Den Haag zo'n veilige vesting geleken als nu, in haar grote ontreddering.

Anne Feenstra vraagt niet verder. Hij weet, dat Rosalie nu niet haar kamers bedoelt. Ondanks alle zorg zingt er een oneindige vreugde in zijn hart. Omdat Rosalie eindelijk bij hem thuiskomt. En als hij denkt aan moeder Els, dan wakkert zijn blijdschap aan tot een machtig vreugdevuur . . .

Wanneer Will Verheyde ligt opgebaard, het tuiltje lelietjes van zijn kleine vriendinnetje tussen zijn handen gevouwen, nemen ze één voor één afscheid van hem.

In Tjerk Feenstra gist en borrelt het. Toen hij bij Will werd toegelaten, lag hij weer in coma. Hij heeft geen enkel woord met hem kunnen spreken. En Will had hem nog zó gevraagd te vertellen over God, die hij niet kende. Waarom, o waarom heeft hij dat niet eerder gedaan? Maar misschien . . . ach, als mensen falen, kan God zelf toch ingrijpen? Zich bekendmaken? Met een heel onvoldaan gevoel gaat Tjerk naar Rotterdam, om daar aan te monsteren voor de reis, die zijn laatste worden zal.

Roger Pavard is ontroostbaar, evenals Wills moeder en zuster. Roger herbeleeft steeds het moment, waarop Will zijn beide ouders aan zijn bed vond. Ziet hij weer hoe zijn jongen met uiterste krachtsinspanning hun beide handen samenbracht: die van zijn vader en zijn moeder over die van hem. Zoals hij dat zo dikwijls gewenst moet hebben, als kleine jongen, als puber, als man. Pas op zijn sterfbed ging die jongensdroom in vervulling. Het is slechts een momentopname geweest.

Na de begrafenis keert Monique Verheyde terug naar het luchtige, zonnige zuiden. Daar zal ze proberen deze nachtmerrie zo spoedig mogelijk uit haar hoofd en hart te bannen, weet Roger. Maar zijn dochter Ada geeft te kennen bij hem te willen blijven, voorlopig. ,,Ik heb het Will beloofd," zegt ze mat. ,,Mamam heeft afleiding genoeg. Maar jij zult zo eenzaam zijn, vader."

,,Er is geen caravan meer," merkt Roger timide op. ,,Ik kom

bij jou, vader. Er is toch ruimte genoeg voor ons tweeën? Alleen . . . ik zou willen dat je het huis verkocht, of verhuurde. Ik zou het liefst in Lienden zelf wonen. Ik zou niet iedere dag tegen die plek aan kunnen kijken, waar dat gebeurd is, met Will. Toe, vader, dat is voor jou ook niet goed. Dit bos heeft iets beklemmends, vind ik."

Roger, zielsblij met Ada's beslissing, laat haar de vrije hand en zo betrekken ze half januari al een aardig huis, betrekkelijk nieuw, in de nieuwe buitenwijk van het dorp Lienden . . .

Peter Odink loopt met soorgelijke gevoelens rond. Hij heeft er echter nog niet met zijn baas over gesproken. Maar meer en meer neemt de gedachte bezit van hem: ik moet hier weg. Weg uit het huis en de omgeving die zoveel herinnering oproept aan wat voorgoed voorbij is. Hier zal ik altijd leven met Lineke en Will voor ogen. Ik voel hen bijna tastbaar om mij heen. Ik kan geen afstand nemen en dat zal moeten. In de eerste plaats voor Elmie en Reneetje . . . Maar . . . hoe kan hij een nieuwe toekomst opbouwen in de Waterlelie?

Roger reikt Peter zelf de oplossing, al is het met een bekommerd hart. Hij is zich in de loop der jaren aan Peter gaan hechten als aan een zoon. Ook wat het werk betreft zijn ze precies op elkaar ingespeeld. Hij heeft zelfs met het plan rondgelopen, binnen afzienbare tijd het technisch bureau over te dragen aan zijn compagnon.

Nu zegt hij, als hij Peter op de hoogte gebracht heeft van zijn eigen verhuisplannen: „Jij zou ook je vleugels uit moeten slaan. Ik heb erover gedacht, jongen: voel jij niet voor de tegelfabriek in Salernes? Je weet, dat die eigendom is van mijn ouders. Vader heeft het toezicht al jaren aan mij overgelaten. Meneer Rijswijk, de huidige directeur, gaat binnenkort met pensioen. Denk er eens over na. Je kunt ook eerst met mijn vader praten. Al is hij midden tachtig, hij zal je nog alle mogelijke gegevens kunnen verstrekken. Hij heeft altijd op de hoogte willen blijven van de fabriek, sinds hij terug is in Nederland."

Peter heeft verrast geluisterd. De leiding over die kleine fabriek, ginds in het zonnige Frankrijk? Het duizelt hem een beetje. Meermalen is hij daar geweest. Ook met Lineke enkele keren. Zij was ook enthousiast over de schitterende omgeving, de vele bloemen en het heerlijke klimaat. Maar nooit had ze daar voorgoed neer willen strijken, weet Peter. Nu liggen de zaken anders. Om de kinderen hoeft hij het niet te laten. Zij zullen binnen de kortste tijd Frans brabbelen en daar hun vriendjes vinden. In het Lienderbos hebben ze eigenlijk altijd erg geïsoleerd gewoond. Maar . . . hij zal niet alléén naar Frankrijk kunnen vertrekken. Hij zal ginds een vrouw moeten hebben. Een moeder voor zijn kinderen.

Al deze dingen spoken door Peters hoofd, nadat Roger hem het voorstel heeft gedaan. Ineens zegt hij: „Maar hoe moet het hier dan, als ik op uw voorstel in zou gaan?"

Roger haalt, wat moedeloos, de schouders op. „Komt tijd, komt raad." Maar Peter denkt ineens aan Tjerk, die al zo lang bezig is een geschikte baan aan wal te vinden. Vooral nu Lon een baby verwacht. De laatste avond van het jaar, toen de hele familie bijeen was in Prélude, hebben Tjerk en Lon hun nieuws verteld.

Hij attendeert Roger op Tjerk Feenstra. Eerlijk zegt hij, dat hij meent, dat Tjerk meer in zijn mars heeft, dan het kleine bureau van Roger Pavard te runnen. Hij heeft heel wat diploma's in de wacht gesleept. Aan de andere kant: hij zou de zaak uit kunnen breiden. Tjerk is een geboren organisator. En hij zal er best een veer voor willen laten, als hij dichter bij huis een baan kan vinden."

Roger Pavard neemt nog die zelfde dag contact op met Lon. En na Tjerks kustreis, als hij nog een paar dagen thuis is, omdat het schip in Rotterdam moet lossen, wordt de zaak beklonken: Tjerk Feenstra zal Peters plaats innemen en deze zal zich zo spoedig mogelijk in proberen te werken, ginds. Ook zal Peter uitzien naar geschikte woonruimte, zodat hij zijn beide kinderen over kan laten komen, die nu zolang bij Peters ouders zijn ondergebracht.

Het is inmiddels februari geworden, als Peter afreist naar Frankrijk, uitgeleide gedaan door zijn ouders en de twee meisjes.

„Ik hoop gauw terug te zijn. Ik kan helemaal niet zolang zonder jullie," zegt hij gesmoord, hen één voor één omhelzend.

Maar als ze, ieder met een kleindochter op de arm, weer naar binnengaan, bromt Piet Odink tevreden: „Het moest zo komen, Martje. Onze jongen zal daarginds een nieuwe weg in kunnen slaan. Dat heeft hij nodig. Hij is nog jong. Veel te jong om altijd in de schaduw van het verleden te leven."

Mar knikt instemmend. Ook zij is blij met Peters besluit. Al zal ze hem verschrikkelijk missen.

Alsof haar man haar gedachten raadt, belooft hij: „Zodra hij daar woont, gaan we hem opzoeken. Denk je eens in, Martje, de zon schijnt er praktisch het hele jaar."

„Ik kan daar nu al naar verlangen. Alleen . . . hoe moet dat gaan, daarginds met de kinderen?"
„Ook dat zal goedkomen," meent Piet Odink optimistisch.

HOOFDSTUK 21

Ada Verheyde bladert verveeld in een Frans modetijdschrift, dat haar moeder haar heeft toegestuurd vanuit Frankrijk. Nu de drukte rond de verhuizing achter de rug is en haar vader een klein, maar geriefelijk huis aan de rand van het mooie dorp Lienden bewoont, nu begint de stilte te knagen. Ze mist de vrolijkheid, het vertier, dat zolang een belangrijk deel van haar dagen in beslag heeft genomen. Hier is geen, of weinig afleiding. Ze zou het liefst weer iets om handen hebben, maar de banen liggen in de verzorgende sector beslist niet voor het opscheppen, al heeft ze dan de nodige diploma's. Ze is er te lang tussenuit geweest. Zou ze Lon eens polsen? Die werkt nog steeds in het Lichtdal. Maar ze zal er binnen afzienbare tijd wel een punt achter zetten, vanwege de baby.

Met Lon heeft Ada de oude vriendschapsbanden weer aangeknoopt. Ze hebben toch enkele jaren samen op kamers gewoond tijdens hun verpleegstersopleiding en ze kon het indertijd goed met Lon vinden. Beter dan met Lineke. Zodra Ada aan Lons verongelukte zuster denkt, bespringt haar weer de onrust. Nog steeds loopt ze rond met een geheim, dat ze Peter had willen opbiechten, in de schrik om haar broer Will. Nu denkt ze: het is maar goed, dat ik het niet heb gedaan. Ik zou het voorgoed bij Peter hebben verbruid. Sedert Peter naar Salernes is vertrokken, flakkert de hoop op een hernieuwde band tussen Peter en haar weer op. Misschien . . . O, wat zou ze graag teruggaan naar dat heerlijke zonnige plekje. Het moet ginds alweer lente zijn . . . Terwijl hier . . . Een nevelige, kille winterdag kijkt haar somber aan. Resoluut staat Ada op. Ze verzorgt haar gezicht, haar haren. Ze kleedt zich in één van haar modieuze pakjes en zoekt een bijpassend paar schoenen en tas. Even overweegt ze met de auto te gaan, maar een wandelingetje zal haar goeddoen, ze zit hier veel te veel te luieren. En zover is het tenslotte niet naar Prélude.

Ada treft het in zoverre, dat Lon wel thuis is, maar ze heeft bezoek van haar opa uit Den Haag. Hij is door dochter Riekje gebracht en zal na een paar dagen weer door zijn schoonzoon Anne worden opgehaald.

Nou, enfin, zo'n oude man, denkt Ada, als ze hem een hand geeft. Ik kan evengoed bij Lon informeren of ze nog iets voor mij weet in het Lichtdal. Daar werkt Peters vader nog altijd en met hem kon ik aardig overweg indertijd. En dan langs mijn neus eens informeren naar Peter. Misschien nodigt meneer Odink mij wel uit. Peters kinderen zijn immers bij hem gelogeerd, zolang hij ginds nog geen huis heeft?

„Ada Verheyde . . .," zegt de oude heer peinzend. „Was u niet . . . bent u niet korte tijd verloofd geweest met Peter Odink?"

„Inderdaad."

„Ik herinner het me. Zo . . . en u woont nu weer hier, in Lienden?"

„Ja. Bij mijn vader. Sinds mijn broer overleden is. Vader kon erg moeilijk over die schok heenkomen."

„Dat begrijpen wij heel goed, niet Lon? Als je zelf iets dergelijks hebt meegemaakt . . . U hebt Lineke natuurlijk ook goed gekend?"

Ada schuifelt onrustig op haar stoel. De heldere ogen van Lons opa lijken dwars door haar heen te zien. Bijna griezelig. Alsof hij wéét, wat ik nooit verteld heb, denkt Ada. Als ze haar kopje leeg heeft, staat ze gejaagd op. „Ik heb nog wat boodschappen te doen," verontschuldigt ze zich. „Kom weer eens gauw aan, Lon. Als je fut hebt tenminste. Ik heb niet eens gevraagd, hoe het met jou gaat."

„Prima. Ik kan mijn baan nog best aan. 's Middags heb ik nog genoeg tijd voor het huishouden. En ik heb een hulpje voor twee morgens in de week. Daar heeft Tjerk voor gezorgd, voor hij wegging. Zeg, je weet toch dat dit zijn laatste reis is? Hij gaat immers Peter vervangen, straks?"

„Ja, natuurlijk weet ik dat van vader." Ada moet even slikken. Ze weet dat het vaders liefste wens was dat Will eens zijn opvolger zou worden. Maar de gedachte aan Will duwt ze het liefst ver weg. Ze wil niet herinnerd worden aan die vreselijke dagen . . .

Lon laat haar vroegere vriendin uit. Gek, sinds dat met Lineke gebeurd is, heb ik geen enkele behoefte meer, om het oude contact te herstellen. Omdat ik weet, dat Ada en Lineke elkaar niet lagen.

Ze onderkent dit vooroordeel bij haar zelf. Daarom zegt ze

hartelijk: „Kom maar gerust, als je je verveelt. En als ik iets voor je weet, geef ik je meteen een seintje. Tenminste: als het je ernst is. Vroeger was je niet zo gecharmeerd van mijn patiënten in het Lichtdal, weet ik nog."

Over Ada's mooie gezicht kruipt een rose waas. „Nu denk ik daar heel anders over," zegt ze haastig. Met een armzwaai neemt ze afscheid. Lon kijkt haar peinzend na.

„Lon," informeert de oude Jacob van Helden, „vertel jij me eens: waar kan ik die vroegere huishoudster van meneer Pavard vinden? Woont ze nog steeds daar in dat bos?"

Lon kijkt haar opa verbouwereerd aan. „Mevrouw Lang? Wat moet ú daar mee?"

„Tut-tut, dat zijn mijn zaken, meisje. Ik vroeg je alleen om haar adres."

„Ze woont nog steeds in De Wuit. U weet wel opa, waar dat oude vrouwtje woonde, die toen zo eenzaam gestorven is. Peter heeft haar hond meegenomen."

„Bel. Prima waakhond was dat voor Lineke. Ja, dat weet ik nog best. Doe me een lol Lon en speculeer niet steeds op mijn kersepit. Het werkt hierboven nog prima. Iedereen schijnt te denken dat ouderdom en onnozelheid hand in hand gaan."

„Hé, opa, zo heb ik het helemaal niet bedoeld. Maar u heeft zoveel aan uw hoofd. U leeft met iedereen mee en we zijn met zo'n koppel. Is het zo gek, dat er dan weleens wat doorgaat?"

„Bij mij niet," zegt Jacob gedecideerd.

„Ik wil u wel even brengen," belooft Lon, „zegt u maar wanneer u er heen wilt."

„Nou . . . eh . . . meteen maar? Van uitstel komt vaak afstel en morgenvroeg ben jij aan het werk. Morgenmiddag is er misschien wel weer wat anders. Jij schijnt nu eenmaal mensen aan te trekken, kind. En dat is natuurlijk heel goed in jouw omstandigheden, maar mij komt dat nu niet erg van pas. Ik moet die dame namelijk nog altijd iets vragen."

Lon zelf vraagt maar niet verder. Als opa niets los wil laten, dan is dat zijn zaak.

Zo komt het, dat Bertha Lang die middag een auto ziet stoppen voor De Wuit, waar een bejaarde heer uitstapt, die met besliste stappen op het huisje toeloopt.

„Mevrouw Lang? Mijn naam is Van Helden. Ik ben de grootvader van Lineke, de vrouw van Peter Odink."

De gebrilde ogen van Bertha Lang lopen vol achterdocht. „Jaa? En wat wilt u van mij?"

„Ik zou graag even met u praten." Onwrikbaar staat hij daar: zijn hoed een tikkeltje schuin op de ruige witte haren. De jas nonchalant open. Een vitale oude heer, bruisend van energie, niet van zins weg te gaan. Bertha ziet het aan de vastberaden blik die hij onafgebroken op haar gezicht houdt. Nerveus zegt ze: „Even dan. Ik heb niet veel tijd op het ogenblik."

„Nee, u zult het wel druk hebben. U bent toch de huishoudster van meneer Pavard?"

„Niet meer." Bertha's stem klinkt stroef. „Maar dat zult u wel weten."

„Ik weet, dat meneer Pavard sinds kort in het dorp woont. Maar het zou toch heel goed mogelijk zijn, dat u daar nu voor hem zorgt?"

„Zijn dochter woont bij hem."

„Juist. Ja, die heb ik ontmoet bij mijn kleindochter Lon. Een aantrekkelijke jonge vrouw, die dochter van meneer Pavard."

Bertha Lang trekt niet al te zachtzinnig een stoel onder de eettafel uit. „Als u een ogenblik wilt zitten?"

„Graag. Ik wilde u een vraag stellen, mevrouw Lang. Dat heb ik al eerder willen doen, maar ik was niet in de gelegenheid. Ik woon aan de kust. Ik ben hier niet zo dikwijls. Waarom heeft u geprobeerd om tussen Peter en Rosalie te stoken?"

„Hhhh?"

„Kom, kom, mevrouw Lang. Toen Rosalie bij me kwam met het verhaal, dat Peter ontzettend boos geworden was, omdat zij kleding en sieraden van haar overleden zuster zou hebben gedragen, dacht ik meteen: dat is niets voor Rosalie. Ik liet mijn gedachten hier eens rustig over gaan en toen kwam ik automatisch bij u terecht. U had een sleutel. Plus een dochter, die u graag aan de man wilt brengen."

Het gezicht van Bertha Lang wordt rood. „U bent erg grof, meneer Van Helden."

Jacob van Helden beaamt dit volmondig. „Ja. Als je het zo hoort zeggen, klinkt het inderdaad niet aardig. Maar dat was uw geïntrigeer ook niet. Bovendien bent u er niets mee opgeschoten. Peter zit nu nog alleen in Frankrijk, maar dat zal niet voor lange tijd zijn."

„Bedoelt u . . .," stottert Bertha Lang, uit haar rol vallend. „Is uw kleindochter Rosalie . . . gaat zij nu toch . . .?"

„Rosalie of . . . nee, ik praat niet verder. Maar úw dochter is het in geen geval! Al heeft ze nóg zo toegewijd gezorgd voor Peter en de kinderen. Ik heb ginds in Den Haag meer dan eens over haar gehoord in positieve zin. Ik heb dan ook gedacht dat het inderdaad uw dochter zou worden, die de lege plaats in het gezinnetje van Peter Odink in zou gaan nemen, te zijner tijd. Maar toen begon u zich ermee te bemoeien en dat heeft helaas averechts gewerkt."

„Ik weet dat u aan die blonde zuster denkt van meneer Will," snauwt Bertha Lang. Haar ogen flikkeren boosaardig als ze, zich naar Jacob overbuigend sist: „Ik heb steeds mijn mond gehouden, over die dag, toen uw kleindochter Lineke verongelukte. Maar nu . . . als meneer Peter weet, wat er precies gepasseerd is, toen, dan kijkt hij die mooie juffrouw Verheyde nooit van zijn leven meer aan. En ik zal zorgen dat dat gebeurt."

Bertha's stem slaat over van emotie. Ze wiegt haar lange bovenlichaam heen en weer, als in lichamelijke pijn.

„U was daar, toen Lineke verongelukte."

„Ja. Ik had haar in grote haast de Waterlelie zien verlaten en omdat ze zolang ziek was geweest . . . u begrijpt . . . ik maakte mij zorgen, waar ze zo vroeg in de middag heen ging. Meestal rustte ze om die tijd, tegelijk met de kleintjes."

„U ging haar achterna."

Weer knikt Bertha, als in trance.

„Ze snelde het bospad af. Keek op noch om. Pas bij de drukke verkeersweg hield ze stil. Ze keek naar beide kanten of er geen auto's aankwamen en sloeg aan de overkant het pad in dat naar le Pâturage leidt. Toen begreep ik, dat ze daar iemand zou ontmoeten. En ja, een paar honderd meter verderop zag ik ineens iemand tussen de bomen. Ik hield me schuil achter een hoge berg boomstammen en takken en wachtte af. Maar er kwam niemand. Wel zag ik vanuit de richting van le Pâturage iemand komen. Het was de zoon van meneer Pavard. Toen ze elkaar genaderd waren, zag ik, dat ze nogal vreemd deden. Ik bedoel . . ., ze stonden maar te staren en daarna praatten ze wat en toen . . ." Bertha Lang wrijft nerveus met haar benige hand over het rode pluchen tafelkleed.

„Toen?" vraagt Jacob gespannen.

„Toen kusten ze elkaar. Ze stonden zo een tijdje, daar aan de kant van dat pad. Tot Lineke zich ineens omkeerde en terug begon te lopen."

„Hoe, gewoon, of op een holletje?"

„Gewoon. Nou ja, ze liep wel snel, net als eerst. Maar niet op een holletje."

„Wat gebeurde er daarna?"

„Dichtbij de weg, misschien enkele tientallen meters er vanaf, kwam ineens de zuster van meneer Will uit de struiken te voor-

schijn. Ik sloop dichterbij, want ik voelde, dat ze had staan spioneren."
„Net als u."
„Ja, maar ik deed het uit ongerustheid."
„Goed. En toen?"
„Ze snelde op Lineke toe en riep: „Jammer voor jou, dat ik dit net moest zien. Wat gemeen, om Will nog altijd op sleeptouw te houden! Terwijl je weet dat hij écht om je geeft. Ik vraag me af, wat die Peter van jou hiervan zeggen zal, als ik hem zo meteen vertel wat jij hier hebt uitgespookt."
Over Jacobs gegroefde gezicht trekt een vermoeide waas. „Ik vermoedde al zoiets."
„Ja. Lineke zei – en ze huilde, hoorde ik – als je dan zo precies gezien hebt, wat er gebeurde, heb je óók kunnen horen, wat we zeiden. Will vroeg of ik hem vergeven wilde, wat er tussen ons was voorgevallen. Dat heb ik gedaan en daarna gaf ik hem een kus."
„Denk je dat Peter dat geloven zal?" tartte die slang.
„Dat moet, dat móét," riep Lineke en toen vloog ze het pad af en zonder uit te kijken stak ze pardoes de weg over. En . . ."
„Ja, ja," zegt Jacob haastig. „Ik hoop, dat u een juiste weergave heeft gegeven van die vreselijke gebeurtenis. Jammer, dat u niet eerder verteld hebt, wat u gezien hebt. Het is nu wat laat, vindt u niet? Ik neem aan, dat u dacht ook híer op de één of andere manier uw voordeel mee te kunnen doen. U moet proberen het met de waarheid niet op een akkoordje te gooien, maar eerlijk in het leven te staan."
„Wat gaat u nu doen?" informeert Bertha angstig.
„Daar moet ik nog eens rustig over denken. Evenals over die oneerlijkheid waar het Rosalie betreft."
Bertha knijpt haar dunne lippen op elkaar. „Daarover laat ik me niet uit."
Jacob van Helden staat op. „Misschien mag ik hier even telefoneren naar mijn kleindochter? Dan kan ze me weer ophalen."
„Gaat uw gang." De vrouw grijpt een verstelwerkje van de tafel en hanteert zwijgend naald en draad. Ook Jacob doet er het zwijgen toe, tot hij Lon ziet komen.
Er valt tussen hen immers niets meer te zeggen? Ja, misschien toch nog iets.
„Ik hoop dat u uw geweten niet in slaap sust met allerhande verontschuldigingen, mevrouw Lang. Ieder mens moet zich verantwoorden voor zijn daden tegenover God."
Bertha Lang uit een vreselijke vloek, die haar onvrede, haar

onrust vertolken. „Ik geloof in geen God en ik wil er in mijn huis niets over horen. Ik heb u niet gevraagd hier te komen en u met mijn privézaken te bemoeien. U hóéft me geen God op te dringen. Daar heb ik niet de minste behoefte aan."

Jacob van Helden volstaat met zwierig zijn hoed af te nemen. Maar in zijn fel blauwe ogen schittert het verdacht, ziet Lon, als ze het portier voor hem openhoudt.

„Opa," zegt ze bezorgd, „wat is er? Je trilt helemaal."

„Breng me maar gauw terug naar jouw huis, kind. En maak me dan maar een kop sterke koffie klaar. Daar heb ik nog nooit zo naar gesnakt als nu."

„Ik héb al gezet, opa. Ik dacht wel, dat je daar behoefte aan zou hebben."

De zon breekt alweer door op Jacobs gezicht. „Dat kind van jou," zegt hij met zijn oude veerkracht, „dat krijgt een pracht moeder aan jou."

„Maar ook een pracht van een overgrootvader," meent Lon ondeugend.

„Ik hoop het te beleven, m'n kind. Wat zal dát een voorrecht zijn: om mijn achterkleinzoon in mijn armen te houden."

„Of achterkleindochter," plaagt Lon. Maar Jacob van Helden veinst haar niet te horen.

HOOFDSTUK 22

„Rosalie, Rosalie, ik ben zo blij als ik jou zie," galmt Ed Veringa achter de dichte deur van Rosalies kamer. Rosalie glimlacht flauw. Ze wrijft haar pols, die na een dag wassen en föhnen en rollers draaien altijd nog wat pijnlijk en stijf aanvoelt. Malle Ed. Denkt zeker haar op deze manier te kunnen opmonteren. Maar ze kan zich niet opschroeven tot een vrolijkheid die er niet is. Te dikwijls toeven haar gedachten nog bij Will. Bij Peter . . . Morgen weet ze, is het precies een jaar geleden van Lineke. Zou Peter overkomen? Vast wel. Hij is alweer een paar weken van huis en zal erg naar Elmie en Reneetje verlangen. Ook . . . naar haar? Ze weet het niet. Ze weet niet eens, of zij dat nog zou willen, na alles wat gepasseerd is. Na dat met Will. Met een toegeeflijk lachje herinnert ze zich het gesprek met opa, enkele maanden geleden. Ik onderschat zijn schranderheid heus niet, maar hij heeft zich wél schromelijk vergist, waar het Peter betreft. Nu ik Peter een poosje niet heb gezien, vergeet ik de misverstanden tussen ons. Vergeet ik, dat er steeds kortsluiting tussen ons was. Dan weet ik alleen dat er een zekere aantrekkingskracht is, tussen ons. Ja, die is er onmiskenbaar... Maar... is dat genoeg? Is het voldoende om uit te kunnen groeien tot iets duurzaams?

Zou ik toch nog eens met opa praten? vraagt Rosalie zich af. Hoewel het contact met moeder en oom Anne is hersteld en ze nu geregeld een vrije dag of een weekeind in haar ouderlijk huis doorbrengt, is ze toch niet echt vertrouwelijk met hen. Ze weet het, het hindert haar, maar blijkbaar heeft ze hen té lang buiten haar hartsgeheimen gesloten, om hen daar nu nog in binnen te laten...

Tram en bus brengen haar binnen een half uur in het duinhuisje van opa en tante Riekje. Als altijd tonen ze zich verheugd, haar te zien.

„Ik wilde graag even met u praten, opa," valt Rosalie met de deur in huis.

„Oh, ik ga al," grapt Riekje. Maar Rosalie zegt dat ze gerust kan blijven. Ze heeft voor haar geen geheimen.

„Ik wilde u altijd nog eens vertellen, dat u er indertijd naast zat. Weet u wel, opa, met uw advies om terug te gaan naar Lienden. Jouw hart is daar achtergebleven, zei u toen."

„Nou," monkelt Jacob, zijn kleindochter monsterend, „is dat dan niet zo? Het is droevig gelopen. Ik wilde er niet over beginnen, omdat het je teveel pijn zou doen. Maar nu je er zelf over begint... jij hébt toch veel van hem gehouden, kindje?"

Rosalies ogen vullen zich met tranen. Tante Riekje trekt zich onhoorbaar terug in haar eigen zit-slaapkamer.

„Ik dacht dat u Peter bedoelde," zegt ze. Haar lippen trillen hulpeloos.

„Peter? Welnee, m'n kind. Ik doelde op die jongeman, die jou zo goed verstond. Waar jij heenvluchtte, toen het met Peter spaak liep. Je volgde blindelings de stem van je hart. Hij hielp jou. Troostte je. Is het zo niet, Rosalie?"

Ze knikt, door haar tranen heen. „Ja opa. Maar ik begreep het niet. Ik wilde het niet begrijpen. Hij had een slechte reputatie, net als ik. Hij had jarenlang een spel gemaakt van de liefde en daarom wantrouwde ik zijn gevoelens. Maar die laatste avond..." Roerloos zit ze naast hem. Het is als voelt ze weer Wills warmte, zijn tederheid... zijn kussen die overal inbrandden waar zijn lippen haar raakten. Maar als ze daarna die andere brand voor ogen roept, als ze hem weer ziet in dat vreemde hoge bed, en bedenkt, hoe ze afscheid namen, voor altijd, dan slaat ze haar handen voor haar ogen en huilt bitter.

„Je hebt de liefde gekend en nu . . . nu moet je verder. Met de herinnering. Misschien met een andere liefde later. Het één hoeft niet minder te zijn dan het ander . . ." Zacht en indringend is Jacobs stem. „Probeer in het heden te leven. Niet in het verleden, niet in de toekomst, maar in het nú. Kijk me eens aan, Rosalie. Is tante Riekje zielig, of jouw tante Em? Hebben zij ook niet liefgehad? En hebben ze naderhand hun leven geen pracht inhoud gegeven? Zijn ze bij de pakken néér blijven zitten? Nee immers? Zo zal het jou ook vergaan, geloof me."

„Maar . . . maar ze zijn toch alleen gebleven."

„Ja. Maar dat zijn er zoveel. En hoeveel zijn er niet samen, die eenzamer zijn dan zij? Het gaat erom, wat je er zelf van maakt. Hoe je tegenover het leven staat. Concentreer je op anderen, dan zul je jezelf vergeten. Ontdek, dat iedereen z'n pakje te dragen heeft, al merk je daar ogenschijnlijk soms niets van. Enne . . . denk nog eens aan wat ik je zei over die witte vogels: die zich laten drijven op de wind . . ."

„Opa." Ze smoort hem bijna in haar omhelzing. „Hoe komt u toch aan zoveel levenswijsheid? Ik dacht nog wel, dat u er niets van begrepen had. En nu . . . u bent een slimme oude vos."

„Die nooit en te nimmer zijn streken verliest. Riekje, hé, waar blijf je met je wekelijkse traktatie?"

Pas als Rosalie op het punt staat door Riekje te worden teruggebracht, merkt Jacob langs zijn neus weg op: „Ik heb onlangs gesproken met mevrouw Lang."

„En?" vraagt Rosalie. „Wat zei ze?"

„Ze ontkende glashard dat ze iets met die kleren te maken had. Maar ik geloof haar niet. Enfin, te zijner tijd zal ik die dochter daar nog eens over aanschieten. Ik houd niet van onopgeloste raadsels."

„Het doet er niet meer toe." Rosalie geeft hem een kus. „Het feit ligt er, dat Peter mij niet geloofde. En dat zou steeds tussen ons blijven staan."

Jacob van Helden kijkt hen diep in gedachten na. Twee vrouwen: zijn dochter . . . zijn kleindochter . . . beiden het aankijken beslist waard. En toch . . . stellen ze te hoge eisen aan een partner? Hebben ze de liefde geromantiseerd? . . .

Ze zullen alleen zijn, soms. Ze zullen hun ups en hun downs kennen. Zoals ieder mensenkind . . . maar ze zullen tóch gelukkig zijn, als ze zich laten drijven, meevoeren, op Gods wind . . .

„Ga je nog even mee naar boven, tante Riekje?"
„Een andere keer, Rosalie. Nu ga ik terug naar opa."
Bovengekomen wacht Rosalie een verrassing. Op haar tweezitsbankje, statig rechtop, naast elkaar, zitten de tantes. Tante Charlotte snibt direct: „Je was natuurlijk weer niet thuis. Maar ik zei tegen Em: „We wachten! Al moet het vier uur in de nacht worden. Want we willen haar spreken. Nou en zo zitten we hier dus. Die haarzalver heeft ons erin gelaten."
„Haarzalver?" giechelt Rosalie. „U bedoelt Ed Veringa toch niet? Laat hij u maar niet horen."
„Kan me niet schelen. Die jongelui van tegenwoordig takelen zich toe, heel vreselijk. Dat zalft en permanent het haar en draagt kettinkjes en oorbellen. Het zijn geen kérels meer."
„Hè, toe, tante, ga nu niet altijd op het uiterlijk af. Al draag je een oorbel, dan kun je toch best de moeite waard zijn. Als mens?"
Maar Charlotte schudt zeer beslist haar verzorgde hoofd. „Ik heb er geen goed woord voor over, Rosalie. Ik hoop niet, dat jij nog eens met zó iemand voor de dag komt. Dat brengt mij trouwens tot de aanleiding van ons bezoek. Niet Em? Wij wilden vragen, of jíj morgen mee naar Lienden gaat. Je weet dat je moeder en oom Anne ons hebben meegevraagd. Maar wij zien wat tegen de reis op. Voor één dag. Nu dachten we zo: als jij eens meeging. Het is de sterfdag van je zuster."
Rosalies mooie gezichtje betrekt. „Dat hoeft u me niet te vertellen, tante. Maar u vergeet, dat ik een werkende vrouw ben. Ik kan maar zo niet weg uit de salon. Dat heb ik moeder trouwens al gezegd."
„O." Tante Charlotte lijkt even van haar stuk gebracht. „Dat wist ik niet, natuurlijk."
„Ik zei al," merkt Emma voorzichtig op, „we moeten ons hier niet mee bemoeien."
„Ik ga misschien zondag naar Lon. Dat heb ik al half en half beloofd," vertelt Rosalie, die medelijden krijgt met tante Em, die kennelijk niet is ingenomen met haar zusters inmenging.
Charlotte leeft zichtbaar op. „Dat is ook mooi, kind. Dat zal Lon op prijs stellen."
En u niet minder, denkt Rosalie. Tantetje, wat doorzie ik je, al heb je daar zelf geen erg in. Je wilt mij nog altijd aan Peter koppelen. Je zult wel gehoord hebben, dat hij dit weekeinde ook in Lienden is. Maar omdat ze weet, dat ze het toch allemaal zo

goed bedoelen, zegt ze monter: „Nu jullie hier tóch zijn, mag ik zeker wel iets voor mijn bezoek inschenken? Wat zal het zijn?"

„Noụ-eh . . . wat denk jij, Em?"

„We zijn gewend 's avonds een slaapmutsje te nemen, dat weet Rosalie. Alleen . . . ik denk niet dat ze zoiets sterks in huis heeft . . ."

„Dat zal u meevallen. Ik heb er altijd rekening mee gehouden, dat jullie eens onverwacht binnen zouden vallen. En ik ken jullie kleine zonde . . . een jonkie, iedere avond voor het naar bed gaan . . ."

„Zonde, zonde . . .," pruttelt Charlotte, „maar als je tóch hebt, dan graag, kind. En niet zo'n vingerhoedje hoor."

„U moet nog naar huis," waarschuwt Rosalie. Maar Charlotte zegt onbekommerd: „We bellen om een taxi, nietwaar Em?"

En dat doen ze dan, zo tegen twaalven.

HOOFDSTUK 23

Op die vrijdag, achterin februari, boordevol droeve herinneringen, dwaalt Peter Odink door het bos met haar lichte en donkere plekken.

De vorige avond laat aangekomen, heeft hij zijn ouders gezegd, dat hij deze dag alleen wil zijn met zijn rouw, het gemis van zijn liefste.

Ze hebben geknikt. Ja, dat begrepen ze. Maar met tranen in haar ogen heeft Mar Odink haar zoon nagekeken. „Papa?" vraagt Reneetje met trillende lipjes. „Papa wég?" Maar voor Mar kan antwoorden, zegt Elmie, als een echt moedertje in de dop: „Nu moet je zoet spelen gaan, Renee. Vanmiddag mag je mee. Dan gaan we bloemetjes brengen aan mama. En aan oom Will."

Oma Mar lacht door haar tranen heen. „Heerlijk kind, denkt ze. Zonnetje, o, als we jullie tweetjes toch niet hadden."

Peter slentert langs de overbekende paden. Aan de Eikenwal is alleen het kantoor van Roger Pavard nog bij het oude gebleven. De beide woningen zien hem onpersoonlijk en koud aan. De Waterlelie heet nu „Heideroosje" nota bene. Nee, hij vindt hier niets meer, dat herinnering oproept aan zijn korte huwelijk. Ook de plaats, waar de caravan heeft gestaan, is leeg en wekt geen associaties op aan een blonde viking, die eens zijn rivaal was . . .

Er is alleen het heden en daarom besluit Peter diep teleurgesteld maar een kijkje te nemen op kantoor. Roger Pavard is daar echter niet. Gina Lang vertelt dat hij pas tegen koffietijd arriveert, sinds Peter weg is. „Alles staat hier op een laag pitje," zegt ze zorgelijk. „Het wordt tijd, dat je opvolger komt, Peter."

„Volgende maand," weet Peter, „maar waarom verloopt alles hier zodra ik mijn hielen heb gelicht? Het is hier rommelig. Overal zwerven paperassen, Gina."

„Ja, ik weet het. Ik ben zelf ook nog altijd uit mijn doen." Tot Peters grote verbazing begint ze geluidloos te huilen. Peter kijkt wat gegeneerd naar het aangrenzende kantoor, waar de rest van Pavards personeel bezig is.

„Kom even mee naar achteren," verzoekt Peter. „Het is toch bijna koffietijd of niet?"

„Ja, natuurlijk. Ik zal gelijk zetten. Jij zult ook wel aan koffie toe zijn."

„Gina, wat is er aan de hand? Vanwaar die tranen?"

„Om . . . om vandaag. Omdat Lineke . . ."

„Ja. Daarom ben ik ook overgekomen. Huil je daarom?"

„Ook. Maar ik . . . ik schaam me zo, Peter. Om . . . om toen."

„Wat bedoel je in vredesnaam? Toe, houd eens op met huilen."

„Ik heb dat gedaan, toen met dat fornuis. Toen je schoonzuster er was. Ik wilde niet . . . ik dacht . . ."

„Fornuis? Ik weet niet wat je bedoelt."

„Jawel," zegt Gina, nu flinker. „Eén van de eerste dagen dat zij in de Waterlelie was. Ik had een sleutel. Toen ik zag dat ze was uitgegaan, ben ik jouw huis ingegaan en heb de gaskraantjes iets opengezet, zodat het leek, alsof zij dat vergeten was. Omdat ik wist, hoe bang je was voor de kinderen. En omdat ik hoorde, dat meneer Pavard jou vroeg naar Frankrijk te gaan. Ik wilde niet, dat jouw schoonzuster bleef om voor de kinderen te zorgen."

Peter kijkt haar verbluft aan. Dan, langzaam zegt hij: „Dus tóch! Vader had gelijk. Heb je bij geval ook in Linekes kast zitten rommelen? En in haar sieradendoosje?"

„Nee," snikt Gina en hem met haar betraande ogen recht aanziend: „Dat heb ik niet gedaan, dat moet je van me aannemen."

„Ik heb nu wel een idee, wie hier achterzit. De appel zal wel niet ver van de boom vallen," snauwt Peter. „Bah, wat misselijk om op deze manier iemand in een kwaad daglicht te stellen. Alleen om er zelf beter uit te springen. Nou, Gina Lang, je valt

me héél, héél erg tegen, dat wil ik je wel zeggen."
„Ik begrijp het achteraf ook niet.. dat ik dit heb kunnen doen... maar moeder zei..."
„Precies je moeder... jij doet nog altijd blindelings wat ze zegt. Zelfs als het dingen betreft die een gevaar opleveren voor anderen. Gaskranen openzetten nota bene... waar zat je verstand en je verantwoordelijkheidsgevoel? En ik heb Rosalie nog wel het gemis hieraan verweten."
Gina wrijft verwoed over haar ogen. Haar gezicht lijkt ineens jaren ouder. Ze weet, dat het plan van moeder en haar voorgoed aan scherven ligt. Haar mooie droom: een man, twee lieve kinderen... voorbij... Ze slikt krampachtig. Peter keert zich abrupt om.
„Ik denk, dat ik die moeder van jou ook nog even ga groeten," zegt hij en het klinkt Gina Lang onheilspellend in de oren.
„O en net vandaag," denkt ze, in onmacht haar handen ineénknijpend. Ze heeft, Peters furieuze houding ten spijt, intens met de jonge weduwnaar te doen.

Bertha Lang is niet erg gelukkig met Gina's openhartigheid. „Dat domme kind. Moet ze nu zo'n ophef maken van zo'n kleinigheidje? Misschien haalt ze het zich gewoon in haar hoofd. Gina is immers altijd één en al zorg geweest voor u en de kinderen? Ze zal de oven hebben uitgedraaid en nu, in haar overspannen verbeelding..."
„Ik geloof haar. Maar ik weet zeker, dat zij tot dit soort dingen is aangezet. In haar hart is Gina een goed kind."
Bertha Lang draait om als een blad aan de boom. „Dat is ze ook. En nu wil ik tegenover u wel bekennen, meneer Peter: ík was het die haar ertoe dreef. Omdat ik bang was, dat die intrigante... dat die zuster van Lineke tussen Gina en u zou zitten. Ach, meneer, u weet toch zelf wel dat het geen vrouw voor u is? Zo'n heel ander iemand dan haar zuster Lineke. Het was van mij óók uit bezorgdheid, meneer Peter. Heus!"
„U ging wel wat erg ver, door die klerenaffaire in scène te zetten. En ik ben er nog ingetuind ook."
„Daar weet Gina niets van, meneer Peter. Ik vraag u wel pardon, maar ik deed het voor de goede zaak, zogezegd."
„Die goede zaak was: Gina," knikt Peter begrijpend. „Nou, mevrouw Lang, ik wil u een waarschuwing geven: bemoei u nooit of te nimmer meer met dit soort zaken. Die lopen altijd uit de hand."
Bertha Lang knikt ijverig. Er is haar alles aangelegen om de

goede verstandhouding met Peter Odink niet te verliezen. „Ik had het ook nooit mogen doen, nooit. Ik weet het."

„Nou, enfin, wat gebeurd is, is gebeurd," zucht Peter en met een plotselinge moeheid, die zelfs zijn benen gevoelloos lijkt te maken, zegt hij: „U weet toch, dat het vandaag precies een jaar geleden is, van Lineke?"

„Hoe zou ik dat kunnen vergeten, meneer? Wacht, u krijgt een lekkere kop koffie. Daar zult u behoefte aan hebben en dan moet ik u iets vertellen, wat ik niet eerder heb durven doen. Maar omdat het vandaag precies een jaar geleden is, begrijpt u . . ."

Dan vertelt Bertha Lang wat ze onlangs ook verteld heeft aan de oude Jacob van Helden.

Naderhand laat ze haar bezoeker uit. In haar ogen dat triomfantelijke licht. „Gina niet, maar jij óók niet, Franse madam," prevelt ze. „Dán nog liever die zuster van mevrouw Lineke."

Diep in gedachten rijdt Peter terug naar zijn ouderlijk huis. Eindelijk is dan het raadsel rond Linekes ongeluk opgelost. Eigenlijk heeft hij altijd wel gedacht, dat er iets of iemand was, waar ze van weg vluchtte . . . Hij heeft daarbij steeds aan Will Verheyde gedacht en al heeft hij er ook rechtstreeks mee te maken, Ada is het die Lineke angst aanjoeg. Ach, had ze toch maar meer vertrouwen in hem gehad. Had ze maar gewoon verteld dat ze Will ontmoet had en dat hij haar vergeving had gevraagd. Om dat te bezegelen, om dat uit te drukken, was ze hem natuurlijk spontaan om de hals gevlogen. Hij kent immers zijn lieve, warmvoelende Lineke zo goed? Maar . . . maar . . . zóú hij haar hebben geloofd? Hij kon immers de naam Verheyde indertijd niet horen noemen, zonder al zijn stekels op te zetten? Hij zou onmiddellijk onraad geroken hebben en zowel Lineke als Will op één van zijn befaamde driftbuien hebben onthaald. En Lineke zou hij daardoor een duw terug hebben gegeven, zodat ze weer terugviel in die diepe put waar ze ternauwernood uit was gekrabbeld. Zo zou het immers zijn gegaan?

Verslagen zet hij zijn auto op de vluchtstrook voor zijn ouderlijk huis. Hij steekt de ventweg over en loopt met onvaste stappen het tuinhekje door. Als een slaapwandelaar gaat hij via het klompenhok het achterhuis binnen. Zó sterk houdt die laatste wandeling van Lineke zijn gedachten gevangen, dat hij verdwaasd met zijn ogen knippert, als hij de kamerdeur opendoet.

Hij ziet zijn kinderen en zijn gehandicapte zusje Margo op de serrebank, samen met . . . Peter ziet een blond gebogen hoofd.

Rosalie? Is zij gekomen, juist vandaag? Zit zij daar in zo'n saamhorigheid met zijn zusje, met zijn kinderen? Het is een vertederend, hartverwarmend tafereeltje . . . zo . . . moederlijk . . . zo als ze daar tussen de kinderen zit. Peter loopt met grote verlangende stappen de kamer door naar de serre.

Het meisje kijkt op. Een tikkeltje verlegen, zegt ze als verontschuldigend: „Jouw vader en moeder zijn het dorp. Ik was hier toch en toen vroeg je moeder of ik even op wilde passen."

„Annemiek! Kind, hoe kom jij zo uit de lucht vallen?" Peter kust het zusje van Tjerk hartelijk op beide wangen. „Dat is alweer een hele tijd geleden hè? Jij was er met kerst helemaal niet."

„Nee." Annemiek lacht geamuseerd. „Mijn verlof werd weer eens ingetrokken. Maar in plaats daarvan heb ik nú een hele week. Ik ben hier al meer geweest deze dagen. Heeft je moeder dat niet verteld?"

„Nee." Peters gezicht versombert. „Ik ben gisteravond laat pas aangekomen. En vanmorgen ben ik weer direct weggegaan."

„Pepie. Pepie!" Tegelijk kijken ze naar de ineengedoken gestalte van Margo. Zielig schokken de schouders van het korte, gedrongen figuurtje.

„Je hebt haar nog niet begroet," begrijpt Annemiek. Haar aardige, open gezichtje één en al bezorgdheid, buigt ze zich over naar Margo, waar ze zo dikwijls mee is opgetrokken in de tijd, toen Tjerk en Peter nog studeerden. Het laatste jaar is daar natuurlijk door haar baan in Frankrijk weinig van gekomen. Maar Margo is haar nog niet vergeten.

Peter neemt Margo op en draagt haar naar de schommelstoel. Hij voelt wel dat ze steeds minder meegeeft, dat ze ook zwaarder wordt . . . Het gaat bergafwaarts met Margootje, weet hij. Hij schommelt en neuriet zoals hij dat deed toen hij nog thuis was en geleidelijk-aan bedaart het zielige huilen. Zijn eigen meisjes hebben met verbazing naar hem gekeken. Elmie, bijdehandje, vraagt: „Waarom mag Reneetje niet bij je? En mij heb je ook nog geen kusje gegeven." Annemiek moet lachen om het eigenwijze nest met haar ogen als kooltjes.

„Precies haar vader," proest ze. „Ach, Peet, het is alsof ik jou zie als ik naar Elmie kijk."

„Dat kan niet," bromt Peter, „toen ik zo oud als Elmie was, bestond jij nog in geen eeuwen."

Het is waar. Annemiek rekent snel uit, dat Peter zeker twaalf jaar met haar in leeftijd scheelt. Net als haar broer Tjerk. Het stemt haar ineens wat verdrietig. Vroeger was die leeftijdsbarrière er al. Vooral die jaren toen moeder ziek was en vader vaak weg was, 's avonds. Vergaderingen, overwerk, hij was er bijna nooit. Hun grote huis leek dan uitgestorven en automatisch zocht ze haar toevlucht bij haar broer en zijn vriend. Ze hadden haar vaak op sleeptouw genomen, maar soms was het gewoon onmogelijk haar mee te nemen. „Dat is niets voor kleine meisjes," konden ze dan plagend zeggen. Maar nu . . . Zelf voelt ze zich volwassen, zeker na dit jaar Frankrijk. Moet nu nog die zelfde muur tussen hen staan?

„Wat is 't, Annemiek?"

„Ik dacht eraan, dat jij mij nog altijd ziet als het kleine zusje van Tjerk. Maar dat ben ik niet meer, Peter."

Hij draagt Margo terug naar haar wagentje. „Zo, nu moet Pepie ook de andere kindjes even een kusje geven, schat."

Pas als dat grondig gebeurd is, gaat hij naast Annemiek op de bank zitten.

„Ik heb onlangs, toen ik jou in Frankrijk opzocht al gemerkt, dat het kleine eendje een zwaan geworden was. Dat heb ik mijn vader nog gezegd. En zoals jij daar met de kinderen zat, toen ik net binnenkwam . . ." Peter schraapt nerveus zijn keel. „Het dééd me wat, Annemiek. Natuurlijk weet ik nog van vroeger hoe goed jij je altijd met Margo verstond. Moeder zei altijd: „Als daar geen nieuw zustertje voor het Lichtdal uitgroeit."

„Het werd dus een kleuterjuf, die niet aan de bak kon komen en daarom maar au-pair ging werken."

„Kleuterjuf of verpleegster . . . het zorgen lígt jou. Daarom verbaasde ik me . . . ik meende een ogenblik dat je Rosalie was, het zusje van Lineke. Jij bent ook blond en ik kon het niet goed zien . . ."

„Rosalie?" vraagt Annemiek verrast. „Komt ze hier wel eens? Ik meende van Marieke te begrijpen, dat ze weinig contact met de familie had, sinds ze op kamers woont. Marieke en ik schrijven elkaar geregeld," verduidelijkt ze.

„Rosalie is in de herfst een paar weken in de Waterlelie geweest. Ze heeft op de kinderen gepast, toen ik dat weekje naar Frankrijk ging. Dat heb ik je toch wel verteld, toen ik jou opzocht?"

Annemiek schudt beslist haar blonde hoofd. „Nee, anders zou ik het me herinneren. Maar dat geeft toch niet? Het is jouw privéleven en daar weet ik niet veel meer van af."

„Misschien alleen van het laatste jaar niet. Vlak na Linekes overlijden ben jij weggegaan."

„Ja. Ik wilde ineens weg. Eerst dat huwelijk van vader en zijn verhuizing naar Den Haag... ik was zo gewend om alles met vader te bespreken... hij liet voor mij zo'n leegte achter, dat ik snakte om weg te komen, ondanks Lons aanwezigheid. Dat is een echte schat, maar ze werkte toentertijd hele dagen en ik had zelf geen baan. En toen gebeurde dat met Lineke... het werd me ineens te machtig. Je weet, hoeveel ik van haar gehouden heb. Zij heeft zoveel voor mij betekend in de tijd toen moeder ziek was... Heb je... ben je nog bij haar graf geweest, Peet? Vandaag bedoel ik?"

„Ja en vanmiddag wilde ik samen met de kinderen nog even gaan."

„Je ouders zijn er nu heen. Ik... ik ben er vóór ik hierheen ging al geweest."

Peter kijkt haar verrast aan. „Lief van je, Annemiekje. Ben je... je bent daarom toch niet juist déze week in Lienden?"

Annemiek kleurt, wat haar gezichtje iets heel prils, iets kinderlijks geeft. In stilte vergelijkt hij haar met Rosalies opvallende schoonheid. Nee, uitgesproken knap is Annemiek niet. Dat was Lineke misschien ook niet. Hoewel... voor hem was ze het mooiste meisje dat hij ooit ontmoet had. Omdat hij van haar hield.

Annemiek... zij heeft ook veel van Lineke gehouden. Ze heeft haar meegemaakt vanaf haar eerste dag in Lienden zogezegd...

Ze hebben veel herinneringen gemeen...

Abrupt staat hij op. Reneetje, op zijn arm, schrikt en trekt een lipje.

„Geef haar maar even hier." Annemiek neemt het kleintje van hem over. Ze ziet wel dat zijn gezicht weer heel gesloten staat. Grimmig bijna. Maar zij kent hem als haar eigen broer. Ze weet, dat Peter het erg moeilijk heeft op het ogenblik. Annemiek heeft gehoord, wat er hier allemaal gepasseerd is de laatste maanden. Van haar schoonzusje Lon heeft ze zo het een en ander vernomen.

Peter begint de kamer op en neer te lopen. Heen, terug... Annemiek neemt het grote voorleesboek, trekt Margo's wagentje tot dicht naast de bank en gebaart Elmie aan haar andere kant te gaan zitten.

„Ik lees even het verhaaltje uit, Peet. Dan zal ik iets te drinken halen voor je."

„Ik heb koffie gehad," zegt Peter kort. „Doe dus geen moeite."

Met nog een laatste, lange blik op het viertal, verdwijnt hij naar boven. Daar zit hij geruime tijd doelloos voor zich uit te staren. Eindelijk pakt hij de grote ingelijste kleurenfoto van Lineke, die hij overal heen meeneemt.

„Lieke, zeg me toch mijn lief: wat is de weg voor mij, voor onze kinderen. Ik weet het niet meer . . ."

Het is als voelt hij weer en sterker nu, die vreemde onrust, die er ook was, toen hij terugkeerde van zijn zakenreisje naar Frankrijk, in de herfst. Toen hij thuiskwam, was daar Rosalie. Hij vroeg haar die zelfde avond, nacht was het eigenlijk al, ten huwelijk. Om die onrust, die hem benauwde, die hem verwarde. Omdat hij haar niet begreep.

Nu is die onrust er wéér.

En ook nú kan hij ze niet verklaren.

„Wacht even," gebaart Piet Odink, naar de bestuurder van de auto, die pal naast hem geparkeerd staat op de kleine parkeerplaats voor het kerkhof. Mar en hij hebben zojuist bij de uitgang afgesproken, dat Els en Anne met hen mee terug zullen gaan. Lon werkt vanmorgen, dus in Prélude is niemand.

„Zou Mar met jullie mee terug kunnen rijden? Ik kom zó na. Ik heb . . . eh nog even iets te doen."

Anne wipt het knopje van het achterportier omhoog. „Vanzelfsprekend," zegt hij kalm. „Zeg, Elsje, ga jij bij Mar zitten?"

Dicht naast elkaar zoeken de beide vrouwen, die echte vriendinnen geworden zijn, troost bij de ander.

Als ze stilstaan voor het huis van de Odinks, hebben ze zich weer wat hersteld. „Het wordt niet minder, het verdriet, maar het verdiept, verstilt zich. Het is nu een gelijkmatige pijn," zegt Els met haperende stem.

Mar beaamt dit. „Met ons verdriet om Margootje is het precies zo gegaan. Het doet nog wel pijn natuurlijk, maar je leert verder te leven en je ook om de anderen te bekommeren. En je krijgt de kracht, om de goede dingen, de fijne dingen, weer te zien en er van te genieten."

Eenmaal binnen, is er een blij weerzien van vader en dochter. Annemiek vliegt Anne om de hals. Els staat het glimlachend zonder een spoortje afgunst aan te zien. Het is Anne die zich tenslotte losmaakt uit Annemieks armen. Hij trekt Els aan haar hand dichterbij. Dan krijgt ook moeder Els een hartelijke omhelzing. „Moeder Els, fijn om jullie eindelijk weer terug te zien. Wat duurden die weken lang." Het klinkt kinderlijk, maar ze weten allemaal, dat Annemiek te kampen heeft gehad met heimwee. En dat ze desondanks heeft doorgezet, daar is vader

Anne buitensporig trots op.

„Het was zo'n teleurstelling, dat je niet kwam met Kerst, meisje. En Lon had het zo prachtig georganiseerd. We zouden allemaal bij haar in Prélude zijn. Die heks had erbij gezegd, dat ze groot nieuws hadden, Tjerk en zij."

„Nou en hadden ze dat soms niet?" vraagt Annemiek ondeugend.

„Ja, natuurlijk, maar met name moeder Els hád het niet meer. Ze kon er niet van slapen. Ze zag Lon en Tjerk al vertrekken naar dat verre Vancouver, niet Elsje? Tjerk kon daar een prachtbaan krijgen, dat wisten we allemaal."

„Hij blijft nu heel dicht bij honk. Heerlijk voor Lon, dat gun ik haar echt. En dan straks de baby . . . oh, vader, misschien wordt het een stamhouder. Weer een Anne Feenstra . . ."

„Kom Miekje, draaf niet zo door. Het duurt nog maanden. En laat mij nu eerst mijn andere kleinkinderen eens begroeten. Wacht nee, jij eerst, Margootje."

Annemiek helpt tante Mar met de koffie. In de keuken fluistert deze bekommerd: „Ik maak me zorgen om Peter. Hij is er alléén op uit. Ik zag, dat hij al bij Linekes graf geweest was. De rozen waren al half bevroren . . . En jij, jij was er ook al geweest, nietwaar?"

„Ja. Zeg tante Mar, Peter is hier. Boven. Hij is erg geëmotioneerd, maar dat is begrijpelijk. Laat hem maar gewoon zijn gang gaan. Er is ook zoveel gebeurd, de laatste tijd. Als ik denk aan die zoon van meneer Pavard. Ik heb hem een paar keer ontmoet. Ik herinner me nog, die allereerste keer toen hij naar Lienden kwam. Het was in de tijd, dat Lineke mammie verpleegde. Ik heb haar naderhand nog met hem geplaagd. We liepen in het bos te wandelen met Margootje en ineens op de Lienderweg, stopte er een auto en daar zat hij in. Ze is toen met hem meegegaan. Peter was daar naderhand razend over. Vanaf die tijd dateert de koude oorlog tussen die twee."

„Ik denk van nog véél eerder. Maar vóór Will stierf, hebben ze vrede gesloten, weet je dat niet?"

„Nee," zegt Annemiek verrast, „dat heeft niemand mij verteld. O, tante Mar, wat fijn, want hoe kun je anders met zo'n wrok in je hart verder leven? Je zou er altijd aan moeten denken, geloof ik."

„Ja, lieve kind, maar of een mondjevol woorden voldoende zijn om echte vrede en vergeving te bewerkstelligen? Het moet vanuit je hart komen en daarom ben ik bang . . . Peter is het laatste jaar veránderd. Ik heb hem altijd bewonderd om het geduld en de grote liefde waarmee hij voor Lineke en de kinderen zorgde. Hij heeft het echt niet gemakkelijk gehad met Lineke, al hielden we allemaal nog zoveel van haar. Ze was daar niet gelukkig, in dat bos. Ze had angsten en omdat ze veel alleen was, kon ze ze hoe langer hoe slechter de baas. Toen ze zo labiel was, na Reneetjes geboorte, ging het finaal mis . . . Maar Peter bleef altijd opgeruimd, optimistisch. Met een grapje en een plagerijtje hielp hij haar er weer bovenop. En nu . . .

„Hij heeft al die jaren op zijn tenen gelopen, tante, dat wreekt zich nu. Toe, geef hem tijd om tot zichzelf te komen. Dat heeft hij nodig. Ik ken Peter toch vanaf mijn kleutertijd? Net zo goed als Tjerk hoor."

„Daarom praat ik er ook met jóú over, ik heb toch altijd over jou gemoederd, Annemiekje?"

„Nou en hoe!" Annemiek moet tante Mar even knuffelelen. Nooit zal ze alle hartelijkheid en liefde kunnen vergoeden, die ze hier heeft ontvangen.

„Nu gaan we ze binnen koffie brengen. Ze weten niet waar wij blijven. Of . . . is er nog iets, tante Mar?"

„Rosalie . . .," zegt Mar op fluistertoon, „weet je dat Peter haar gevraagd heeft met hem te trouwen? In de herfst al?"

Annemieks smalle rug lijkt te verstrakken. Met trillende handen zet ze het koffieblad weer neer. „En . . .," vraagt ze met een stem hoog van spanning, „wanneer is de trouwerij?"

Mar schudt haar hoofd. „Ik krijg er geen hoogte van. Er moet iets voorgevallen zijn. Ze praten amper met elkaar, merkte ik met Kerst. Ik weet dus niet . . . maar ik vond dat ik het jou moest vertellen. Jij zit daarginds zo ver van alle nieuwtjes af."

Een ogenblik houden Mars ogen die van het meisje gevangen in een blik vol liefdevolle zorg.

Dan neemt Annemiek het blad weer op. „We horen het nog wel. Hoewel ik altijd gemeend heb dat het Marieke worden zou," meent ze luchtig.

Ze weet, dat tante Mar in haar hart heeft geschouwd en haar geheim heeft geraden . . .

Piet Odink loopt opnieuw tussen de stille graven door. De zon schijnt onbekommerd over de rustplaats van vele dierbaren en huppelt speels over vers neergelegde boeketten. Maar ze is niet bij machte hen zó te verwarmen, dat ze lang kunnen pronken en sieren op een graf. De vorst zal zijn vernietigend werk weldra doen. Het leven is als een bloem, die vandaag bloeit en morgen verwelkt . . . filosofeert Piet. Hé, opletten, moet hij hier niet rechts afslaan? Ja, aan het eind ziet hij een gedaante, die zich juist bukt om iets neer te leggen op een graf. Snel loopt hij op de eenzame bezoekster af. Als hij haar dicht genoeg is genaderd, zegt hij: „Goedemorgen, juffrouw Verheyde. Ik zag u daarnet bij de ingang. Ik had er niet zo gauw erg in. Ik was niet alleen . . . maar toen ik u herkende . . . ik dacht: ik ga nog even terug om haar te groeten."

„U heeft mij toch wel gezien bij de begrafenis van Will? Ik heb nog naar u geknikt."

„Ja, ja. Ik was niet in de gelegenheid om bij de condoleanceavond aanwezig te zijn. Maar ik heb u inderdaad vanuit de verte toegeknikt, toen . . ."

Ada Verheyde werpt een laatste blik op het nog nieuwe graf. Dan, abrupt draait ze zich om.

„Ik . . . ik kan er niet tegen . . . ik wilde gaan, om . . . omdat het vandaag de dag is dat ze . . ." Piet Odink ziet hoe haar schouders schokken van ingehouden snikken.

„Ja," zegt hij met een zucht. „Het is enorm triest. Zo jong . . . menselijkerwijs gesproken had ze nog een heel leven voor zich. En dan ineens: een onoplettendheid, een auto die aan komt snellen . . ."

„Het is mijn schuld," fluistert Ada. „Ik heb haar de dood ingejaagd. Door mijn jaloezie. Ik heb haar nooit kunnen vergeven, dat Peter haar verkoos boven mij."

„Dat weet ik, kind. Ik herinner me nog ons laatste gesprek. We hadden daar altijd nog eens op terug willen komen."

„Ach, we nemen ons zo vaak iets voor, zonder het wáár te maken. En nu is het te laat. Lineke is dood en Peter . . ."

„Je mag jezelf niet de schuld geven van Linekes ongeluk. Wat er ook is voorgevallen, ze had uit moeten kijken, daar bij die drukke weg."

„Weet u dan . . . u kunt niet weten wat er gebeurd is, die middag. Ik heb het niemand ooit verteld. Alleen Will wist het, maar hij heeft zijn geheim meegenomen in zijn graf."

„Peter heeft steeds vermoed, dat Lineke Will nog heeft ontmoet, vlak voor het ongeluk. Omdat hij daar zo snel ter plekke was."

„Will was daar inderdaad. Ik had hem telefonisch gevraagd naar le Pâturage te komen. Omdat ik daar weer een weekje was neergestreken. Will wist, dat ik liever niet naar vaders huis kwam, omdat ik Peter niet tegen het lijf wilde lopen. Het deed me nog altijd pijn hem terug te zien, meneer Odink. Will beloofde te komen. Toen bedacht ik ineens het plannetje om ook

Lineke te vragen een kopje thee te drinken bij mij. Ik was eerlijk gezegd benieuwd, hoe die twee zich in elkaars gezelschap gedragen zouden. Ik ging hen tegemoet en toen zag ik, dat ze tegelijk de Bergweg afliepen. Of, nee, ze hadden elkaar daar getroffen. Ik denk dat Will er iets eerder was en óm heeft gekeken en toen Lineke zag. Hij liep tenminste terug, op haar toe. En toen, nadat ze even gepraat hadden, zag ik dat Lineke Will om de hals viel. Ze kusten elkaar."

„En toen?" vraagt Peters vader gespannen.

„Daarna ging Lineke op een holletje terug. Ze leek me totaal van streek. Nou en meteen daarop hoorde ik een klap en het gieren van remmen."

Totaal overstuur ben ik teruggerend naar mijn châlet, maar Will was er direct bij. Hij was er ook kapot van."

Piet Odink huivert in zijn warme kraag. „Het is te koud om hier langer te blijven staan. Dank je voor je vertrouwen, Ada. Je moet proberen deze dingen van je af te zetten. Het was een ongelukkig idee, om die twee samen uit te nodigen. Maar jij kon niet voorzien, hoe alles uit zou pakken. Kwel jezelf dus niet langer met zelfverwijt. Kom, geef me maar een hand en laten we proberen, de dingen die gebeurd zijn te vergeten. En loop gerust eens bij ons aan. Neem je vader maar mee. Wij kennen elkaar wel."

„Maar Peter . . .," vraagt Ada met trillende lippen. „Zal hij het goed vinden als ik kom?"

„Peter is in Frankrijk. En mocht hij toevallig óver zijn, dan weet ik zeker, dat hij jou geen kwaad hart toedraagt. Hij heeft het met Will immers ook in het reine gebracht?"

In Ada's mooie ogen verschijnt een hoopvolle glans.

„Als uw vrouw het er mee eens is, dan kom ik gauw een keer op een morgen. Bij Lon kan ik dan niet terecht. En ik begin me hier beslist te vervelen."

„Probeer iets te vinden. Ik zal ook voor je uitkijken," belooft Piet Odink.

Bij het grote traliehek nemen ze afscheid. Piet, opgelucht, omdat hij nu iets van zijn oude schuld heeft ingelost. Ada, omdat de weg opnieuw geëffend is naar het ouderlijk huis van haar vroegere verloofde. In haar hart is geen spoortje wroeging of berouw om wat ze verzweeg, om het valse licht, dat ze op die tragische gebeurtenis op de Bergweg heeft geworpen. Het stemmetje van haar geweten heeft ze al zó lang het zwijgen opgelegd, dat het geen poging meer doet om de harde korst om haar hart te smelten . . .

HOOFDSTUK 24

Peter Odink geniet gastvrijheid in het huis van de scheidende directeur van de tegelfabriek. De vertrekken parterre zijn indertijd door de oude Pavard ingericht als „showroom". Maar ook de privévertrekken op de verdieping zijn voorzien van de produkten van de nabij gelegen fabriek.

Tot juli zal de heer Rijswijk nog in functie blijven, daarna zal hij met zijn gezin terugkeren naar Nederland. „Als men ouder wordt, verlangt men toch weer terug naar het land van zijn jeugd. Bovendien: de familie! Als ik straks pensioen heb, zal ik eindelijk tijd hebben om de familie van mijn vrouw en mij te bezoeken."

Straks zal hij dus dit huis mogen bewonen. Dit schitterende huis. Het ligt in een klein dal en rondom zijn heuvels, bergen bijna . . .

Op een zonnige morgen in mei zit Peter op het balkon en geniet van het prachtige uitzicht over het stadje en de groene heuvels. Door het gekrulde, smeedijzeren traliewerk laat hij nonchalant zijn voeten bungelen. Het is zaterdag, de kleine fabriek is gesloten en zijn gastheer is met zijn vrouw voor enkele dagen naar Nederland vertrokken, om daar huizen te bekijken in de randstad. Wat moet dat een geweldige verandering zijn voor die twee. Ruim twaalf jaar hebben ze in Salernes gewoond. Vanaf de tijd, dat de grootouders van Will Verheyde op hun beurt dit huis verlieten om in Amsterdam, de geboorteplaats van Wills oma te gaan wonen.

Will Verheyde! Altijd komt hij weer terug bij hém. In de achter hem liggende maanden is hij hier, ver van huis, pas gerijpt om écht vrede met hem te sluiten. Een jarenlange vete kan immers niet enkel door woorden worden opgelost?

Maar nu . . . ik begin te begrijpen, hoe het met Will is gegaan. Lineke had gelijk: alles kwam voort uit zijn jeugd. Hij heeft de scheiding van zijn ouders niet kunnen verwerken. Roger Pavard heeft hem zeer bewogen verteld, hoe ze daar die kostbare minuten, vlak voor Wills sterven, toen hij heel helder was, bijéén hebben gezeten: Will, zijn moeder en hij . . . Hoe zelfs tóén nog de hoop opvlamde in Rogers hart, dat Monique bij hem terug zou willen komen. Om de blijdschap van Will, toen hij zijn ouders zo dicht bij zich had, was Roger, toen hij het Peter vertelde in huilen uitgebarsten. En het is dit tafereel, dat Peter naderhand steeds is bijgebleven: een man, toch kind, hunkerend naar zijn vader én zijn moeder, in zijn grote stervensangst . . .

Will, je had zoveel behoefte aan liefde en aandacht. Je vond die niet bij je „maman". Je vader zag je nooit. Je begon die manco's al spoedig te zoeken op andere plaatsen. Maar de liefde, waarvan je slechts verwrongen beelden had gezien, die vond je niet. Totdat je Lineke ontmoette. En ook toen herkende je haar nog niet. Je vocht ertegen. Je wilde je niet binden, je moest pijn doen en kwetsen, omdat je zelf zo dikwijls was gekwetst. Maar vergeten kon je haar niet. En ik . . . ik misgunde je die liefde. Menselijk, ik had haar zélf lief. Ze was mijn vrouw. Maar nooit heb je geprobeerd om tussen Lineke en mij te komen. Al had je haar onverminderd lief. En toen kwam dat plannetje van je zuster Ada. Deels uit verveling, deels uit leedvermaak: hoe zou haar broer reageren als hij zijn vroegere vlam in haar châlet terug zou zien, alléén, zonder de escorte van haar man? Die ontmoeting is zijn Lineke fataal geworden, dankzij Ada's dreigementen.

Nog begrijpt Peter niet, dat hij na Linekes dood meer dan eens gespeeld heeft met de gedachte, om opnieuw contact te zoeken met Ada. Hij heeft het inderdaad gedaan, tijdens zijn zakenreisje naar Salernes. Zijn vader had dat meteen door, die slimmerd. De ontmoeting had hem wat gedaan, maar dat wilde hij niet toegeven, want hij had gemerkt, dat ze nog niets veranderd was. Ze fladderde net als haar moeder maar wat in het leven rond. Zag er als altijd chic gekleed en verzorgd uit. Maar: wie bekostigde dat luxe leventje van moeder en dochter? Voor een groot deel Roger Pavard, wist hij en daarom was hij zonder enige belofte teruggegaan naar Lienden. In zijn onvrede, zijn verwarring, had hij Rosalie ten huwelijk gevraagd en zij had begrepen, dat het een soort noodsprong van hem was. Ook toen er later van meer dan vriendschap sprake was, had hij het door zijn achterdocht voorgoed bij haar verbruid. Toen hij haar aan het einde van het jaar in Lons huis trof, was er van Rosalies kant nog steeds die reserve. Maar er zijn sindsdien zoveel weken verstreken. Zou het geïntrigeer van moeder en dochter Lang voorgoed tussen hen in moeten blijven staan?

Peter stopt een verse pijp. Zijn ogen dwalen over het ruime balkon, dat eigenlijk meer een daktuin genoemd mag worden. Overal staan plantenbakken met uitbundig bloeiende bloemen. In teer verloop van roze naar rood. En daartussen blauw en diep paars . . .

Het is lente in het kleine land aan de zee. Maar hier, hier is het volop zomer . . .

Het dal beneden hem is een sprookje en het huis, waarin hij wonen mag, niet minder. Straks zullen zijn ouders enkele weken met Elmie en Reneetje overkomen. Maar daarna . . . hij zal zijn eigen vertrekken in moeten richten. De rest van het huis zal toegankelijk zijn voor adspirantkopers van de tegels die hier zo overvloedig zijn te bezichtigen . . .

Behalve de privévertrekken en daar zal hij ruimschoots voldoende aan hebben.

Zou Rosalie . . .? Hij ziet haar als een perfecte gastvrouw bewegen tussen al die mooie, luxe meubelen in de showrooms . . . Hij ziet haar zilveren haren tussen de kleurrijke bloemen op de loggia's rondom dit wondermooie huis . . .

Peter kijkt op zijn horloge. Het is pas half tien. De stilte in het huis benauwt hem plotseling. Als hij er aan denkt, dat de familie Rijswijk pas maandagavond terugkomt, bespringt hem het verlangen naar zijn kinderen. Zijn ouders, die al zolang de zorg op zich genomen hebben . . . Zou hij . . .? Maar nee, volgende week is het moederdag, dan wil hij zijn moeder verrassen met zijn komst.

Maar wat kan hij dan doen? Natuurlijk, er is altijd een stapel achterstallig „papierwerk". Hij heeft hem zelfs mee naar zijn kamers genomen. Maar de zon is zo uitbundig en de zoete geuren, die op hem toezweven maken hem totaal ongeschikt voor dat saaie overwerk.

Annemiek . . . hij gaat naar het kleine zusje van zijn vriend Tjerk, dat zich de laatste keer dat hij haar in Lienden zag, ontpopte als een fijne kameraad. Iemand, die kan luisteren. Met haar zal hij kunnen praten over alles van thuis. En over Rosalie . . . zij zal het allemaal begrijpen, omdat ze hen persoonlijk kent. Hij zal via Draguignan en Fréjus naar de kust rijden . . .

Annemiek Feenstra heeft zich laten overhalen om, na een onderbreking van enkele weken, opnieuw een half jaar in Frankrijk door te brengen als au-pair. Waarom heeft ze zich wéér aan de nukken en luimen van het echtpaar Boutal overgegeven? Over die vraag denkt ze maar liever niet na. Engeland kan altijd nog, heeft ze gezegd toen haar vader haar deze vraag óók stelde. Het klimaat is er zo heerlijk en de omgeving fantastisch . . .

Dat denkt ze ook op deze zaterdagmiddag. Alles zou helemáál fantastisch zijn wanneer . . .

Ze schrikt, ze kleurt onder haar gebruinde huid als Peter onverwacht het monumentale hek door komt wandelen en de paden afloopt van de tuin waar zij een heerlijk schaduwplekje heeft gezocht. Bijna had ze eruit geflapt: „Ik dacht net aan je." Maar zij is de plaagzieke tiener niet meer en hij niet meer de kwajongen, die altijd op haar grappen en invallen inging.

„Annemiek, je ziet er uit als een plaatje, maar maak je als het kan nóg mooier, want je gaat met mij uit. Heerlijk een eind toeren en in een leuk dingske iets eten . . . en daarna flaneren langs de boulevard."

„Ik heb dienst," zegt Annemiek met een grafstem.

„Néé. Nee. Annemiek, zeg dat het niet waar is. Dat ik niet voor niets dat stuk gereden heb."

„Zover is het niet," pruilt ze. „Ik had je al lang eens eerder verwacht, Peet."

Natuurlijk kan hij een uitvlucht verzinnen. Het werk . . . Maar hij kan die eerlijke grijs-blauwe kijkers van haar toch niet om de tuin leiden. Ze kent hem immers door en door, die kleine duvel? Klein? Weer treft hem de metamorfose die Annemiek dit laatste jaar heeft ondergaan. Ze is niet meer het kleine meisje, dat hij zo dikwijls in bescherming heeft genomen. Ze is een jonge vrouw die een vleugje van de argeloosheid, het speelse uit haar meisjestijd heeft weten vast te houden. Het verhoogt haar aantrekkelijkheid, maar het maakt haar tevens zo kwetsbaar. In een impuls vraagt hij: „Annemiek, hoe staat het met jouw hart? Heb je dat al weggeschonken aan een of andere knappe zuiderling? Ik heb daar nooit iets over gehoord."

Weer schieten haar de vlammen uit. Ze kijkt van hem weg en probeert hem af te leiden door hem iets te drinken aan te bieden.

„Já dus," conludeert Peter. „Nou, iets koels graag. En ga je dan met me uit? Want je hoeft toch niet echt te werken op deze verrukkelijke dag?"

„Het is hier altijd verrukkelijk. Maar stel je gerust: ik ben vrij, de rest van de dag. Als ik wil, kan ik dus met je meegaan."

„Wil je?" Peters zwarte ogen kijken zo smekend, dat ze er bijna invliegt.

„Je weet best, dat ik meega," zegt ze zo koel mogelijk. „Dus sloof je maar niet zo uit."

„Beledigd," zegt Peter. „Hoe kan ik het weer goedmaken, Miekje?"

„Door niet te raaskallen. Nou, tot zo."

Peter kijkt haar peinzend na. Hij zint op iets, een gedachte, een herinnering, die verband houdt met Annemiek. In Lienden was dat er al, weet hij, een onrust, iets dat hij niet grijpen, niet bégrijpen kan . . . Waar hij ook naderhand zijn hoofd mee gepijnigd heeft . . .

Pas als ze dicht aan de Italiaanse grens in de namiddag iets gebruiken op een terrasje, met het uitzicht op de diep blauwe zee, komt eindelijk de herinnering bovendrijven...

Peter zet zijn zonnebril af en tuurt naar een stuk rotswand, die, grillig uiteenbuigend, een diepe kloof te zien geeft.

In die kloof zit, verscholen, een witte duif. Hij grijpt haar hand. „Annemiek, die vogel..."

„Ja? Wat is daar mee? Het is een gewone duif. Hij zit daar op een beschut plaatsje."

„Maar grijpen kun je hem niet. Vóór je hem beet hebt, heeft hij zijn vleugels al uitgeslagen en is hij op weg naar die strakblauwe hemel boven ons hoofd."

Annemiek drukt Peters hand, die de hare nog steeds gevangen houdt. „Peet, wat is er met je?"

„Niets. Niets." Zijn stem is hees. Van spanning en ook van verdriet. „Die duif... dat is de witte vogel van het geluk. Eens had ik haar gevangen. Ik had haar in mijn hand en ik koesterde haar. Tenminste: ik dacht, dat ik het geluk in mijn beide handen had. Ik heb van die vogel gedroomd en nu... nu zie ik die droom eindelijk werkelijkheid worden. Het is zo vreemd, Annemiek, zelfs de entourage zag ik in mijn droom: de blauwe zee, die hoge rots en die duif, die daar wegschool in de rotswand. En het is gek: toen ik jou terugzag, in Lienden, op Linekes sterfdag, toen schoot mij weer iets van die droom te binnen, maar niet helemaal... ik heb me suf geprakkizeerd. Al eerder ook... wat jíj ermee te maken hebt... en nu... opeens... Annemiek!" Het is niet minder dan een hartekreet. Hij kijkt naar haar en hoe langer hij kijkt in dat frisse lieve meisjesgezicht, hoe wanhopiger hij zich afvraagt, hoe hij zó verblind heeft kunnen zijn. Annemiek, het beschermelingetje uit zijn jongensjaren, het kameraadje uit zijn studententijd. Het trouwe vriendinnetje van zijn gehandicapte zusje Margo, die met eindeloos geduld en liefde het debiele kind voorlas en reed in haar wagentje... Annemiek, die zo'n hechte band had met Lineke en zo hangt aan zijn beide dochtertjes... Maar dan denkt hij aan haar jeugd. Zij heeft de leeftijd die Lineke had toen hij haar voor het eerst ontmoette. Maar nu zijn er twee kinderen en hijzelf is weduwnaar...

„Péter," zegt Annemiek zacht en het klinkt als een liefkozing. „Zeg het me, wat er is."

„Ik hóéf het je niet meer te zeggen. Je hebt het zojuist gelezen in mijn ogen, of niet?"

Annemiek knikt. De hare staan plotseling vol tranen. Niet te stuiten tranen.

„Ach, meiske, heb ik je aan het huilen gebracht? Ja? Vergeet het maar, dat ik zo raar deed. Ik . . ."

Maar Annemiek legt haar hand tegen zijn mond. „Niet zeggen. Niet zeggen dat je je vergiste, dat ik het moet vergeten, toe, Peet, vertel me wat je zeggen wilde."

„Ik houd van jou, Miekje, ik . . . ik ben een verblinde dwaas geweest. Ik had verdriet, intens verdriet om Linekes heengaan en pas toen Rosalie in de herfst naar Lienden kwam, begon de gedachte zich nog heel vaag te vormen dat ik vérder zou moeten. Zonder Lineke. Maar ook met het oog op Elmie en Reneetje zou ik mettertijd weer aan hertrouwen moeten denken. En toen besprong me de paniek. Want ik wilde geen ander dan Lineke en als . . . als het dan toch zou moeten . . . dan iemand die op haar leek. Zoals Marieke. Ik begreep niet, dat zij dan een verlengstuk van Lineke zou zijn geworden. Jouw vader en moeder Els, waarschuwden me voor dat gevaar. Ik investeerde mijn gevoelens toen in Rosalie. Maar meer en meer kwam ik tot de slotsom, dat wij totaal niet bij elkaar pasten . . ."

„Ze is erg mooi en ze kleedt zich goed."

„Jij bent ook mooi. Niet alleen van buiten, maar van binnenuit straal jij iets uit . . . ik . . . Miekje, vergeef me dat ik zo in mijn gevoelens zat verstrikt, dat ik de kluwen niet ontwarren kon. Wat zit een mens soms gecompliceerd in elkaar. Annemiek, kijk me eens aan en zeg me of je van zo'n ouwe vent als ik ben, houden kan. Iemand die bovendien vader is van twee kinderen!"

„Ach, Peter, ik heb toch zeker altijd van jou gehouden? Er is nóóit iemand anders geweest, al heb ik Lineke nooit misgund, dat zij het was, die jouw hart veroverde. Ik was immers nog maar een blaag, toen? Maar even zo goed . . . ook een blaag kan blijkbaar liefhebben. Het is tenminste nooit veranderd en toen dat met Lineke gebeurde . . . ik kón eenvoudig niet in Lienden blijven. Ik wist dat Marieke altijd veel met jou op had gehad en ik voorzag, dat jij háár zou kiezen. Omdat ze zoveel weg heeft van Lineke, die jij aanbad. En nóg een keer hetzelfde verdriet dóórmaken van toen . . . nee, dat kon ik niet, Peet."

„Dus . . . dus jij houdt ook van míj? Van mij? Weet je het zeker? Zie je me niet mooier dan ik ben, Miekje?"

„Ik weet dat je een driftkop bent en lang niet altijd gemakkelijk. Ik weet, dat je diepe minachting kunt koesteren voor iemand, die anders leeft en lieft als jij. Ik weet, dat je zelfs kunt . . . haten."

„En desondanks . . .?"

Annemiek glimlacht. Een wijze, bijna moederlijke lach. Waar

zijn nu die jaren die als een wig tussen hen stonden?
„En desondanks houd ik van jou Peter Odink. En met de hand op mijn hart kan ik je verzekeren: dat doe ik al zolang ik me herinneren kan."

Dan neemt Peter haar eindelijk in zijn armen. Er is geen druk bezet terras, geen drukke boulevard waar mensen af en aan flaneren. Ze zijn daar helemaal alleen. Tot Annemiek hem met een lichte gêne wegduwt. „Stel je voor, dat meneer Boutal voorbijkomt. Dan krijg ik op staande voet ontslag."

„Ze willen je daar helemaal niet missen. Maar dat zal toch moeten. En al heel gauw ook. Annemiek Feenstra, wil je binnenkort mijn vrouw worden?"

Ze lacht naar hem op met stralende ogen. Nooit eerder is de hemel zó blauw geweest als vandaag.

Ze wijst met haar hand naar de duif, die nog onbeweeglijk op haar plekje zit. „Als je er alleen naar kijkt, dan gebeurt er niets. Dan blijft ze rustig zitten. En als ze wegvliegt, Peet, dan vliegt ze toch regelrecht naar de zon?"

„De hemelzon," verbetert Peter zacht. „Annemiek, zou nu ook voor mij de zon weer gaan schijnen?"

„Welke zon?" vraagt Annemieke, hem met zijn eigen woord vangend. „De hemelzon? Die heeft al die tijd geschenen, alleen . . . jij schoof hem weg achter jouw zorgenwolken. Maar God was er steeds. Hij heeft jou geen ogenblik in de steek gelaten. Evenmin als Hij dat mij deed . . . En nu . . ."

Ze móét maar blijven kijken naar het gezicht, dat haar door de jaren heen zó vertrouwd is geworden. Waar ze ieder lijntje, ieder rimpeltje van kent. Nee . . . dat laatste is niet helemaal wáár. Het afgelopen jaar zijn er rimpeltjes gekomen, die ze níet kent. Ze duiden op verdriet en eenzaamheid, die hij buiten haar om heeft moeten dóórmaken. Terwijl ze hem zo zielsgraag had willen helpen. Hem troosten . . . ze heeft hem immers al zo heel lang lief?

Met een zachte kreet legt ze haar hoofd tegen zijn schouder. „Ik heb zo veel aan jou en de kinderen gedacht, Peet. Ik had je zo graag willen hélpen."

Peter legt zijn arm nog vaster om haar heen. Terwijl ze teruglopen naar de parkeerplaats zegt hij: „Het moest zo gaan, lieveling. Dit jaar, hoe moeilijk ook en hoe boordevol pijn, was nodig om mij terug te werpen op mezelf. Om mezelf te zien, zoals anderen mij zien. Zoals God mij ziet. Ik heb in stilte gemokt, getierd, gevóchten, met Hem, die mijn ellende en verdriet niet verhinderde, terwijl Hij bij machte is dat te doen. Naar buiten uitte ik het in cynisme, in kinderachtige jaloezie. Mijn onverzoenlijke houding tegenover Will Verheyde zal ik nooit of te nimmer meer goed kunnen maken. Die zal altijd als een Kaïnsteken in mijn hart gebrand blijven. Ik heb bij mijzelf naar binnen gekeken en ik ben hevig geschrokken . . . Ik vond mezelf altijd best een prima vent. Getapt, de mensen zagen me altijd graag komen, dat wist ik best . . . het was niet zo erg moeilijk om de leuke peer uit te hangen. Maar toen de bitterheid in mijn leven kwam, bleek alles maar een wankel kaartenhuis. Ik had mijn levenshuis op zand gebouwd . . ."

„En nu?"

„Laten we voortaan samen schuilen, zoals die witte vogel. Eigenlijk is het zo eenvoudig. Een dier weet het zelfs: schuilen tegen de onwrikbare Rotswand van Gods liefde en trouw."

„O, Peet," verzucht Annemiek, omdat ze niets meer kan bedenken, uit kan brengen, omdat ze voelt, dat de óúde Peter terug is.

HOOFDSTUK 25

„Ik kan het niet helpen, Em, maar het valt mij eerlijk gezegd erg tegen van Peter. Ik vind het niet fijngevoelig, om juist op moederdag aan te komen zetten met zijn aanstaande vrouw. Een Française nota bene. Voor Els moet dit toch een nieuwe slag zijn. Em?"

„Jij hebt toch meermalen gezegd, dat het voor de kinderen het beste zou zijn, als hij hertrouwde," meent Emma Bedijn fijntjes.

„Zeker, zeker. Maar ik had altijd gedacht . . . hij was erg gesteld op Marieke. En naderhand meende ik dat Rosalie . . ."

„Marieke schijnt serieuze plannen te hebben met die vriend van Job, vertelde Els. Ze zijn tenminste nogal eens samen er op uit geweest."

„Trap?" Charlottes stem is vol afgrijzen. „Dat is toch geen jongen voor Marieke. Die naam alleen al. En . . . en . . wat doet hij eigenlijk precies."

Emma haalt haar schouders op. „Het is belangrijker of ze van elkaar houden, dacht ik."

„Nog altijd naïef over de liefde en zo." Kregelig kijkt Charlotte haar zuster aan. „Nou ben je toch de zes kruisjes gepasseerd, Em, toe, het staat zo dom om zulke meisjesachtige dingen te zeggen. Wil je wel geloven dat ik in gezelschap altijd mijn hart vasthoud, wat jij er in je onschuld uitkraamt? Tegenover Anne schaam ik me soms ook. Zoals jij met ieder onnozelheidje bij hem aanklopt. Wat moet die man wel niet denken? Een jaar of wat terug heb je je ook zo aangesteld. Ik dacht, dat je dat nu wel ontgroeid was, die adoratie. Maar nee, dat blijft maar klitten en onnozel doen en de aandacht vragen..."

Hoewel Emma weet, dat haar zusters ontstemming het telefoontje van Els geldt, kan ze niet verhinderen, dat er tranen in haar ogen wellen bij Charlottes bittere woorden. Helemaal, als ze denkt, dat het nog waar is ook: zij vindt Anne Feenstra heel sympathiek en ze vindt het heerlijk, om hem raad te vragen, of een probleempje samen met hem op te lossen. Maar als ze dat Charlotte zo hoort zeggen, klinkt het bijna... banaal... slecht... en zo is het niet bedoeld, niet gevoeld. Nooit zou ze Els tekort willen doen en meer dan gewone belangstelling vragen van Anne. Trouwens... Emma glimlacht met een tikkeltje weemoed, Anne ziet immers niemand anders dan zijn Els. Bovendien... zij is al een oude vrouw, vergeleken bij haar blozende schoonzuster... ach Charlotte heeft weer eens één van haar „pijn"dagen. Dan kwellen haar de herinneringen én de reuma en als daar dan bovendien nog iets onaangenaams bijkomt...

Zelf is ze alleen maar blij, dat Peter een nieuwe levenspartner gevonden heeft. En dat dat iemand is uit het zuiden... tja, dat zat er eigenlijk wel in nu hij vaste plannen heeft, zich daar blijvend te vestigen.

Hardop spreekt ze haar gedachten uit: „Ik ben blij voor Peter, het kan zo immers niet doorgaan? Hij ziet zijn kinderen amper. Dat is niet goed. Ze krijgen nu weer een vader én een moeder, denk daar eens aan, Charlotte."

„Dat is dan maar te hopen," moppert Charlotte. „Wedden, dat het zo'n schilderij is? Zo'n verwaand, modern..."

Emma staat op. Ze heeft geen zin Charlottes gemopper nog langer aan te horen.

„Ik ga nog even een paar inkopen doen. Zal ik ook bloemen meenemen, voor zondag?"

„Je doet maar wat je niet laten kunt," snauwt Charlotte. „Voor Els en voor het aanstaande paar?"

Maar als ze Emma nakijkt, haar mond één harde streep, kreunt haar hart in oud verzet: Moederdag, morgen en ik... o, mijn lief kind, mijn eigen Wilma, ik zal jou morgen weer zó missen. En ik kan daar niet over praten. Zelfs niet met Em. Ze zouden zeggen dat het al zo lang geleden is . . . maar ik . . . ik kan mijn eigen bloed toch nooit vergeten?

„We overvallen die lieverds wel, Peet. Zo laat op de avond. Hadden we toch niet beter kunnen bellen, net als naar Den Haag?"

Peter Odink lacht onbekommerd. Hij laat zijn zware tas pardoes op de grond neervallen en slaat beide armen om zijn Annemiek. Hij trekt zich niets van haar protesten aan: „Oh, Peet, vlak vóór het huis van je ouders . . ." – en kust haar grondig.

„Je zult eens zien, hoe verguld ze met jou zijn. Als we met de auto waren gegaan, had ons dat nog de hele zaterdag erbij gekost. Je zei zojuist nog dat je het heerlijk vond, die vliegreis."

„Vond ik ook. Maar veel te kostbaar voor een weekeind."

„Voor jou is niets te kostbaar," fluistert Peter, dicht aan haar oor. Hij meent het met zijn hele hart: hij wil alles wat in zijn vermogen ligt doen, om het kleine vriendinnetje uit zijn jeugd al die eenzame jaren in het deftige, doodse huis te doen vergeten . . .

„Peter. Jongen. We stonden net op het punt om naar bed te gaan. Toe, Piet, help hem even met zijn jas. Je zult wel doodmoe zijn."

„Geen sprake van. Ik ben komen vliegen. Dus nog zo fris als een hoentje. Hoe is het met de meisjes?"

„Die slapen als rozen. Eigenlijk hadden we er stilletjes een beetje op gerekend, Peet, dat je morgen komen zou."

„Moederdag," monkelt Piet. „Jij en je moeder. Kom daar maar eens tussen."

Peter knuffelt haar op zijn oude, onstuimige manier. „Martje," zegt hij liefkozend. „Zeg Martje, hoe zou je het vinden, als ik je een nieuwe schoondochter bezorg?"

Mar Odink verstart. Peter voelt het. Daarna merkt hij, dat ze begint te beven en te trillen en op hetzelfde ogenblik weet hij, dat hij hun komst toch had moeten aankondigen. Annemiek had gelijk: er is teveel gepasseerd om nog net zo overrompelend met een meisje aan te komen als hij dat een jaar of wat terug zou hebben gedaan. Lineke . . . kreunt hij onhoorbaar, toen met jou ging het net eender. Ik had er een kwajongensachtig plezier in om vader en moeder nog even in spanning te houden. Ik liet jou achter in de keuken net als Annemiek nu. Hè, ik stel me aan als een puber die voor het eerst verliefd is. Lieke, vergeef me, dat ik jou even zó vergat.

„Peter, is het echt? Heb je . . . denk je eraan om weer . . .?”
Mar zakt neer op een stoel. Hevige emoties overspoelen haar. Piet is direct bij haar.
„Die jongen,” zegt hij hoofdschuddend. „Komt me daar als een wervelwind binnen en overvalt ons dan met een nieuwe schoondochter. Zo meteen vertelt hij nog, dat hij haar al heeft meegebracht ook.”
„Dat heb ik ook, vader,” zegt Peter met een benepen blik op zijn moeder.
„Ga haar halen,” zegt Piet streng, maar zijn ogen vonken verdacht. „Die dekselse jongen,” mompelt hij. „Die heeft zijn oude streken weer opgezocht, Martje, kind, we gaan haar feestelijk ontvangen. Denk erom: nu geen bedrukte gezichten meer. Wie of wát ze ook is.”
Zijn vrouw produceert een waterig lachje. „Ik zal mijn best doen, Piet. Maar het is zo onverwacht. Die ákelige vent.”
Enigszins plechtig staan ze, dicht naast elkaar, het paar op te wachten.
„Net als toen,” flitst het door Mar. Piet weet bijna zeker, dat zijn zoon de dochter van Pavard voor de tweede keer als zijn verloofde voor komt stellen. Hij weet óók, dat hij nu niet opnieuw de fout zal maken, haar zijn teleurstelling te laten blijken.
De deur vliegt open en binnen wervelt Annemiek. Ze stort zich bijna in Martjes armen en deze sluiten zich automatisch om het meisje dat lacht en huilt tegelijk.
„Kind, ben jij er ook?” vraagt Mar, en verschrikt: „Wat is er met jou? Toe, zeg het maar . . .,” en onderwijl zoeken Mars ogen opnieuw de kamerdeur waardoor hun aanstaande schoondochter komen moet.
Maar Peter zegt vlug: „Zij is het, Annemiek. Vader, moeder: mag ik jullie mijn aanstaande vrouw voorstellen?”
Er valt een stilte, zwaar van spanning, tenminste, zo voelt Annemiek het. Ze heft haar betraande gezichtje. „Tante Mar, oom Piet, vinden jullie het heel erg? Ik . . . ik houd al zolang van Peter en . . .”
Piet Odink heeft zich razendsnel hersteld van de onverwachte schok.
„Annemiek, kind, er is niemand waar we Peter en de meidjes liever aan toe vertrouwen dan aan jou, niet Mar?”
Moeder Mar lacht stralend naar haar op. „Het is alleen, ach, Peet, akeligheid. Had het niet op een andere manier gekund?”
„Jawel,” bekent Peter met een schuldig gezicht, „het was ondoordacht van me. Annemiek was er al bang voor. Maar ik . . .

ach, mensen, ik voelde me weer even net zo onbezorgd als vroeger. En dat . . . tja, dat kan natuurlijk nooit meer. Ik bedoel . . . die jaren met Lineke, die kan en wil ik nooit uitwissen. Omdat ik zo gelukkig met haar ben geweest. Maar niemand, die dat beter weet dan juist Annemiek. Zij is van het prilste begin getuige geweest van ons geluk. Maar nu . . . oom Anne heeft gelijk: het één hoeft niet minder te zijn dan het ander. Ik heb opnieuw de liefde ontmoet en daarom . . . zeg, zouden jullie ons niet eens gelukwensen? En maak dan vlug de kinderen wakker, want we moeten het toch samen vieren, dat ze een nieuwe moeder krijgen binnenkort."

„En wat voor één," zegt Piet Odink warm. „Jij bent altijd een moedertje in de dop geweest. Als ik alleen aan onze Margo denk."

Mar knikt ontroerd. Nog eens moet ze het blonde meisje tegen haar borst drukken.

Annemiek voelt zich wonderlijk blij en rijk. Het is alsof haar lege handen plotseling óvervol worden gestapeld.

„Nu wordt u écht mijn moeder, tante Mar. En . . . u mijn vader, oom Piet. Oh," ze proest het ineens uit. „Ik stik in de familie. Twee vaders, twee moeders. Een man, twee kinderen, broers, zusters, ik . . ."

En dan huilt ze toch weer, het moederloze meisje, dat zo lang en zo intens gehunkerd heeft naar liefde en aandacht . . .

Mar streelt het korte blonde haar. „Ik heb altijd geweten, dat je van onze Peter hield," fluistert ze. Want déze woorden zijn een klein geheim tussen haar en het meisje, dat haar zoon weer gelukkig gaat maken.

Zondagsmiddags rijden Peter en Annemiek in Tjerks wagen naar Den Haag. De kinderen, achterin, zorgen voor de nodige afleiding en die hebben ze beiden hard nodig, nu ze het einddoel van hun tocht naderen.

„Annemiekje, ik zie er zo gruwelijk tegenop," bekent Peter als ze door de buitenwijk van Den Haag rijden, recht op het hart van de stad af.

„Ik ook. Het is toch heel anders dan het bij jou thuis vertellen . . . Hoe zou moeder Els het opvatten?"

„Ze zullen dolblij zijn, dat jij het bent en niet een of andere Franse juffrouw."

„Franse juffrouw? Peter Odink, je hebt ze toch niets in die richting gesuggereerd? Daar is dit . . . te pijnlijk voor."

„Ik heb alleen gezegd, dat ik mijn aanstaande vrouw mee-

bracht uit Frankrijk. Dat is toch ook zo?"
Annemiek schudt haar korte manen. Ze kijkt nog eens naar Elmie, die haar lievelingskinderen – de poppen van Will – tegen haar rode manteltje gedrukt houdt. Naast haar zit Reneetje in haar autostoeltje. Ze sabbelt op een lange vinger, die Annemiek haar heeft gegeven. Haar fijne witte snoetje heeft ze helemaal ondergeknoeid . . .
Enfin, zo meteen maar afpoetsen, ze kan er nu toch niet bij en bovendien helpt het niets zolang ze het koekje niet op heeft. Wel een verschil met Elmie, die zoiets in twee happen klaart. Het zal met Reneetje altijd wat trager blijven gaan, peinst Annemiek, maar het geeft niet. Ze is dol op kinderen en haar hart is groot genoeg, om daar Elmie en Reneetje en misschien straks ook een kindje van hen samen in te sluiten . . .
Als ze stilhouden voor het ouderlijk huis van Lineke kijkt ze even vlug naar Peters gezicht. Ze ziet dat hij vecht tegen een ontroering, die zij niet volledig peilen kan.
„Ga maar, Peet," zegt ze zacht, „ik kom zo met de kinderen na."
Hij kijkt haar dankbaar aan. Hij moet nu eerst even alleen zijn met moeder Els.
En dat zijn ze ook. In het voorportaal valt ze hem schreiend om de hals. „Peter, ik ben blij . . . heus, maar het doet zo zéér . . . begrijp je dat, Peter?"
„Ach, moeder, het gaat mij toch net zo? Ik ben gelukkig en ik heb verdriet . . . maar wie kan dat beter doorvoelen dan jij, moeder Els? Jijként die bitterzoete combinatie immers?"
Els knikt nadrukkelijk. „Ja, die heb ik aan den lijve ondervonden. De diepste diepten en de hoogste toppen . . . het léven . . . Zóóó!" Els snuit resoluut haar neus.
„Laat ze nu maar komen, die vrouw van jou. We zullen haar als een dochter ontvangen, jongen."
Peter, met alle liefde en genegenheid die hij voelt voor deze kleine, dappere vrouw, veegt de laatste tranen van het gezicht, dat met de kwetsbare ogen zo sterk herinnert aan zijn Lineke.
„Ik hoop niet dat u er zo van ondersteboven bent als mijn ouders, moeder Els. Het is namelijk jullie eigen Annemiek. Zij zal binnen enkele maanden als mijn vrouw mee teruggaan naar Salernes."
Els' gezicht begint te stralen. „Wat zal Anne in zijn nopjes zijn. Maar . . . maar . . . je zei mee teruggaan. Annemiek werkt toch nog in Frankrijk?"
„Niet meer," verklaart Peter trots. „Daar heb ík voor gezorgd.

Foei, zoals dat kind daarginds werd uitgebuit. Niet mooi meer. En hoewel ik haar deze weken gruwelijk zal missen, ik begrijp, dat jullie haar ook nog graag een tijdje bij je wilt hebben. Lon heeft ook al een week of wat geclaimd. Nu ja, jullie vechten het samen maar uit."

Dan gaat Peter terug, naar de auto, waar Annemiek de kinderen alvast heeft losgemaakt en nu, een beetje bedrukt, op zijn terugkeer wacht.

Maar Peter neemt haar Reneetje af en met Reneetje op zijn arm en Elmie huppelend aan zijn hand gaan ze samen het huis binnen, waar een gelukkige familie hen opwacht.

Pas als Els samen met de tantes naar de keuken is gegaan, om daar een enorme schaal broodjes te smeren voor de vele hongerige magen, vraagt Peter gedempt aan Job: „Weet jij, waar Rosalie is? Ik had haar ook hier verwacht, vanmiddag."

„Had je dat echt?" vraagt Job, met iets tartends in zijn gewoonlijk zo onbezorgde ogen. Hij schuift iets dichter naar zijn zwager, zodat Hanneke aan zijn andere kant, hem niet horen kan.

„Rosalie heeft nog altijd verdriet. Dat weet ik, al heeft ze het nooit gezegd."

„Verdriet . . . denk je dat ík daar de oorzaak van ben, Job?"

Job haalt zijn schouders op. „Ik vermoed het, maar zeker weet ik het niet. Maar omdat ze hier nu niet is . . . Ze weet, dat jij hier vanmiddag bent, met je aanstaande vrouw. Dat heeft moeder haar verteld."

„Zou je opa het weten? Rosalie en hij verstaan elkaar nogal goed, meen ik me te herinneren."

„Vraag het hem zelf," adviseert Job op dezelfde fluistertoon. „Zeg, Peter . . . ik wil je dit toch nog even zeggen: ik ben hartstikke blij, voor jou en ook voor die kleine wurmen. En dat het Annemiek is . . . dat doet me máchtig veel plezier. Want wij allemaal hier hè, we waren toch zo enorm bang, dat het een wildvreemde zou zijn. Ja, dat lag voor de hand, of niet? Maar nu . . . Annemiek hoorde er al bij, zogezegd."

„Je komt maar heel gauw logeren met Hanneke," inviteert Peter joviaal. „Iedereen is van harte welkom en een zonniger plekje om vakantie te houden bestaat voor mij gewoon niet."

„Graag," accepteert Job vlot en hij bespreekt maar meteen met Hanneke, wanneer ze hun vakantiedagen zullen opnemen.

„Rosalie?" De waakzame ogen van Jacob van Helden staan

bezorgd. „Ik had gehoopt, dat ze niet zou ontbreken, vanmiddag. Ze had gezegd, dat ze vanmorgen naar huis zou gaan, vanwege moederdag en misschien 's middags nog even bij ons aan zou lopen. Rickje zei toen, dat ze dan meteen na het middageten komen moest, omdat we hierheen zouden gaan . . . Ze had dan mooi met ons mee teruggekund. Misschien was dat ook haar opzet wel . . . durfde ze niet goed alleen . . ."

„Job dacht, dat ze nog steeds problemen had . . . verdriet . . ."

„Een wond geneest bij de één sneller dan bij de ander, m'n jongen. Ik ben dankbaar, dat ik nog mag meemaken, dat die van jou geheeld is en nog wel op zo'n prachtige wijze. Ik voorzie, Peter, dat jij nóg gelukkiger wordt met die dochter van Anne, dan je nú voor mogelijk houdt. Want weet je: jullie passen bij elkaar. Ik denk . . . en nu moet je me geen gebrek aan tact verwijten, ik denk: béter dan Lineke en jij dat deden. Je zult straks weer blij en onbezorgd kunnen genieten van het leven, dat God jullie geeft. Als een feestelijk geschenk. Pak het aan, wees er zuinig op, puur uit de dagen, de jaren, de zoete honing . . . dat is een levenskunst, die maar weinigen zich eigen maken. We verprutsen wat tijd met onnodig geprakkizeer en getob . . . en het is niet nodig . . . Er is zoveel moois en goeds. Ontdek het, stel je er voor open . . . dat mág! Peter, ik kan je geen betere raad geven: houd van het leven. Próéf ervan, wees blij met iedere dag. Ik ben dat nog steeds. En als God mij roept, dan zal ik gaan, met een lichte weemoed, omdat het zo goed was, maar ook met het vaste vertrouwen, dat het nog véél mooier worden zal. Want onze God is niet karig met Zijn geschenken. Hij bewaart het mooiste voor het laatst."

Peter weet niet beter te doen, dan die blauw-geaderde hand vast te grijpen en die ontroerd te drukken.

Daarna staat hij vastbesloten op.

„Ik ga even richting Kijkduin. Misschien dat ze toch naar u toe is gegaan, opa. Annemiek, ga je met me mee?"

In de auto, moeizaam, probeert hij uit te leggen, waarom hij Rosalie zoeken moet. Hij heeft Annemiek verteld van Ada's bekentenis. Alles over de tragische dood van Will Verheyde. Nu vertelt hij eerlijk, hoe unfair hij Rosalie behandeld heeft, meer dan eens. Er mogen geen geheimen tussen Annemiek en hem staan.

Annemiek luistert met een bedrukt gezichtje. De Peter die zij adoreert zolang zij zich herinneren kan, valt opnieuw van zijn voetstuk. Haar liefde zal hem daarop terugzetten, steeds weer, maar nu . . .

„Je huilt," ontdekt hij geschrokken als hij even opzij kijkt. Hij doet een snelle veeg over haar natte wangen. „Ik heb jou aan het huilen gemaakt. Annemiekje, schat, geloof me, er was niet écht iets tussen haar en mij. Het was alleen . . . ik kon niet verder zonder Lineke en toen kwam Rosalie . . . ik dacht die rampzalige eenzaamheid af te kunnen schudden als ik weer iemand had, die mij warmte en geborgenheid zou kunnen geven. Ik had zo intens liefgehad. Het werd van mij losgescheurd . . . Annemiek, begrijp je het?"

Annemiek zou willen schreien dicht tegen Peters borst. Hem zeggen dat ze het natúúrlijk begrijpt. Rosalie is zo mooi en ze kwam, ongevraagd, uit vrije wil naar hem toe . . . Peter was zo alleen, een man zonder een vrouw . . . Maar het enige dat haar kurkdroge lippen ontsnapt is: „Let op je stuur, Peter. Straks maak je nog brokken."

Peters gezicht wordt een strak masker. Ze begrijpt het niet. Ze begrijpt er niets van. Ze is te jong, toch nog een kind, teveel beschermd. Hoe kan ik haar opzadelen met de zorg voor mijn kinderen, als ze zélf nog geen volwassen gevoelens aan kan en doorvoelen?

Zijn lichaam lijkt te verstrakken als zijn gezicht. Annemiek voelt het onmiddellijk. Ze maakt zich zo klein mogelijk. Het vergroot ook zichtbaar de afstand die er tussen hen is . . .

Die muur weer, denkt ze onmachtig. Ze knippert verwoed met haar ogen. Ze wíl niet huilen. Ze is geen kind meer, maar hoe kan ze uitleggen, wat ze voelt, als hij haar daar niet de gelegenheid voor geeft?

Maar terwijl ze tot stikkens toe benauwd steeds weer denken moet aan die twee: háár Peter en het mooie zusje van Lineke, schuift er een ánder beeld voor dat verwarrende: Peter, met Elmie en Reneetje bij een versgedolven graf . . . ziet ze weer de verbijstering, de wanhoop in zijn donkere ogen, waarvoor zij op de vlucht ging. Ze kon zijn verdriet niet zien . . . ze had hem immers zo lief? Dan kan ze ineens haar hand wel leggen tegen zijn harde wang.

„Péét."

„Hm?"

„Alle warmte en liefde die ik heb, zal ik jou geven."

Hij móét de auto stoppen. Ze zijn de vuurtoren al gepasseerd. Vóór hen slingert het pad tussen de eolische duinen door op het huisje aan, waar opa Van Helden zijn zeegezichten schildert.

Wacht daar . . . Rosalie?

Hoe kan ik haar met mijn geluk confronteren? vraagt Peter

zich met snel groeiend paniekgevoel af. Heeft hij dan alleen maar aan zichzelf gedacht?

„Wat is er?" Annemiek meent te begrijpen, wat er nu in Peter omgaat. „Kom, we gaan samen," troost ze.

Maar hij schudt zijn hoofd. „Het . . . néé!" Hij draait zich om en begint terug te lopen naar Tjerks auto. Annemiek holt naar hem toe. „Kom, Peter. Je wilde zelf! En er mag immers geen misverstand tussen Rosalie en ons in staan?"

Om dat vertrouwelijke „ons" moet hij haar even pakken, al lopen er nog zoveel wandelaars op deze zonnige meidag . . .

„Annemiek, ik ben een lafaard. Je hebt gelijk: ik moet Rosalie zélf vertellen van ons tweetjes."

Rosalie Bedijn zit op de top van een duin, niet ver van opa's huisje. Ze heeft hem niet thuisgetroffen en nog mist ze de moed om terug te keren naar haar ouderlijk huis, waar nu een weemoedig-blijde stemming heersen zal: Peter is daar met zijn bruid uit Frankrijk . . .

Kan ik het áán, hem gelukkig te zien? Ik weet, dat het geen liefde was, dat ons naar elkaar dreef, maar toch . . .

Ze heeft toch een tijdlang gespeeld met de gedachte, dat zij het was, die de liefde opnieuw in hem wakker riep . . .

Rosalie heft langzaam haar hoofd naar de blauwe hemel. Het zilveren haar beweegt zacht op de wind . . .

Laat je drijven . . . drijven op Gods wind . . . opa, ik kán het niet . . . nóg niet . . . ik ben zo alleen . . . ik heb maar zo éven liefgehad . . .

Will . . . Will . . . ik verlang zo vreselijk naar jou, het was liefde, niet minder, je hebt het zelf gezegd . . .

Ze zit daar, haar ogen verblind door tranen en door de blinkende meizon . . . Alleen en met een hunkering, die een hunkering moet blijven . . .

Peter ontdekt haar het eerst.

„Kijk, Annemiek, dáár."

Dicht aanéén staren ze naar het bekoorlijke plaatje: het meisje met de zilveren haren, bovenop het zonbeschenen duin . . .

„Ze zit daar zo . . . zo verlaten," verzucht Annemiek. „Ze lijkt zelf wel een zilvermeeuw, daar tegen het blauw van de lucht."

Peter knikt, niet bij machte één woord uit te brengen. Want weer is er die vreemde associatie met zijn oude droom . . . een duif in de rotskloof . . . of hoog op een duin . . . dat is om het even. De symboliek is hetzelfde. Of niet? Nog even kijkt hij naar het onbeweeglijke figuurtje boven hen, dan neemt hij Annemieks hand.

Hij ziet haar aan en weet, dat hij niets hoeft uit te leggen.

Stil gaan ze terug. Ook in de auto zijn er geen woorden, alleen een bijna zichtbare saamhorigheid: ze weten zich gevangen binnen een zelfde pijn en deemoedige verwondering . . . pijn om het verstilde, opgeheven gezicht van Linekes zusje en verwondering, omdat zij zelf het geluk mochten vinden . . .

Even moet Annemiek haar hand leggen over die sterke, bruine mannenhand, die losjes op het stuur ligt. Over de hand, die al zoveel heeft verricht, buiten haar om. Die heeft geschreven tijdens zijn studiejaren, geploeterd in de machinekamer aan boord van zoveel schepen, die heeft geliefkoosd en bemind . . .

Nu ligt hij warm als een belofte onder haar bereik. Twee handen bijeen als in een gebed. Het welt in haar op, zo maar, spontaan, uit haar overvolle hart: „Dank u, God, dat u hem mij heeft gegeven. Dat ik nu iemand heb, die mijn eenzaamheid weg zal nemen. Want u alleen weet, hoe ik gehunkerd heb naar een mens, naar déze mens . . . deze man . . . maar . . . help háár, God, help allen, die eenzaam zullen blíjven."

Als Peters ogen even die van haar zoeken, ligt er een „amen" in. Dan weet Annemiek, dat hij haar onuitgesproken gebed heeft meegebeden.

Als ze zonder Rosalie terugkeren, zegt Anne Feenstra, na een snelle blik op Els' bedrukte gezicht: „Ik ben er even niet."

Els ziet hem zonder verwachting na, zover als de drukke Laan van Meerdervoort haar dat toelaat . . .

Rosalie zal niet met Anne meegaan. Ze begrijpt dat wel, al steigert ook haar moederhart, omdat het zo graag de kuikens bij elkaar wil zien, op een dag als vandaag.

Moederdag . . . Ze denkt aan het graf op het kleine dorpskerkhof, aan dat andere hier dicht in de buurt . . .

De wétende ogen van haar schoonzuster Charlotte zetten Els echter onverbiddelijk terug in het nu. Al die blijde mensen: zoveel dat haar bleef. Charlotte werd alles ontnomen en toch bezit ze een moed, die ze moet hebben ontvangen, nadat ze er om vroeg . . .

„Ik ga koffiezetten. Als Anne zo dadelijk terugkomt met Rosalie, gaan we die fantastische taart aansnijden, die de tantes hebben meegebracht."

„Laat mij maar snijden," sommeert Jacob. Maar ze lachen hem vierkant uit. „Ja en wij zeker de kruimeltjes opeten?" spot

Job, „komt niets van in opa. Moeder, dat werkje klaar ik. Ga je mee, Hanneke?"
Carry kijkt met minstens evenveel spot naar het paartje op de erkerbank.
„Ik word misselijk van dat gevrij hier om mij heen," verklaart ze. „Als dat andere stel nu niet in de keuken stond te zoenen, zou ik graag koffie zetten mammie. Maar nu . . ."
Marieke proest het uit. „Trap, haal je arm weg. Mijn kleine zusje kan er niet tegen."
Jan Dekker, quasie beledigd om zijn oude bijnaam, slaat nog vaster zijn lange arm om Marieke heen. „Doe boete om dat 'Trap'," eist hij.
Els, bekommerd, denkt aan Rosalie . . . Carry, die flapuit zal zelf haar weg wel vinden. Zij fladdert nog onbezorgd rond tussen haar vele vriendjes waaruit ze maar steeds geen keuze weet te maken. Maar Rosalie . . . wat weet ze van de diepste geheimen die het hart van deze dochter bergen?
Zal er pijn zijn in de nachtblauwe ogen, die zoveel afgunst én bewondering hebben opgeroepen, hier thuis en elders?
Els ziet de zorgzaamheid, waarmee Peter over zijn Annemiek waakt. Ziet hoe ze samen opgaan in de twee hummels. Al een hecht gezinnetje . . . Peter, die met dezelfde toewijding Lineke troostte, steunde . . .
„Vergeet die bloemen straks niet, Peter. Die zijn voor jou en je aanstaande vrouw. Dat ze niet hier blijven liggen . . . jullie weten: ik houd niet van zulke onzin als moederdagen. Commercie anders niet . . . Geef elkaar gewoon maar eens een bloemetje maar niet op verplichte dagen . . . ," hoort ze de stem van Charlotte.
Emma geeft Els voorzichtig een knipoog. Els knikt bijna onmerkbaar terug en ineens, bij het zien van Emma's zachte, lieve gezicht, borrelt er zo'n lang vergeten blijdschap Els' hart binnen, dat ze er even geen weg mee weet . . .
Ze is rijk, tóch! Met zóveel liefde om haar heen . . .

Ook Anne heeft het even te kwaad, als hij Rosalie nog steeds op hetzelfde plekje dat Peter hem duidde, ziet zitten.
Voorzichtig stapt hij over de afrastering heen en begint moeizaam langs het duin omhoog te klauteren.
Door het rulle zand, dat hem belemmert nog sneller het figuurtje boven hem te bereiken.
Bij de duinpan, omzoomd door merkwaardig gevormde struiken, blijft Anne hijgend staan. Hij heeft nu geen oog voor de

kruipwilgen en de ligusters, die door de zeewind in een halve bolvorm zijn geknipt, zó, dat geen tuinman het zou kunnen verbeteren.

Anne loopt met lome passen de enkele meters die hem nog scheiden van Els' dochter.

Achter haar staand, legt hij een moment zijn hand op haar verwaaide haren. „Rosalie."

Als gestoken veert ze overeind. „Ik schrok . . .," hapert ze. „Ik heb niets gehoord. Ik . . ."

Anne ziet haar ogen, glinsterend van ongeschreide tranen.

„U komt mij halen," zegt Rosalie schril.

„Alleen als je zelf wilt. Natuurlijk hóóp ik, dat je met me meekomt. Dat doen ze allemaal trouwens. Jij hoort er óók bij, kind."

Schamper haalt ze haar schouders op. „Ze kunnen mij missen als kiespijn. Vooral nu! Het is zeker allemaal 'halleluja' en 'hoera voor het jonge paar' en . . . Anne ziet hoe het meisje haar tanden in haar lip bijt, hoe krampachtig zich haar kleine vuisten ballen als in machteloos verzet.

„Ik kan er niet bij," hoort hij haar mompelen. „Is iedereen dan zo gauw vergeten? Wat zijn jullie toch voor mensen? Ik wíl daar niet tussen zitten en feestvieren. Ik kán dat niet."

„Nee," beaamt Anne stil. „Ik begrijp het. Ik kwam ook alleen omdat je moeder zoveel lijdt, omwille van jou. Ze heeft het zo verkeerd gedaan, waar het jou betreft en nu is het te laat voor een nieuwe start. Ze weet dat ze tekort geschoten is, maar ze weet níet, hoe die kortsluiting tussen jullie ongedaan te maken."

Rosalie haalt geïrriteerd haar schouders op. „Het hoeft immers niet meer? Laten jullie me nu maar gewoon met rust. Ik red me wel."

„Nee, Rosalie. Dat doen we nu juist niet. Snap je dan niet, dat we van je houden? Dat we je daarom bij ons willen hebben? Als je om iemand geeft, kun je hem toch niet rustig voor je ogen laten verdrinken? Dan steek je je handen toch naar hem uit, om hem te redden?"

„Ik verdrink niet. Ik kan zwemmen," spot Rosalie.

„Ja! Maar je doet het niet. Je verdrinkt in je eenzaamheid en je verdriet."

„Wat weet u van mijn verdriet? Of denkt u óók, dat ik om Péter niet naar huis kom? Nou, vergeet het maar: er is tussen ons nooit sprake van liefde geweest. En ga nu alstublieft terug naar die knusse kamer vol mensen en bloemen en taart."

Anne hoort nu duidelijk, dat ze huilt. Verslagen, zich met zijn figuur geen raad wetend, blijft hij op een paar passen afstand van haar staan. Hij voelt hoe alle zekerheid hem ontglipt.

Rosalie werpt een schichtige blik op hem, omdat hij daar maar staat, zonder te spreken, kennelijk met zijn houding verlegen. Híj, de dominerende, doortastende Anne Feenstra, waar iedereen thuis mee weg loopt. Haar moeder in de eerste plaats. Herinner je toch, Rosalie, hoe hij je eigen vader van zijn plaats heeft gedrongen. Hoe . . .

Ze ziet hoe hij nerveus met zijn ogen knippert. Een man, Anne Feenstra nog wel, die zijn emoties niet in de hand heeft. Maar dan . . . waaróm is hij zo uit zijn doen? Toch niet . . .?

„U was altijd zo zeker van uw zaak. Zo vast overtuigd, dat u het allemaal zo goed wist. U gaf mij de indruk – en ik weet dat mijn vader het ook zo voelde – dat ik maar een prul was en hij . . . hij evengoed . . ."

Anne kan nog steeds niet spreken. Zijn tong lijkt alle dienst te weigeren.

Zijn ogen haken zich vast aan een takje. Een klein obstakel, waar omheen zich zand vormt. Maar hij weet, dat dit mini duintje gedoemd is te verdwijnen, omdat straks een windkuil zal ontstaan, waar het in zal tuimelen. Alleen lévende, dóórgroeiende planten kunnen het zand vasthouden en zó een nieuw duin vormen . . .

Alleen levende planten, geen dode tak . . .

„Rosalie," zegt hij eindelijk en ze ziet, hoe hij nog steeds vecht tegen, ja waartegen?

„Als er één is, die het níét wist, die er van overtuigd is, dat hij een prul is, dan ben ik het. Praat maar eens met Annemiek. Vraag haar, of ze gelukkig geweest is tijdens haar kinder- en meisjesjaren."

Rosalie doet een klein stapje naar hem toe. Hij staat daar zo verloren. „Ik weet van Lineke, dat ze eenzaam geweest is," zegt ze zacht. „Ik zou het haar echt gunnen, dat ze gelukkig werd. Tjerk is bang, dat ze ook daarginds in Frankrijk stik-alleen is."

„Niet meer voor lang. Zíj is de aanstaande vrouw van Peter," vertelt Anne moeizaam. „Annemiek?"

Gedachten en beelden vloeien dooréén in Rosalies hoofd . . . Peter . . . Annemiek. Peter . . . Lineke . . . Will . . .

Nu schreit ze weer. Anne Feenstra doet de laatste stap. Hij slaat zijn arm om haar schouders.

„Huil maar," zegt hij mild. Maar als ze zijn ogen ziet, boordevol zorg om haar, om háár, dan bergt ze haar hoofd tegen zijn borst, zoals ze dat vroeger zo dikwijls bij haar eigen vader deed.

„Weet u dan, waarom ik zoveel verdriet heb?"
„Natuurlijk. Dat wist ik toch die dag al, toen ik je trof bij het ziekenhuis? Maar juist omdat ik weet, dat je zoveel pijn hebt, daarom wil ik je zo graag thuis hebben, meisje."
„Weet moeder . . . heeft u moeder verteld van Will?"
„Nee. Ik wist niet of jij dat op prijs zou stellen. Ik had het toch per ongeluk ontdekt?"
„Niet waar," zegt Rosalie fel en haar oude temperament wordt éven zichtbaar.
„Omdat u mij begrijpt. Omdat u daar moeite voor doet. Maar ik wílde het niet. Ik houd nu eenmaal niet van supermensen, die nooit fouten maken. Maar nu u mij eerlijk verteld hebt, dat u net zo'n mislukkeling bent als wij allemaal op z'n tijd zijn . . . nou ja, ik dan misschien chronisch . . ."
Ze produceert een waterig lachje.
„Nu geloof ik, dat ik ook maar capituleer . . . En ik had mezelf nog wel bezworen, dat ik nooit en nooit overstag zou gaan, waar het u betreft . . ."
„Wat probeer je me nu allemaal te vertellen?" vraagt Anne en de spanning kropt in zijn keel.
Nog één moment vecht Rosalie tegen haar eigen „ik", haar trots die haar belet, om zich gewonnen te geven aan de man, die de plaats innam van vader; de man die moeder Els weer zo gelukkig maakt, maar wiens hart ruim genoeg is, om ook háár daarin te sluiten.
Dan zegt ze, kán ze plotseling zeggen met een verlangende stem: „Ik wilde vragen, of we nú naar huis gaan, vader Anne."